رواية

أحلام مستغانمي

فوضى الحواس

نوفل

تصميم الغلاف: **معجون**
طباعة: **Chemaly & Chemaly**

ر.د.م.ك.: 978-9953-26-943-6

إهداء

إلى محمّد بوضياف.. رئيسًا وشهيدًا.

وإلى سليمان عميرات، الذي مات بسكتة قلبيّة وهو يقرأ الفاتحة على روحه، فأهدوا إليه قبرًا جواره.

وإلى ذلك الذي لم يقاوم شهوة الانضمام إليهما، فذهب ذات أوّل نوفمبر، بتلك الدقّة المذهلة في اختيار موته، لينام على مقربة من خيبتهما.

من وقتها.. ورجال أوّل نوفمبر قهرًا يرحلون.

من وقتها وأنا إلى أحدهم أواصل الكتابة.

إلى أبي... مرّة أخرى.

أحلام

بدءًا

عكس الناس، كان يريد أن يختبر بها الإخلاص. أن يجرّب معها متعة الوفاء عن جوع، أن يربّي حبًّا وسط ألغام الحواسّ.

هي لا تدري كيف اهتدت أنوثتها إليه.

هو الذي، بنظرة، يخلع عنها عقلها، ويلبسها شفتيه. كم كان يلزمها من الإيمان، كي تقاوم نظرته!

كم كان يلزمه من الصمت، كي لا تشي به الحرائق!

هو الذي يعرف كيف يلامس أنثى تمامًا، كما يعرف ملامسة الكلمات. بالاشتعال المستتر نفسه.

يحتضنها من الخلف، كما يحتضن جملة هاربة، بشيء من الكسل الكاذب.

شفتاه تعبرانها ببطء متعمّد، على مسافة مدروسة للإثارة.

تمرّان بمحاذاة شفتيها، دون أن تقبّلاهما تمامًا. تنزلقان نحو عنقها، دون أن تلامساه حقًّا. ثم تعاودان صعودهما بالبطء المتعمّد نفسه. وكأنّه كان يقبّلها بأنفاسه، لا غير.

هذا الرجل الذي يرسم بشفتيه قدرها، ويكتبها ويمحوها من غير أن يقبّلها، كيف لها أن تنسى كلّ ما لم يحدث بينه وبينها؟

في ساعة متأخّرة من الشوق، يداهمها حبّه.

هو، رجل الوقت ليلاً، يأتي في ساعة متأخّرة من الذكرى. يباغتها بين نسيان وآخر. يضرم الرغبة في ليلها.. ويرحل.

تمتطي إليه جنونها، وتدري: للرغبة صهيل داخلي لا يعترضه منطق. فتشهق، وخيول الشوق الوحشيّة تأخذها إليه.

هو رجل الوقت سهوًا. حبّه حالة ضوئيّة. في عتمة الحواسّ يأتي. يُدخل الكهرباء إلى دهاليز نفسها. يوقظ رغباتها المستترة. يشعل كلّ شيء في داخلها.. ويمضي.

فتجلس، في المقعد المواجه لغيابه، هناك.. حيث جلس يومًا مقابلاً لدهشتها. تستعيد به انبهارها الأوّل.

هو.. رجل الوقت عطرًا. ماذا تراها تفعل بكلّ تلك الصباحات دونه؟ وثمّة هدنة مع الحبّ، خرقها حبّه. ومقعد للذاكرة، ما زال شاغرًا بعده. وأبواب مواربة للترقّب. وامرأة.. ريثما يأتي، تحبّه كما لو أنّه لن يأتي. كي يجيء.

لو يأتي.. هو رجل الوقت شوقًا. تخاف أن يشي به فرحها المباغت، بعدما لم يشِ به غيرُ الحبر بغيابه.

أن يأتي، لو يأتي.

كم يلزمها من الأكاذيب، كي تواصل الحياة وكأنّه لم يأتِ! كم يلزمها من الصدق، كي تقنعه بأنّها انتظرته حقًّا!

لو..

كعادته، بمحاذاة الحبّ يمرّ، فلن تسأله أيَّ طريق سلك للذكرى ومن دلّه على امرأة، لفرط ما انتظرته، لم تعد تنتظر.

لو..

بين مطار وطائرة، انجرف به الشوق إليها، فلن تصدّق أنّه استدلّ على النسيان بالذّاكرة. ولن تسأله عن أسباب هبوطه الاضطراري.

فهي تدري، كنساء البحّارة تدري، أنّ البحر سيسرقه منها وأنّه رجل الإقلاع.. حتمًا.

ريثما يأتي.

هو سيّد الوقت ليلاً. سيّد المستحيلات. والهاتف العابر للقارّات. والحزن العابر للأمسيات. والانبهار الدائم بليل أوّل.

ريثما يعود ثانية حبيبها، ريثما تعود من جديد حبيبته، ما زالت في كلّ ساعة متأخّرة من الليل تتساءل.. ماذا تراه الآن يفعل؟

اليوم عاد..

هو الرجل الذي تنطبق عليه، دومًا، مقولة أوسكار وايلد «خلق الإنسان اللغة ليخفي بها مشاعره». ما زال كلّما تحدّث تكسوه اللغة، ويعرّيه الصمت بين الجمل.

وهي ما زالت أنثى التداعيات. تخلع وترتدي الكلمات عن ضجر جسدي.. على عجل.

هي ذي عارية الصوت. تكسو كلمات اللقاء بالتردّد بين سؤالين. تحاول كعادتها، أن تخفي بالثرثرة بَرْدَها أمامه.

كادت تسأله: لماذا لبس ابتسامته معطفًا للصمت، اليوم بالذات، بعد شهرين من القطيعة؟

ثم فكّرت في سؤالٍ آخر: أينتهي الحبّ عندما نبدأ بالضحك من الأشياء التي بكينا بسببها يومًا؟

وقبل أن تسأل، بدا لها كأنه غير مكترث إلّا بصمتها أمام ضحكته.
لحظتها فقط تنبّهت إلى أنّه لم يكن يرتدي معطفًا.

الحزن لا يحتاج إلى معطف مضادّ للمطر . إنّه هَطْلنا السرّي الدائم.
وبرغم ذلك، ها هي اليوم تقاوم عادتها في الكلام. وتجرّب معه
الصمت، كما يجرّب معها الآن الابتسام.

الابتسامة الغائبة، صمته. أو لغته الأخرى التي يبدو كأنّه يواصل
بها الحديث إلى نفسه لا إلى الآخرين، ويسخر بها من أشياء يعرفها وحده.
الذي يخفيه عنها، كثيرًا ما أثار حزنها. أمّا الذي يثير فضولها،
فلماذا تخلّى عنها ذات يوم بين جملتين، ورحل؟

تذكر أنّه، يومها، أطبق على الحزن ضحكة ومضى، دون أن تعرف
تمامًا ماذا كان ينوي أن يقول؟

لا تريد أن تصدّق أنّه تخلّى عنها، لأنّها رفضت يومًا أن ترافقه
إلى مشاهدة ذلك الفيلم الذي كان يستعجل مشاهدته.

سألته أهو فيلمٌ عاطفي.. أجاب «لا».

سألته أهو فيلم ضاحك.. أجاب «لا».

- ولماذا تريد أن نذهب لمشاهدته إذن؟

- لأنّني أحبّ كلّ ما يثير فيّ البكاء.

ضحكت يومها. استنتجت أنّه رجل غريب الأطوار، لا يعرف
كيف يتدبّر أمر حبٍّ.

وهي لا تصدّق أيضًا ما قاله مرّة، من أنّ مأساة الحبّ الكبير، أنّه
يموت دائمًا صغيرًا، بسبب الأمر الذي نتوقّعه الأقلّ.

أيُعقل أن يكون حبّها مات، فقط لأنّها لم تشعر برغبة في أن تبكي معه، في عتمة صالة سينما، وإنّما كانت تفضّل لو دعاها إلى مكان آمن، بعيدًا عن فضول الآخرين، يمكنهما فيه أن يعيشا اشتعالاتٍ عالية..

ما تعتقده، هو كونه أراد إذلالها، كي يضمن امتلاكها. وربّما ظنّ أنّ على الرجل إذا أراد الاحتفاظ بامرأة، أن يوهمها أنّه في أيّ لحظة يمكنه أن يتخلّى عنها.

أمّا هي، فكانت دائمًا تعتقد أنّ على المرأة أن تكون قادرة على التخلّي عن أيّ شيء، لتحتفظ بالرجل الذي تحبّه.

وهكذا تخلّت ذات يوم عن كلّ شيء وجاءته.

فلم تجده.

تذكر أنها جلست وحيدة في تلك الزاوية اليسرى، من ذلك المقهى الذي كان يعرف الكثير عنهما، والذي أصبح منذ ذلك اليوم يحمل اسمه خطأً «الموعد».

أحيانًا، يجب على الأماكن أن تغيّر أسماءها، كي تطابق ما أصبحنا عليه بعدها، ولا تستفزّنا بالذاكرة المضادّة.

ألهذا، عندما طلبته البارحة هاتفيًّا، قال «انتظريني هناك» ثم أضاف مستدركًا «اختاري لنا طاولة أخرى.. في غير الزاوية اليسرى» وواصل بعد شيء من الصمت «ما عاد اليسار مكانًا لنا».

ألأنّ الحروب والخلافات السياسيّة طالت كلّ شيء، ووصلت حتى طاولات العشّاق وأسرّتهم؟

أم لأنّه لا يريد إذلال الذاكرة، أراد لها طاولةً لا يتعرّف الحبّ فيها إليهما، كي يكون بإمكانهما أن يضحكا، حيث لم يستطيعا يومًا البكاء؟

ها هما جالسان إلى الطاولة المقابلة للذاكرة.

هناك.. حيث ذات يوم، على جسد الكلمات أطفأ سيجارته الأخيرة.
ثم عندما لم يبق في جعبته شيء، دخّن كلّ أعقاب الأحلام وقال..

لا تذكر ماذا قال بالتحديد. قبل أن يحوِّل قلبها مطفأةً للسجائر، ويمضي.

منذ ذلك اليوم وهي تتصدّى لشوقها الذي فخّخه بالتحدّي.

تلهي نفسها عن حبّه، بكراهيته، في انتظار العثور على مبرّرٍ مشرّف للاتّصال به، مناسبةٍ ما، يمكن أن تقول له فيها «ألو.. كيف أنت؟» دون أن تكون قد انهزمت تمامًا.

في تمويه لإخفاقاتٍ عِشْقيَّة، عرضت عليه يومًا أن يصبحا صديقين.

أجابها ضاحكًا «لا أعرف مصادقة جسد أشتهيه». كادت تسعد، لولا أنّه أضاف «أنتِ أشهى عندما ترحلين.. ثمّة نساء يصبحن أجمل في الغياب».

ولم تفهم ما الذي كان يعنيه.

أمّا الذي كان يعنيها، فأن تستمع إليه.

هو ذا، لم يتغيّر. ما زال يتوق إلى الكلام الذي لا يقال بغير العينين. وهي لا تملك إلّا أن تصمت، كي ينصتا معًا إلى صخب الصمت بين عاشقين سابقين.

بين نظرتين، يتابع الحبّ تهرّبه العابث. وذاكرة العشق ترتبك.

مع عاشق آخر، كان بإمكانها أن تختلق الآن ضجّة وضحكًا.

أن تختلق الآن للصمت صوتًا، يغطّي على صمتها. أن تختلق الآن أجوبة لكلّ سؤال.

ولكن معه، هي تحتفظ بالأسئلة، أو تطرحها عليه دفعةً واحدة، دون صوت، بل بذبذبات صمتٍ وَحْدَهُ يعرفها.

وهو، دون أن يطفئ سيجارته تمامًا، دون أن يشعل رماد الأحلام، دون أن يقول شيئًا بالتحديد، دون أن يقول شيئًا إطلاقًا، كان يعترف لها بأنّه تغيّر كثيرًا منذ ذلك الحين.

هو رجل يشي به سكوته المفاجئ بين كلمتين.

ولذا يصبح الصمت معه حالة لغويّة، وأحيانًا حالة جوّيّة، تتحكّم فيها غيمة مفاجئة للذكرى.

حتمًا.. كان به شيء من الساديّة.

واللحظة أيضًا تراه، مغريًا وموجعًا في آن واحد. ولم تسأله لماذا هو كذلك.

أيمكن للإغراء أن يكون طيّبًا؟ هو الذي يوقظ شراسة الأحلام فينا...

هي كانت تريد أن تسأله فقط: كيف هو؟

ولكن قبل أن تقول شيئًا، سرق منها السؤال نفسه الذي لن يطرح غيره بعد ذلك، وقال: كيف أنتِ؟

بين ابتسامتين لفّ حول عنقه السؤالَ ربطةَ عُنُق من الكذب الأنيق. وعاد إلى صمته.

أكان يخاف على الكلمات من البرد؟ أم يخاف عليها هي من الأسئلة؟

الأسئلة غالبًا خدعة، أي كذبة مهذّبة نستدرج بها الآخرين إلى كذبة أكبر.

هو نفسه قال هذا في يوم بعيد، قبل أن..

تذكر قوله «تحاشَيْ معي الأسئلة. كي لا تجبريني على الكذب. يبدأ الكذب حقًّا عندما نكون مرغمين على الجواب. ما عدا هذا، فكلّ ما سأقوله لك من تلقاء نفسي، هو صادق».

يومها، حفظت الدرسَ جيّدًا. وحاولت أن تخلق لغة جديدة على قياسه، لغة دون علامات استفهام.

كانت تنتظر أن تأتي الأجوبة. وعندها فقط كانت تضعها أسفل أسئلتها، دون أن تنسى أن تتبعها بعلامات تعجّب، وغالبًا بعلامات إعجاب.

تدريجاً، وجدت في فلسفته في التحاور، من دون أسئلة ولا أجوبة، حكمةً، وربّما نعمةً ما.

وشكرت له إعفاءها من أكاذيب صغيرة أو كبيرة. كانت تقترفها دون تفكير. وبدأت تتمتّع بلعبة المحادثة المفترضة التي لا سؤال فيها ولا جواب.

ها هو ذا اليوم هو نفسه أمام السؤال.

من الأرجح أنّه يتساءل: أيطرحه أم يُجيب عنه. وهو في الحالتين كاذب.

السؤال خدعة، ومباغتة للآخر في سرّه. وكالحرب إذن، تصبح فيها المفاجأة هي العنصر الحاسم. لذا، ربّما قرّر الرجل صاحب المعطف أن يسرق منها سؤالها، ويتخلّى عن طريقته الغريبة في التحاور.

تلك الطريقة التي أربكتها طويلاً، وجعلتها تختار كلماتها بحذر كلّ مرّة، سالكة كلّ المنعطفات اللغويّة، للهروب من صيغة السؤال، كما هي تلك اللعبة الإذاعيّة التي ينبغي أن تُجيب فيها عن الأسئلة، دون أن تستعمل كلمة «لا» أو كلمة «نعم».

تلك اللعبة تناسبها تمامًا، هي المرأة التي تقف على حافة الشكّ. ويحلو لها أن تجيب «ربّما»، حتى عندما تعني «نعم»، و«قد» عندما تقصد «لن». كانت تحبّ الصيغ الضبابية، والجمل الواعدة ولو كذبًا، تلك التي لا تنتهي بنقطة، بل بعدّة نقاط انقطاع.

وكان هو رجل اللغة القاطعة.

كانت جمله تقتصر على كلمات قاطعة للشكّ، تراوح بين «طبعًا» و«حتمًا» و«دومًا» و«قطعًا».

وبإحدى هذه الكلمات، بدأت قصّتهما منذ سنة. تمامًا كما بإحداها انتهت منذ شهرين.

تذكر أنّه يومها، قطع المكالمة فجأة، بإحدى هذه الكلمات المقصلة، وأنّها بقيت للحظات معلّقة إلى خيط الهاتف، لا تفهم ماذا حدث.

اكتشفت، بعد ذلك، أنّه لم يكن بإمكانها أن تغيّر شيئًا. فتلك الكلمات ما كانت لغته فحسب، بل كانت أيضًا فلسفته في الحياة، حيث تحدث الأشياء بتسلسل قدريّ ثابت، كما في دورة الكائنات، وحيث نذهب «طوعًا» إلى قدرنا، لنكرّر «حتمًا» بذلك المقدار الهائل من الغباء أو من التذاكي، ما كان لا بدّ «قطعًا» أن يحدث، لأنّه «دومًا» ومنذ الأزل قد حدث، معتقدين «طبعًا» أنّنا نحن الذين نصنع أقدارنا!

كيف لنا أن نعرف، وسط تلك الثنائيّات المضادّة في الحياة، التي تتجاذبنا بين الولادة والموت.. والفرح والحزن.. والانتصارات والهزائم.. والآمـال والخيبات.. والحبّ والكراهيـة.. والوفاء والخيانات... أنّنا لا نختار شيئًا ممّا يصيبنا..

وأنّنا في مدّنا وجزرنا، وطلوعنا وخسوفنا، محكومون بتسلسل دوريّ للقدر. تفصلنا عن دوراته وتقلّباته الكبرى، مسافة شعرة.

كيف لنا أن ننجو من سطوة ذلك القانون الكونيّ المعقّد الذي تحكم تقلّباته الكبيرة، تفاصيل جدّ صغيرة، تعادل أصغر ما في اللغة من كلمات، كتلك الكلمات الصغرى التي يتغيّر بها مجرى حياة!

يوم سمعت منه هذا الكلام، لم تحاول أن تتعمّق في فهمه. فقد كان ذلك في زمن جميل اسمه «بدءًا».

ولذا كم كان يلزمها من الوقت لتدرك أنّهما أكملا دورة الحبّ، وأنّه بسبب أمر صغير لم تدركه بعد، قد دخلا الفصل الأخير من قصّة، وصلت «قطعًا» إلى نهايتها!

عندما ينطفئ العشق، نفقد دائمًا شيئًا منّا. ونرفض أن يكون هذا قد حصل. ولذا فإنّ القطيعة في العشق فنّ، من الواضح أنّه كان يتعمّد تجنُّب الاستعانة به، لتخفيف ألم الفقدان.

تذكر الآن ذلك اليوم الذي قالت له فيه «أريد لنا فراقًا جميلاً..» ولكنّه أجاب بسخرية مستترة «وهل ثمّة فراق جميل؟».

أحيانًا، كان يبدو لها طاغية يلهو بمقصلة اللغة.

كان رجلاً مأخوذًا بالكلمات القاطعة، والمواقف الحاسمة.

وكانت هي امرأة تجلس على أرجوحة «ربّما».

فكيف للغة أن تسعهما معًا؟

هو لم يقل سوى «كيف أنتِ؟» وهي قبل اليوم لم تكن تتوقّع أن يربكها الجواب عن سؤال كهذا.

وإذا بها تكتشف كم هي رهيبة الأسئلة البديهيّة في بساطتها، تلك التي نجيب عنها دون تفكير كلّ يوم، غرباءَ لا يعنيهم أمرنا في النهاية، ولا يعنينا أن يصدّقوا جوابًا لا يقلّ نفاقًا عن سؤالهم.

ولكن مع آخرين، كم يلزمنا من الذكاء، لنخفي باللغة جرحنا؟ بعض الأسئلة استدراج للشماتة، وعلامة الاستفهام فيها، ضحكة إعجاز، حتى عندما تأتي في صوت دافئ كان يومًا صوت من أحببنا.

«كيف أنتِ؟».

صيغة كاذبة لسؤالٍ آخر. وعلينا في هذه الحالات، أن لا نخطئ في إعرابها.

فالمبتدأ هنا، ليس الذي نتوقّعه. إنّه ضمير مستتر للتحدّي، تقديره «كيف أنت من دوني أنا؟».

أمّا الخبر.. فكلّ مذاهب الحبّ تتّفق عليه.

من الأسهل علينا تقبّل موت من نحبّ، على تقبّل فكرة فقدانه، واكتشاف أنّ بإمكانه مواصلة الحياة بكلّ تفاصيلها من دوننا.

ذلك أنّ في الموت تساويًا في الفقدان، نجد فيه عزاءنا.

كانت تفاضل بين جواب وآخر، عندما تنبّهت إلى أنّ جلستهما قد أصبحت فجأة معركة عاطفيّة صامتة، تُدار بأسلحة لغويّة منتقاة بعناية فائقة.

وإذا بالطاولة المربَّعة التي تفصلهما، تصبح رقعة شطرنج، اختار فيها كلّ واحد، لونه ومكانه. واضعًا أمامه جيشًا.. وأحصنة وقلاعًا من ألغام الصمت، استعدادًا للمنازلة.

أجابته بنيّة المباغتة:

- الحمد لله..

الأديـان نفسها، التـي تحثّنا على الصـدق، تمنحنا تعابير فضفاضة بحيث يمكن أن نحمّلها أكثر من معنى. أوَليست اللغة أداة ارتياب؟

أضافت بزهو من يكتسح المربّع الأوّل:

- وأنت؟

ها هي تتقدّم نحوَ مساحة شكّه، وتجرّده من حصانه الأوّل. فهو لم يتعوّد أن يراها تضع الإيمان برنسًا لغويًّا على كتفيها.

ظلّت عيناها تتابعانه.

هل سيخلع معطفه أخيرًا، ويقول إنّـه مشتاق إليها، وإنّـه لم يحدث أن نسيها يومًا؟

أم تراه سيرفع ياقة ذلك المعطف، ويجيبها بجواب يزيدها بردًا؟

أيّ حجر شطرنج تراه سيلعب، هو الذي يبدو غارقًا في تفكير مفاجئ، وكأنّه يلعب قدره في كلمة؟

تذكّرت وهي تتأمّله، ما قاله كاسباروف، الرجل الذي هزم كلّ
من جلس مقابلاً له أمام طاولة شطرنج.

قال: «إنّ النقلات التي نصنعها في أذهاننا أثناء اللعب، ثم
نصرف النظر عنها، هي جزء من اللعبة، تمامًا كتلك التي ننجزها على
الرقعة».

لذا تمنّت لو أنّها أدركت من صمته، بين أيّ جواب وجواب تراه
يفاضل. فتلك الجمل التي يصرف القول عنها، هي جزء من جوابه.

غير أنّه أصلح من جلسته فقط، وأخذ الحجر الذي لم تتوقّعه،
وقال دون أن يتوقّف عن التدخين.

- أنا مطابق لك.

ثم أضاف بعد شيء من الصمت.

- تمامًا..

هو لم يقل شيئًا عدا أنّه استعمل إحدى كلماته «القاطعة»
بصيغة مختلفة هذه المرّة، فانقطع بينهما التحدّي.

وهي لم تفهم فعلاً.. لم تفهم كيف أنّ صمتًا بين كلمتين
أحدث بها هذا الأثر، ولا كيف استطاع أن يسرّب إليها الرغبة دون
جهد واضح، عدا جهد نظرة كسلى، تسلّقت ثوبها الأسود، مشعلة
حيث مرّت فتيلة الشهوة.

بكلمة كانت يده تُعيد الذكرى إلى مكانها. وكأنّه، بقفا كلمة،
دفع بكلّ ما كان أمامهما أرضًا. ونظّف الطاولة من كلّ تلك الخلافات
الصغيرة التي باعدتهما.

هي تعرف أنّ الحبّ لا يتقن التفكير. والأخطر أنّه لا يملك ذاكرة.
إنّه لا يستفيد من حماقاته السابقة، ولا من تلك الخيبات الصغيرة التي
صنعت يومًا جرحه الكبير.

وبرغم ذلك، غفرت له كلّ شيء.

«قطعًا» كانت سعيدة بهزيمتها التي أصبح لها مذاق متأخّر للنصر.

سعادته «حتمًا» بنصر سريع، في نزال مرتجل، خاضه دون أن يخلع «تمامًا» معطفه!

***

أحببت هذه القصّة، التي كتبتها دون أن أعي تمامًا ما كتبت.

فأنا لم يحدث أن كتبت قصّة قصيرة. ولست واثقة تمامًا من أنّ هذا النصّ تنطبق عليه تسمية كهذه.

كلّ ما كان يعنيني، أن أكتب شيئًا. أيّ شيء أكسر به سنتين من الصمت.

لا أدري كيف وُلدت هذه القصّة. أدري كيف وُلد صمتي. ولكن.. تلك قصّة أخرى.

منذ يومين، فاجأت نفسي أعود إلى الكتابة. هكذا.. دون قرار مسبق، ودون أن يكون قد طرأ على حياتي أيّ حادث بالذات، يمكن أن يكون سببًا في إثارة مزاجي الحبريّ.

ربّما لا شيء، عدا كوني اشتريت منذ أيّام دفترًا، أغراني شكله بالكتابة.

حدث ذلك عندما ذهبت كي أشتري من القرطاسيّة، ظروفًا وطوابع بريديّة، ورأيت ذلك الدفتر مع حزمة من الدفاتر. كان البائع يفردها أمامي وهو يرتّبها، استعدادًا لاقتراب الموسم الدراسي.

كما يتوقّف نظري أمام رجل، توقّف عند ذلك الدفتر. وكأنّني وقعت على شيء لم أكن أنتظر العثور عليه في ذلك المحلّ البائس الذي لا أدخله إلّا نادرًا.

أليست الكتابة كالحبّ: هديّة، تجدها فيما لا تتوقّع العثور عليها؟

ثمّة بيوت لا تستطيع أن تكتب فيها سطرًا واحدًا، مهما سكنتها، ومهما كانت جميلة. وهذا أمر يبقى دون تفسير منطقي.

وثمّة أقلام، تدري منذ اللحظة التي تشتريها فيها.. والكلمة الأولى التي تخطّها بها، أنّك لن تكتب بها شيئًا يستحقّ الذّكر، وأنّ مزاجها الكسول، ونَفَسها المتقطّع، لن يوصلاك إلى الأنفاق السرِّيَّة للكلمات.

وثمّة دفاتر، تشتريها بحكم العادة. فتبقى في جواريرك أشهرًا دون أن توقظ فيك مرّة، تلك الشهوة الجارفة للكتابة، أو تتحرّش بك كي تخطّ عليها ولو بضعة أسطر.

ولأنّني أعرف هذا، كلّما تقدّمت بي الكتابة، ازدادت قوّةً عندي، تلك الحاسّة التي تجعلني منذ اللحظة الأولى، أحكم على هذه الأشياء أو لَهَا بحدس قلّما يخطئ.

ولذا توقّفت أمام ذلك الدفتر، مدفوعة بإحساس يتجاوزني. مأخوذة بهذا «الشيء» الذي لا يميّزه عن بقيّة الأشياء في تلك المكتبة، سوى اقتناعي، أو وهمي، بأنّه سيُعيدني إلى الكتابة.

منذ اللحظة الأولى، شعرت أنّ بيني وبين هذا الدفتر، ذبذبات ما، تعدني بكتابة نصّ جميل. على هذا الورق الأبيض الأملس، الذي تضمّه مفاصل حديديّة. ويغطّيه غلاف أسود لامع، لم يُكتب عليه أيّ شيء.

ركضت به إلى البيت. أخفيته، وكأنّني أخفي تهمة ما. ولم أخرجه سوى البارحة، لأكتب فيه تلك القصّة القصيرة، التي قد يكون عنوانها «صاحب المعطف».

كعادتي عندما أنتهي من الكتابة ليلاً، عدت إلى قراءة ذلك النصّ أوّل ما استيقظت.

كنت على عجل. أريد أن أعرف إن كانت تلك القصّة جميلة حقًّا، كما كانت تبدو لي لحظة كتابتها. وربّما كنت أريد أن أتأكّد فقط، من أنّني كتبت فعلاً، شيئًا ذلك المساء.

لهذا قرأتها عدّة مرّات، بنشوة متزايدة كلّ مرّة. فقد كتبت أخيرًا نصًّا جميلاً. والأجمل أنّه خارج ذاتي. وأنّني تصوّرت فيه كلّ شيء. وخلقت فيه كلّ شيء. وقرّرت أن لا أتدخّل فيه بشيء. وأن لا أسرّب إليه بعضًا من حياتي.

وهذا في حدّ ذاته، إنجاز أدهشني. فأنا لم يحدث يومًا أن تعرّفت إلى رجل يشبه هذا الرجل، في نفوره الجذّاب، وحضوره المربك، رجل يغشاه غموض الصمت والتباسه، وله هذه القدرة الخرافيّة على خلق حالة من الارتباك الجميل، كلّما تحدّث، حتى لو كان ذلك، وهو يلفظ إحدى تلك الكلمات القاطعة، التي يتسلّى باختيارها حسب المناسبة.

وتلك المرأة أيضًا لا تشبهني. إنّها تنطق بعكس ما كنت سأقول، وتتصرّف بعكس ما كنت سأفعل. وهي تعتقد بحماقة أنثى، أنّ الذين نحبّهم، خُلقوا ليتقاسموا معنا المتعة، لا الألم، وأنّ على الرجل الذي يحبّها أن يبكي وحده. ثم يأتي ليتمتّع بها، أو معها.

بل إنّها من سذاجتها، وجدت في تَيْنِكَ الكلمتين اللتين لفظهما دليلاً على حبّه لها.

في الواقع، إن يجبها عن سؤالها «كيف أنت؟» بقوله «أنا مطابق لك... تمامًا»، فهذا لا يعني سوى أنّه قرّر أن لا يقول لها شيئًا.

وإذا كان ما أسعدني في هذه القصّة، أنّها ليست مطابقة لحياتي، فإنّ مطابقتها للحياة أمر جعلني أنزعج من هذا المنطق العجيب للأقدار، الذي يجعل دائمًا في كلّ علاقة بين رجل وامرأة،

طرفًا لا يستحقّ الآخر. وربّما تمنّيت سرًّا، لو كان هذا الرجل لي. إنّه على قياس صمتي ولغتي. وهو مطابق لمزاج حزني وشهوتي.

ولكن هذه لم تكن مشكلتي. وهذه القصّة لم تكن قصّتي. أو بالأحرى، حتى الآن، لم تكن كذلك.

ولذا، وضعت لها ذلك العنوان، الذي لم أجهد نفسي كثيرًا للعثور عليه. وعدت إلى مشاغلي.

لا شيء كان يهيّئني لأصبح طرفًا في هذه القصّة، أو للدخول في مغامرة أدبيّة طويلة النَّفَس.

هذه القصّة أردتها قصيرة قدر الإمكان، بعيدة عنّي قدر الإمكان، سريعة الوقع، سريعة الخاتمة. ولكن كالأعشاب البحريّة، ظلّت جُملها الأخيرة عالقة بذهني. وعبثًا حاولت أن ألهي نفسي بأمور أخرى. كان موضوع هذه القصّة يطاردني. وشيء داخلي يرفض هذه النهاية.

لم يكن يعنيني لماذا افترق هذان العاشقان، وما إذا كانا سيجتمعان ثانيةً أم لا، ومن منهما خسر رهان التحدّي.

قصّتهما التي دخلتها مصادفة، كمن يفاجئ نافذة مقابلة لشرفته مفتوحة، فيتلصَّص على من فيها.. لا تثير فضولي.

وحده ذلك الرجل يعنيني.

بي فضول نسائيّ لفهمه. بي رهان لجعله يخلع ذلك المعطف.. بي تحدٍّ ليس أكثر.

قبل هذه التجربة، لم أكن أتوقّع أن تكون الرواية اغتصابًا لغويًّا يرغم فيه الروائيّ أبطاله على قول ما يشاء هو، فيأخذ منهم عنوة كلّ الاعترافات والأقوال التي يريدها لأسباب أنانيّة غامضة، لا يعرفها هو نفسه، ثم يلقي بهم على ورق، أبطالاً متعبين مشوّهين، دون أن

يتساءل، تراهم حقًّا كانوا سيقولون ذلك الكلام، لو أنّه منحهم فرصة الحياة خارج كتابه؟

اكتشافي هذا، لم يغيّر نيّتي لإرغام هذا الرجل على الكلام. فلا شيء سواه يعنيني. صمته المكابر يربكني. معطفه السميك يزعجني. وكلماته القاطعة أصبحت مقصلة لأيّ مشروع نصّ مقبل. ومن الواضح أنّه لن يكون بإمكاني أن أكتب شيئًا قبل أن ينطق هذا الرجل.

وهكذا جلست إلى دفتري. ورحت أواصل كتابة القصّة وكأنّني لم أتوقّف أمس عن كتابتها.

***

ذات مطر .. جاء صوته على الهاتف.

وبرغم البرد، بدا كأنّه خلع معطفه وهو يسألها:

– كيف أنتِ؟ أما زال لك ذلك الولاء للمطر؟

ولم تدرِ، أكان لا بدّ أن تستنتج أنّ في أسئلته عودة إلى حبّها، أم أنّ المطر هو الذي عاد به إليها؟

فهي لم تنسَ قوله مرّة «الأسئلة تَوَرُّطٌ عشقيّ». تمامًا كما تذكر ذلك الموعد الذي جمعهما مرّة في سيّارته، بينما كان المطر يهطل بغزارة. اكتشفت يومها جمال أن يكونا عاشقين، لا عنوان لهما سوى مسكن عابر للحبّ، له حميميّة سيّارة.. في لحظة ممطرة.

كانت تشعر أنّهما أخيرًا وحيدان. ومختبئان عن كلّ الناس. يغطّيهما ستار من الأمطار المنزلقة على زجاج النافذة.

يومها، كانت تريد أن تقول له أشياء لا تُقال إلّا في لحظة كتلك. ولكنّه أوقف سيّارته إلى جانب الرصيف. وكأنّه يوقف اندفاعها بين جملتين. وقال وهو يشعل سيجارة:

- لا جدوى من الاحتماء بمظلّة الكلمات.. فالصمت أمام المطر أجمل.

لم تناقشه في رأيه.

اكتفت بوهم امتلاكه، مسجونًا هكذا معها في يوم ممطر، داخل سيّارة، تتقاسم معه أنفاسه، ورائحة تبغه، وصوت المفاتيح في جيبه، وهو يبحث عن ولّاعة.

تراقبه في دفء تململه البطيء جوارها، وحضوره الهادئ المربك، بمحاذاة أنوثتها، مأخوذة بكلّ تفاصيل رجولته.

لطالما دوّختها تفاصيل الرجولة، تلك التي لها كبرياء الإيحاء، وذلك الاستفزاز الحميميّ الصامت الذي تشي به ذبذبات لا علاقة لها بالفحولة، تلتقطها الأنوثة.. وتقع في عبوديّتها النساء.

بعدها عادت إلى البيت باكتشاف صنع في شتاءاتٍ أخرى حزنَها.

فقد أدركت، من فرط سعادتها معه يومها، أنّنا لسنا متساوين أمام المطر. ولذا، عندما يغادرنا الحبّ، ونجد أنفسنا وحيدين في مواجهته، علينا أن نتجاهل نداءه العشقيّ الموجع، واستفزازه الساديّ لنا، كي لا يزيد من ألمنا، كوننا ندري تمامًا أنّه يصنع، في اللحظة نفسها، سعادة عشّاق آخرين.

أجل.. أحيانًا، ليس أكثر ظلمًا من المطر!

وهي ما زالت تتساءل لأيّ نشرة جوِّيَّة تراه يُعدّها.

هل عاد لأنّه يريدها؟ أم هل جاء استباقًا لرائحة التراب بعد المطر؟

هو الذي لا يحبّ من الصحو سوى تلك التربة المبلّلة التي يخلّفها الشتاء. فيستنشق رائحتها، بحواسّ متوهّجة، وكأنّه يشتمّ أنثاه بعد الحبّ.

ولكنّه سألها:

- هل أراك غدًا؟ فكّرتُ أنّه يكون جميلاً، لو ذهبنا لمشاهدة ذلك الفيلم معًا.. في يوم ممطر.

وقبل أن تسأله عن أيّ فيلم يتحدّث. واصل:

- أتدرين أنّه ما زال يُعرض في القاعة نفسها منذ شهرين؟ إنّها عمر قطيعتنا.

لم تحاول هذه المرّة أن تخترع له أعذارًا. سألته فقط:

- أين نلتقي؟

قال:

- في سينما «أولمبيك» قبل عرض الساعة الرابعة.

ثم استدرك:

- أو إذا شئتِ.. انتظريني عند مدخل الجامعة. سأمرّ وآخذك من هناك، عند الساعة الثالثة والنصف.. هذا أفضل.

وقبل أن يمنحها وقتًا تقول فيه شيئًا، كان قد وضع السمّاعة مودّعًا، ليتركها من جديد لأسئلتها.

***

سعدت بهذه النهاية، التي لم أجهد نفسي كثيرًا في العثور عليها. حتى إنّني كتبتها هكذا كما جاءت، دون أن أفاضلها بأخرى، ودون أن أشطب أيّ سطر فيها، أو أُعيد قراءتها كعادتي أكثر من مرّة.

وكأنّني أريد بذلك أن أقنع نفسي بأنّني لست مَنْ كتبها.

ولكن أليس ثمّة دائمًا أمر ما تخفيه الكلمات، حتى عندما تأتي بتلقائيّة مريبة؟ بل إن تدفّقها تلقائيًا هكذا، على نحو أو آخر، هو ما يجب أن يدعو إلى الريبة.

يحدث للغة أن تكون أجمل منّا. بل نحن نتجمّل بالكلمات، نختارها كما نختار ثيابنا، حسب مزاجنا، ونيّاتنا.

هنالك أيضًا، تلك الكلمات التي لا لون لها، ذات الشفافيّة الفاضحة. كامرأة خارجة توًّا من البحر، بثوب خفيف ملتصق بجسدها. إنّها الأخطر حتمًا، لأنّها ملتصقة بنا، حدّ تقمّصنا.

وهذا الرجل الذي كان يصرّ على الصمت، وأصرّ أنا على استنطاقه، ويصرّ على إبقاء معطفه، وأصرّ على تجريده منه، ما زال يربكني في كلّ حالاته، حتى عندما يخلع صمته.. ويلبس صوتي وكلماتي المبلّلة.

ها قد جعلته ينطق أخيرًا، يقول كلامًا أردته أنا. فهل هزمته حقًّا؟

وبرغم ذلك، بإمكاني أن أعترف بأنّه فاجأني. لا لأنّه طلب للمرّة الثانية من تلك المرأة أن ترافقه لمشاهدة ذلك الفيلم، وهو أمر لا يشبهه، ولكن لأنّه أعطاها اسم قاعة سينما لم أسمع بها من قبل. ولا أدري إن كانت موجودة حقًّا، لكوني لم يحدث أن ارتدت السينما في هذه المدينة، أو تابعت حتى ما يُعرض فيها من أفلام.

فجأةً، خطر ببالي أن أبحث في الجريدة، إن كانت هذه القاعة موجودة حقًّا.

وهكذا رحت أفتّش في الصفحة المخصّصة لبرامج التلفزيون والعروض السينمائيّة، مدقّقة في أسماء قاعات السينما، الواحدة تلو الأخرى، وإذا بي أعثر على قاعة «أولمبيك» حيث يُعرض فيلم أميركي بعنوان «Dead poets society»، من الأرجح أنّه يُعرض بنسخته الفرنسيّة؛ فلا أحد هنا يفهم الإنكليزيّة.

حاولت أن أجد ترجمة لهذا العنوان، عسى ذلك يفكّ بعض لغزه.

فعثرت على عنوان قد يكون: «حلقة الشعراء الذين اختفوا».

ولأنّني لم أصدّق تمامًا أن يكون هذا هو الفيلم الذي يعنيه ذلك الرجل، فقد رحت أدقّق في كلّ الجرائد القديمة المكدّسة أرضًا في مكتب زوجي، والتي يحضرها كلّ يوم بحكم وظيفته، فتبقى ملقاة هنا أرضًا، قبل أن يضعها بنفسه خارج مكتبه.

رحت أقلّب صفحات السينما في كلّ الأعداد التي صادفتني. وكلّ مرّة، كنت أعثر على ذلك الفيلم معروضًا في القاعة نفسها.

آخر جريدة أوصلتني إلى ما قبل شهر ونصف، وهو ما جعلني أستنتج أن عرضه قد يعود إلى بداية الشهرين الماضيين، كما جاء على لسان ذلك الرجل. وهو أمر فاجأني، إلى حدّ إذهالي. فأنا لا أعرف هذه القاعة، ولم أسمع بهذا الفيلم. وكيف لي بالتالي أن أعرف أنّه يُعرض منذ شهرين هناك، وأنّ إحدى فترات عرضه تكون في الساعة الرابعة، كما تؤكّد الجريدة أيضًا؟

مفاجأة الاكتشاف جرّدتني من منطق الأجوبة. فأنا لم أعد أدري إن كان قد نزل عليّ وحيٌ ما، لكتابة أشياء لا علم لي بها. وهل يجب أن أحذر هذه القصّة التي جاءت مخيفة في تفاصيلها، أم هل أجد فيها إشارة من القدر ووعدًا بلقاء ما؟

كلّ أسئلتي كانت تدور حول ذلك الرجل. لماذا يعنيني أمره إلى هذا الحدّ؟

ولماذا يثير فيّ هذا القدر من الأسئلة؟ وهل الأسئلة حقًّا.. تورّطٌ عشقيّ؟

أهو الذي قال هذا.. أم أنا؟

هو الذي لم يطرح سوى سؤال واحد «هل أراك غدًا؟».

سؤال طرحه بالتحديد عليها هي. ولكن.. كيف لي أن أخلف، أنا الكاتبة، موعدًا كهذا. ألست أنا التي أردته.. وحدّدته. ولا بدّ أن

أكون هناك. كي أختلق لهما أحاديث ومواعيد وخلافات، ولقاءات جميلة وخيبات، ومتعة ودهشة.. ونهايات!

إنّه امتياز ينفرد به الروائي، متوهّمًا أنّه يمتلك العالم بالوكالة. فيعبث بأقدار كائنات حِبْريّة، قبل أن يغلق دفاتره، ويصبح بدوره دمية مشدودة إلى الأعلى بخيوط لامرئيّة، أو تحرّكه كغيره في المسرح الشاسع للحياة.. يدُ القدر!

وقتها عبثًا يسبق مشاريعه قائلاً «إن شاء الله». وكأنّه يمنح بذلك رشوة للأقدار، كي تكافئه بتحقيق أحلامه.

أذكر، ذلك الذي كنت أقول له تعلّم أن تقول «إن شاء الله». سألته يومًا «متى نلتقي؟» كان يعدّ حقيبة حزن على عجل. فأجابني على طريقته ببيت لمحمود درويش:

«نلتقي بعد قليل
بعد عام... بعد عامين وجيل».

ولم نلتقِ بعد ذلك أبـدًا. نسي كلانا يومها أن يقول «إن شاء الله»! ألهذا لم يعد؟ أم تُرى لأنّه ذهب ليدفن أباه بنيّات انتحاريّة، في ذلك البلد الذي يقتل الشعراء.. ويكثر من المهرجانات الشعريّة، فدفن جثّة مشوّهة جواره.

وكان قبلها يقول.. إنّه سيغادر الشعر، ويجرّب نفسه في رواية!

أتراهما كانا سيلتقيان حقًّا؟ وبماذا تراها كانت ستجيبه لو أنّني تركت لها حرِّيَّة الجواب؟

أتوقّع أنّها كانت سترّد عليه بإحدى صيغها الضبابيّة، كأن تقول له «ربّما نلتقي»، وهي تدري تمامًا أنّها تعني «طبعًا».. وتماديًا في المراوغة ربّما قالت «قد يحدث ذلك» لِتُوهِمَهُ أنّ ذلك «لن يحدث».

وعندها سيرفع التحدّي، ويجيبها «قطعًا.. ليس هذا بالمهمّ» ويضع السمّاعة مغلقًا أزرار معطفه، مرتديًا صمته من جديد.

الصمت لا يزعجني. وإنّما أكره الرجال الذين، في صمتهم المطبق، يشبهون أولئك الذين يغلقون قمصانهم من الزرّ الأوّل حتى الزرّ الأخير كباب كثير الأقفال والمفاتيح، بنيّة إقناعك بأهمّيّتهم.

إنّه باب لا يوحي إليّ بالطمأنينة. وما قد يخفي صاحبه خلف ذلك الباب المصفّح من ممتلكات، لا يبهرني بقدر ما يفضح لي هوس صاحبه، وحداثة ثروته. فالأغنياء الحقيقيّون، ينسون دائمًا إغلاق نافذة أو خزانة في قصرهم..

إنّما المفاتيح هوس الفقراء، أو أولئك الذين يخافون إن فتحوا فمهم.. أن يفقدوا وهم الآخرين بهم!

الجميل في هذا الرجل أنّه، ككلّ أثرياء الحلم، يترك في أعلى معطفه السميك للصمت، زرًّا واحدًا مفتوحًا للوهم، كباب موارب. وربّما كان هذا بالذات هو الشيء الأكثر إغراءً فيه. فهو لا يصمت تمامًا، ولا يتكلّم إلّا بقدر كسر الصمت بكلمات قليلة، تختصر اللغة.

إنّه بطل جاهز لرواية. يمنحك نفسه بالتقسيط.

وهل الرواية سوى المسافة بين الزرّ الأوّل المفتوح، وآخر زرّ قد يبقى كذلك؟

ولكن، أيكون هذا الرجل غير موجود سوى في مخيّلتي؟ إذن، ما تفسير كلّ تلك التفاصيل المذهلة، التي لم أكن قد سمعت بها قبل كتابة تلك القصّة؟

وبرغم كوني لا أصدّق أولئك الكتّاب الذين يدّعون أنّ ثمّة قوّة خارقة تملي عليهم ما يكتبون، لا أعتقد أيضًا، أن تكون هذه التفاصيل مجتمعة، هي من حكم المصادفة.

أتراني قد وقعت تحت إغراء الكتابة وفتنتها لأصدّق أنّ هذا الرجل هو الذي أملى عليّ موعدًا.. كتبته بيدي؟

أحبّ تلك اللحظة التي يفاجئني فيها رجل. حتى عندما لا يشبه بعد ذلك وهمي به.

إنّ كلّ قصّة مع رجل ترسو بك على شاطئ المفاجأة. أمّا إذا كان هذا الرجل زوجًا، فستوصلك القصّة حتمًا إلى سلسلة من المفاجآت.

في البدء، نحن ندري مع من تزوّجنا. ثم كلّما تقدّم بنا الزواج، لا نعود ندري مع من نحن نعيش!

الأكثر غموضًا ومفاجأة، ذلك الجيل من الرجال، الذين ينتمون إلى حروب طويلة النَّفَس، ابتلعت طفولتهم وشبابهم دون رحمة، وحوّلتهم رجالاً عنيفين، وسريعي العطب في آن واحد، عاطفيّين وجبابرة في الوقت نفسه.

أولئك يخفون داخلهم دائمًا رجلاً آخر، لا أحد يدري متى يستيقظ، وطفلاً لم يكونوا على أيّامه، قد اخترعوا لعبة «الليغو»، ليتمكّن ككلّ الأطفال، من التدرّب على تركيب قطعها حسب مزاجه الطفولي، ثم فكّها من جديد.

أتوقّع أن يكون زوجي وُلد بمزاج عسكري، وحمل السلاح قبل أن يحمل أيّ شيء. فأين العجب في أن يكسرني أيضًا دون قصد، تمامًا، كما أغراني قبل ذلك بسنوات، دون جهد؟ أليست السلطة، كالثراء، تجعلنا نبدو أجمل وأشهى؟

أوَليست النساء كالشعوب، يقعن دائمًا تحت فتنة البذلة العسكريّة وسطوتها، قبل أن ينتبهن إلى أنّهنّ بانبهارهنّ بها، قد صنعن قوّتها؟

صحيح أنّه فعل ذلك تدريجًا، وبكثير من اللياقة، وربّما بكثير من التخطيط، وأنّني كنت أمضي نحو عبوديّتي بمشيئتي، ومن الأرجح.. دون انتباه سعيدة بسكينتي أو استكانتي إليه. تاركة له الدور الأجمل. دور الرجولة التي تأمر، وتقرّر، وتطالب، وتحمي، وتدفع.. وتتمادى.

كنت أجد في تصرّفه شيئًا من الأبوّة التي حُرمت من سلطتها. بينما يجد هو في تسلّطه استمراريّة لمهامّه الوظيفيّة، خارج البيت.

أذكر.. بدأت علاقتنا بانبهار متبادل وبعنف التحدّي المستتر.

كان لا بدّ أن أتوقّع أنّ العلاقات العنيفة هي علاقات كثيرة بحكم شراستها. وأنّه لا يمكن أن نضع كلّ شيء في علاقة؛ لا يمكن أن نكون أزواجًا، وأصدقاء، وآباءً، وأحبّة، ورموزًا.

أمّا هو، فمن الأرجح أنّه كان في هذا المجال أيضًا، يفكّر بمنطق العسكر الذين، عندما يصل أحدهم إلى السلطة، يصرّ على شغل كلّ المناصب الرئيسيّة في الدولة، وكلّ الحقائب الوزاريّة الهامّة، معتقدًا أن لا أحد غيره جدير بأن يشغلها، بل وأنّ وجود شخص غيره فيها هو احتمال دائم لإطاحته.

ولهذا لم يترك في حياتي مساحة حرّيّة، يمكن أن يتسلّل منها أحد. فقد سطا على كلّ الكراسي، دون أن يشغل أحدها بجدارة.

تنبّهت بعد ذلك، إلى أنّ أبوّته هي التي كانت تعني لي الأكثر، وأنّ مهامّه السياسيّة ورتبته العسكريّة لم تكن تعنيني بوجاهتها، وإنّما لكونها استمرارًا لذاكرة نضاليّة نشأتُ عليها، وعنفوان جزائر حلمت بها.

كنت أرى في قامته الوطن، بقوّته وشموخه. وفي جسده الذي عرف الجوع والخوف والبرد، خلال سنوات التحرير، ما يبرّر اشتهائي له.. واحتفائي به إكرامًا للذاكرة.

كم مـرّ مـن الـوقـت، قبل أن أكتشف حماقة خلطي عقدة الماضي.. بالواقع المضادّ.

... تمامًا، كخلطي الآن، بين وهم الكتابة.. والحياة، وإصراري على الذهاب إلى ذلك الموعد الذي أقنعت نفسي عبثًا بأنّني لست معنيّة به، وأنّه سيتمّ بين كائنات حبريّة، لا يحدث أن تغادر عالم الورق؟ ورغم ذلك أمضي..

دون أن أدري أنّ الكتابة، التي هربتُ إليها من الحياة، تأخذ بي منحىً انحرافيًّا نحوها، وتزجّ بي في قصّةٍ ستصبح، صفحة بعد أخرى، قصّتي.

دومًا

بين الرغبات الأبديّة الجارفة.. والأقدار المعاكسة.. كان قدري.

وكان الحبّ يأتي، متسلّلاً إليّ، من باب نصف مفتوح، وقلب نصف مغلق.

أكنت أنتظره دون اهتمام، تاركة له الباب مواربًا، متسلّية بإغلاق نوافذ المنطق؟

قبل الحبّ بقليل، في منتهى الالتباس، تجيء أعراض حبّ أعرفها. وأنا الساكنة في قلب متصدّع الجدران، لم يصبني يومًا، هَلَعٌ من وَلَعٍ مقبل كإعصار.

كنت أستسلم لتلك الأعاصير التي تغيّر أسماءها كلّ مرّة، وتأتي لتقلب كلّ شيء داخلي.. وتمضي بذلك القدر الجميل من الدمار.

دومًا..

كنت أحبّهم. أولئك العشّاق الذين يزجّون بأنفسهم في ممرّات الحبّ الضيّقة، فيتعثّرون حيث حلّوا، بقصّة حبّ وضعتها الحياة في طريقهم، بعد أن يكونوا قد حشروا أنفسهم بين الممكن والمستحيل، أولئك الذين يعيشون داخل زوبعة الحبّ التي لا تهدأ، مأخوذين

بعواصف الشغف، مذهولين أمام الحرائق التي، مقابل أن تضيء أيّامًا في حياتهم، تلتهِمُ كلّ شيء حولهم، جاهزين تمامًا.. لتلك اللحظات المضيئة خلسةً، والتي ستخلّف داخلهم عندما تنطفئ رماد انطفائهم الحتميّ.

أحبّهم.. وربّما كنت أشبههم.

ولكن هذه المرّة، توقّعت أنّني أذكى من أن أتعثّر في قصّة حبّ وضعها الأدب في طريقي. لا ليختبر قدرتي على الكتابة، بل ليختبر جرأتي على أخذ الكتابة مأخذ الحياة.

كنت، في الواقع، مأخوذة بمقولة لأندريه جيد «إنّ أجمل الأشياء هي التي يقترحها الجنون ويكتبها العقل».

مأخوذة بها إلى درجة أنّني، عندما اقترح عليّ الجنون أن أذهب إلى موعد ضربه بطل في قصّتي لامرأة أخرى، أخذت اقتراحه مأخذ الجدّ، وقرّرت أن أذهب بذريعة كتابة شيء جميل.

كنت مرتبكة لعدّة ساعات قبل الموعد، ذلك الارتباك الذي يسبق لقاءً لا ندري ماذا ينتظرنا فيه، ولكنّنا نصرّ على الذهاب إليه، لأنّ شيئًا ما يأمرنا بأن نذهب.

صحيحٌ أنّه كان بي فضول لمعرفة ذلك الرجل، وفضول آخر لمشاهدة ذلك الفيلم. فقد يكون الطريق الأقصر لفهمه.. ولفهم إصراره على مشاهدته.

ولكن كنت أعي تمامًا أنّني أرتكب حماقة غير مضمونة العواقب، بذهابي بمفردي لمشاهدة فيلم، في مدينة مثل قسنطينة، لا ترتاد فيها النساء قاعات السينما. فما بالك إذا كانت هذه المرأة زوجة أحد كبار ضبّاط المدينة، وتصل إلى السينما في سيّارة رسميّة، لتجد في انتظارها جيشًا من الرجال الذين لا شغل لهم سوى التحرّش

بأنثى، على قدرٍ كاف من الحرِّيَّة أو من الجنون، لتجلس بمفردها في قاعة سينما.

ولهذا، تعمّدت أن أصل متأخّرة عن الفيلم بربع ساعة، كي لا أقف في طابور الانتظار، أو أدخل القاعة على مرأى من الناس.

... تمامًا كما طلبت من السائق أن يعود قبل موعد انتهاء الفيلم بربع ساعة، تفاديًا لتلك الأضواء التي ترافق نهاية كلّ عرض، وتجعل الناس يتفحّصون بعضهم بعضًا بفضولٍ كثيرًا ما أربكني.

ولأنّني وصلت بعد فترة من بدء الفيلم كان لي حرِّيَّة اختيار مكاني، وهو الأمر الذي مكّنني من الوقوف لحظات، وإلقاء نظرة على الجوّ العامّ للقاعة التي بدت لي نصف فارغة.

كما توقّعت كان الحضور جميعه رجالاً. ومن الأرجح أن يكون من الشبّان، الذين جاؤوا لإهدار الوقت في قاعة السينما، بدل إهداره وهم مُتّكِئون على جدار.

وحدهما رجل وامرأة، كانا يجلسان على انفراد في آخر القاعة ويبدو أنّهما كانا هنا لسبب آخر.

استنتجتُ أنّهما «هما» فاخترتُ لي مكانًا خلفهما تمامًا، وكأنّني أحتمي بهما، أو أتجسّس عليهما.

أتوقّع أنّ وجودي أزعجهما. ولكنّهما وجدا في أنوثتي ما يبعد الرعب عنهما.

ما أتعس العشّاق في هذه المدينة التي يعيش فيها الحبّ ممسكًا أنفاسه، جالسًا في عتمة الشبهات على كراسي مزّقتها بسكّينٍ أيدٍ لم تلامس يومًا جسد امرأة.

أنشغل عنهما بمتابعة الفيلم الذي وصلتُه، مع وصول البطل إلى الصفّ، في أوّل الموسم الدراسي.

إنّه أستاذ تجاوز سنّ الأربعين ببضع خيبات. دائم السخرية بشيء من الرومنطيقيّة وربّما الحزن المستتر. لقد عاد بعد جيل وأكثر إلى المعهد الذي درس فيه، ليعمل مدرّسًا في مادّة الأدب. ومن الواضح أنّه جاءَ لينقذ الطلبة من الأخطاء التي سبق أن تعلّمها على هذه المقاعد نفسها، أو تلك القناعات التي تربّى عليها.. وتكفّلت الحياة بتكذيبها بعد ذلك.

يدخل الصفّ بشيء من الاستفزاز المرح، وهو يصفّر، أمام دهشة الطلبة الذين لم يتعوّدوا تصرّفًا كهذا، في مؤسّسة دراسيّة صارمة، ومشهورة بمحافظتها على التقاليد العريقة.

يتّجه مباشرة، نحو جدار علّقت عليه صورة تذكاريّة، بالأسود والأبيض، لطلبة شغلوا هذه المقاعد الدراسيّة نفسها، فوجًا بعد آخر، وجيلاً بعد آخر، على مدى قرن كامل.

ها هو يشير بيده إلى الطلبة أن يلحقوا به، يطلب منهم أن يتأمّلوا تلك الصور التي لم تستوقفهم قبل اليوم، ويدقّقوا في وجوه أصحابها، المجتمعة في صور جماعيّة للذكرى.

يلحق به الطلبة مندهشين، فيبادرهم وكأنّه يواصل حديثًا سابقًا، أو كأنّه يقدّم لهم نفسه، كواحد سيمرّ الآخرون أمام صورته.. على أحد جدران هذا المعهد دون انتباه:

«كلّ الذين ترونهم على هذه الصور، بهيئاتهم الرياضيّة التي تشبه هيئاتكم، وعنفوان شبابهم الذي يشبه عنفوانكم، بابتسامتهم العريضة، وطموحاتهم الكبيرة، ومشاريعهم، وأحلامهم، وثقتهم المطلقة بالحياة، كما هي الآن ثقتكم، جميعهم الآن.. عظام تحت قبور فاخرة. لقد ماتوا كما ستموتون!».

وقبل أن يستوعب الطلبة هذا الكلام الغريب، لأستاذ يرونه لأوّل مرّة، يواصل:

«كلّ واحد فيكم هنا، ذات يوم، سيتوقّف فيه كلّ شيء، ويبرد جسده، ثم تأكله الديدان، وكأنّه لم يكن».

«انظروا.. إنّهم ينظرون إليكم الآن، كأنّهم في صورهم هذه، يقولون لكم كلامًا لا بدّ أن تنصتوا إليه. تعالوا.. اقتربوا.. حاولوا أن تلتقطوا كلماتهم..».

يقترب الطلبة مذهولين من جدار تغطّيه الصور العتيقة، فيأتيهم صوت الأستاذ من الخلف. وكأنّه يتحدّث على طريقة المهرّجين الذين يحرّكون دمية بيدهم، وهم يتكلّمون على لسانها بصوت باطنيّ، دون أن يحرّكوا شفاههم.

«استفيدوا من اليوم الحاضر.. لتكن حياتكم مذهلة.. خارقة للعادة. اسطوا على الحياة.. امتصّوا نخاعها كلّ يوم ما دام ذلك ممكنًا. فذات يوم لن تكونوا شيئًا.. سترحلون وكأنّكم لم تأتوا..».

ثم يواصل بصوت عاديٍّ.

«كان هذا درسكم الأوّل. بإمكانكم الآن أن تعودوا إلى مقاعدكم.. وتفتحوا كتاب الأدب..».

لم يمنعني انشغالي بمتابعة الفيلم، من التفكير في الرجل والمرأة الجالسين أمامي، اللذين جئت أصلاً لمتابعتهما.

كانا صامتين. لا أدري أكانا حقًّا مشغولين بمتابعة الفيلم، ولكنّهما لم يتبادلا أيّ كلمة.

برغم ذلك، كنت أشعر كأنّ تعليمات الأستاذ ونصائحه، تركت تأثيرًا فيهما. وبدا لي كأنّ اليد اليمنى للمرأة، كانت تتحرّك ببطء نحو ذلك الرجل، وتتقدّم نحوه بإصرار.

وهو ما شجّعني على الاعتقاد بأنّها هي المرأة «ذاتها»، ما دامت غير معنيّة بهذا الفيلم، بقدر ما هي معنيّة بالتحرّش بهذا الرجل.

من الواضح أنّها مشتاقة إليه. وإلّا فماذا عدا الحبّ، يمكن أن يأتي بها إلى هنا، لتكون الأنثى الوحيدة، في قاعة كهذه، لمشاهدة فيلم كهذا؟

شعرت بشيء من الشفقة عليها. وربّما بشيء من الشفقة على نفسي أيضًا، ما دمنا موجودتين هنا من أجل الرجل نفسه.

هذا الرجل الذي يبدو لي من الخلف، يقارب الأربعين، بشعر مرتّب، وهيئة محترمة مقارنة بـ«بني عريان» وكلّ الذين لا يوحي شكلهم بالأمان في هذه القاعة، من الأرجح أنّه «هو». إنّه يرتدي معطفًا، يقف الآن ليخلعه، ويضعه على ركبتيه، بطريقة يغطّي بها ركبتي تلك المرأة أيضًا. ولن يكون من الصعب بعد الآن أن أتصوّر ما سيلي ذلك!

في هذه اللحظة، حضر رجل ليأخذ مكانه على الكرسي المجاور لي تمامًا. وهو ما زاد في إزعاجي، وجعلني أندم على حماقة مجيئي إلى هذه القاعة، معرّضة نفسي للشبهات. فلا أحد هنا سيصدّق أو سيفهم أن أكون كاتبة جاء بها الفضول، وأرادت أن تتلصّص على عاشقين، اعتقدت أنّ من حقّها أن تندسّ بينهما، لأنّها خلقتهما!

هما الآن يتبادلان اللمسات المشبوهة على مرأى منها.

وهي تحاول أن تقنع نفسها بأنّها كاتبة، وكاتبة فقط، وأنّ الذي يحدث أمامها يعنيها لفهم أبطال روايتها، لا أكثر.

وهي تدري أنّها تكذب، وأنّ الذي يعنيها هو هذا الرجل، صاحب المعطف، الذي ربّما جاء بها إلى هنا لتعذيبها بمغازلة امرأة أخرى في حضرتها لا أكثر، بعدما أغراها كامرأة بشيء غير معلن لا اسم له، وأوهمها ككاتبة، بأنّه يخفي سرًّا ما تحت معطف صمته، شيئًا يبرّر هذه المجازفة.

ها قد خلع معطفه. ليس لها، ولا بسببها. ولكن ليصنع منه غطاءً يلامس تحته جسد امرأة جالسة إلى جواره!

إنّه في النهاية، ينتمي إلى السلالة الأسوأ من الرجال، تلك التي تخفي خلف رصانتها ووقارها، كلّ عُقَد العالم وقذارته.

كأولئك الذين يجلسون جوار زوجاتهم، بهيبة وصمت، ثم يتركون لأقدامهم حرّيّة مدّ حديث بذيء تحت الطاولة!

ليس هذا الاكتشاف هو الذي صدمني، بقدر ما أزعجني غبائي في هذه القصّة التي تصرّفت فيها منذ البدء بحماقة مثاليّة، واختلقت مواقف وحوارات ومواعيد، فقط كي أعيش في رومانسيّة الحبّ الواهمة.

حتى إنّني صدّقت أنّ بإمكان رجل أن يغادر دفاتري، ويضرب لي موعدًا خارج الورق.

من الواضح الآن أنّ ذلك كان ضربًا من الجنون.

في لحظة من الخيبة كدت أهمّ بمغادرة القاعة، والهروب من هذا الجوّ الموبوء الذي وضعت نفسي فيه، لولا أنني تذكّرت أنّ السائق لن يحضر قبل انقضاء ساعة. وأنّني لم أتمكّن من متابعة الفيلم الذي تقول لافتة، عند مدخل القاعة، إنّه حصل على عدّة جوائز عالميّة.

وهكذا عدت لأتابع الفيلم، محاوِلَةً تجاهُلَ ما يحدث حولي.

كان الأستاذ يُلقي درسًا في كيفيّة فهم الشعر، حسب ما جاء في مقدّمة الكتاب المعتمد للتدريس، التي كتبها أحد كبار المراجع المختصّة في النقد، شارحًا فيها كيف يمكن تقويم قصيدة، ومقارنتها بأخرى، معتمدين على خطّ عموديّ وآخر أفقيّ، يلتقيان ليشكّلا زاوية مستقيمة، على كلّ خطّ فيها درجات نقيس بها عموديًّا المعنى، وأفقيًّا

المبنى. وهكذا، بإمكاننا أن نكتشف ضعف الشاعر أو قوّته، بين قصيدة وأخرى، ومقارنته بشاعر أو بآخر، حسب مقاييس حسابيّة دقيقة.

وبينما كان الطلبة منهمكين في رسم خطوط عموديّة وأفقيّة على دفاترهم، ناقلين ما يكتبه الأستاذ على السبّورة، إذا به يتوقّف فجأة ويمحو كلّ شيء، ويفاجئهم قائلاً:

- طبعًا.. ليس هذا صحيحًا. لا يمكن أن نقيس الشعر طولاً وعرضًا وكأنّنا نقيس أنابيب معدنيّة..

اندهاشنا، انبهارنا، انفعالنا، هو الذي يقيس الشعر. أمام قصيدة، النساء يغمى عليهنّ. والآلهة تولد. والشعراء يبكون كأطفال. من يقيس دموعنا، فرحنا، وكلّ ما يمكن أن تفعله بنا قصيدة؟ أتدرون لماذا نقرأ أو نكتب الشعر؟ لأنّنا جزء من الإنسانيّة. كيف يمكن أن نقيس إنسانيّتنا بمقاييس حسابيّة؟ مَزِّقوا كلّ ما كتبتموه على دفاتركم!

يصمت قليلاً، ثم يضيف:

- ولا بأس أن تمزّقوا أيضًا هذه المقدّمة!

ينظر إليه الطلبة، متسائلين عن مدى جدّيّة ما يأمرهم به. ولكن أمام إصراره، لا يملكون إلّا أن يقتلعوا الصفحات الأولى من الكتاب، ليكون كتابًا لا مكان فيه لشيء عدا الشعر.

أثناء ذلك، كان يمرّ أمامهم بسلّة المهملات، طالبًا بعد آخر، يجمع الأوراق الممزّقة، بشيء من الغبطة التي وحده يدرك سببها.

إنّه لم يعطهم درسًا في فهم الشعر، بل درسًا في فهم الحياة. وشجاعة التشكيك في كلّ شيء حتى ما يرونه مكتوبًا في كتب مدرسيّة، تحت توقيع اسم كبير.

وخاصّة، الجرأة على تمزيق كلّ ما يعتقدونه خاطئًا، وإلقائه في سلّة المهملات!

لا أدري إلى أيّ مدى تجاوبتِ القاعة مع هذا المشهد الجميل، وهل وجد فيه البعض ما يبرِّر مواصلة تمزيقه للكراسيّ.

أمّا ذلك الرجل الجالس أمامي فكان منهمكًا في البحث عن قلم وورقة، ما كاد يعثر عليهما، حتى راح يكتب شيئًا، توقّعته خاطرة يسجّلها على ورقة.

لم أقاوم فضول استراق النظر إلى ما كتب، مصطنعة حركة تقرّبني إلى الأمام.

ماذا لو كان يكتب شيئًا بنيّة أن أطّلع عليه؟ فلقد لاحظ وجودي خلفه، وتجسُّسي عليه.

وقبل أن ألمح على الورقة رقمًا، من الأرجح أنّه رقم هاتفي، شعرت بأنّ شيئًا قد وقع منّي. تحسّست أذني، وإذا به قرطي قد سقط أرضًا.

انحنيت لأبحث عنه، مستعينة بشعاع ضوء قادم من الشاشة، وإذا بولاّعة تشتعل على مقربة منّي، ورجل ينحني ليضيء لي المكان.

فاجأني وجود هذا الرجل، الذي كدت أنسى أنّه جالس جواري. وربّما كان عطره، أو رائحة تبغه هو ما فاجأني أكثر. فقد شعرت أنّه يباغتني، وأنّ رجولته تقتحمني في تلك العتمة. وهو هنا، على بضعة أنفاس منّي، يتابع بحثي عن شيء ما، دون أن يقول شيئًا، وحتى دون أن يسألني عمّا كنت أبحث عنه. وكأنّ تلك الشعلة التي يمسكها بيده، ليست سوى لإضاءة وجهي.

رفعت عينيّ عن الأرض، متسلّقة بنظرات بطيئة صدره. ثم عندما وصلت إلى وجهه، كانت عيناه مفاجأتي.

كانت لهما تلك النظرة التي أعطتها العتمة عمقًا مربكًا، بقدر ما هو مُغْرٍ.

لم يكن بإمكاني أن أدرك، ما لونهما بالتحديد. ولكن أدركت أنّه لم يكن بإمكاني أن أواصل النظر إليهما.

فجأة قرّرت أن أكفّ عن البحث.

لم يعد أمر القرط يعنيني. ولا ضياعه يزعجني. كلّ الذي يشغلني نظرات هذا الرجل، أو على الأصحّ حضوره المربك.

أصلحت من جلستي، بعد أن قلت له بصوت خافت بضع كلمات من باب اللياقة:

- أعتذر.. لقد أزعجتك.

ولكنّه أطفأ ولاّعته وقال وهو يعيدها إلى جيبه:

- قطعًا..

وعاد إلى مشاهدة الفيلم.

كلمته الفريدة شدّتني، وسمّرتني في مكاني. فقد لفظها وكأنّه يلفظ كلمة السرّ التي لا يعرفها سوانا.

ألقى بها في وجهي وكأنّه يرمي إليّ ببطاقة تعريفه، بنبرة موجزة فيها شيء من الاستفزاز المهذّب.. أو السخرية المستترة. ولم يضف شيئًا إليها.

هل صمت كي يقنعني بحجّة قاطعة، بأنّه رجل اللغة القاطعة؟

مذ تلك اللحظة، لم يعد بإمكاني أن أركّز على أيّ شيء ممّا يحدث حولي..

الحبّ يجلس دائمًا على غير الكرسيّ الذي نتوقّعه. تمامًا، بمحاذاة ما نتوقّعه حبًّا.

وأنا التي خبرت طويلاً هذه الحقيقة، كيف جلست أكثر من ساعة، جوار رجل لم أُولِ اهتمامًا لوجوده، مشغولة عنه برجل آخر،

يجلس أمامي. جاء دون أن يدري، متنكّرًا في زيّ الحبّ، فقط لأنّه يرتدي معطفًا ويجلس بصحبة امرأة!

وهذا الذي قال «قطعًا» وصمت، ماذا لو لم يكن هو؟ لو أنّه قال هذه الكلمة دون تفكير؟ لو أنّه جلس هنا، فقط لأنّه المكان الأقرب في الصفّ الأخير؟ لو أنّ الحياة أرادت أن تسخر منّي، ككاتبة، مرّتين!

تساءلت دائمًا: ما هي نوعيّة المسافة التي تفصلنا عمّا نشتهي؟ أتراها تقاس بالمكان؟ أم بالوقت؟.. أم بالمستحيل؟

وأيّ منطق هو منطق الرغبة؟ أيكون منطقًا لغويًّا أم منطقًا زمنيًّا.. أم منطق ظرف تضعك فيه الحياة؟

وهذا الرجل الذي انتقل بكلمة واحدة، من خانة الغرباء إلى الرجل المشتهى، كيف تمكّن من التنقّل في سلّم الرتب بهذه السهولة؟

ترى تواطأت معه اللغة؟ أم العتمة؟ أم هذا المكان الملتبس بين الوهم والحقيقة. بين النهار والليل. بين الحلم والواقع. بين الأدب والحياة؟

لو أنّه تحدّث لساعدني بعض الشيء على فهم ما يحدث. ولكنّه لم يفتح أيّ نافذة للكلام. وظلّ مشغولاً عنّي بمتابعة ذلك الفيلم. دون أن يتوقّف أثناء ذلك عن بثّ ذبذبات حديث يُقال صمتًا، في عتمة الحواسّ. وأنا نفسي، لم أجد معه شيئًا يمكن أن يُقال، وقد انطفأ معه الكلام، لتشتعل به مساحات الصمت.

لا أدري كم قضينا من الوقت على هذا النحو. هو يتابع الفيلم، وأنا أتابعه هو، أو أسترق النظر أحيانًا، إلى عاشقين، لم يعد أمرهما يعنيني، ولا ما يقولان يسعفني في شيء، مذ قال هذا الرجل، كلمة واحدة.. وصمت!

أثناء انشغالي به، مرّت مشاهد وأحداث، حاولت عبثًا أن أركّز عليها، غير أنّ أحدها استوقفني.

كان الأستاذ يشرح درسًا ما، عندما راح يوضح للطلبة أنّ وجهة نظرنا في أيّ أمر، تختلف حسب موقعنا، والزاوية التي نقف فيها. ولذا طلب منهم أن يأتوا صوبه، ويصعد الواحد تلو الآخر فوق مكتبه، كي يروا من حيث هم كيف أنّ قاعة الصفّ نفسها تبدو مختلفة، عندما نراها من فوق مكتب الأستاذ، من الجهة المقابلة لنا.

فالطريقة الصحيحة لفهم العالم. هي في التمرّد على موقعنا الصغير فيه، والجرأة على تغيير مكاننا وتغيير وضعيّتنا، حتى بالوقوف على طاولة، عوض الجلوس أمامها والاتّكاء عليها.

كان يتحدّث. بينما كان الطلبة يتتالون على مكتبه صعودًا ونزولاً. يستبقي بعضهم قليلاً، طالبًا منهم أخذ مزيد من الوقت، للنظر إلى الأشياء من حيث هم، فينظرون إلى مقاعدهم الفارغة دونهم.. ثم ينزلون، مندهشين.

وفجأةً، وبعد أجواء مرحة، يأخذ الفيلم منحى مأساويًّا، بانتحار طالب قرّر أن يخوض تجربة مسرحيّة سرًّا، وضدّ مشيئة أبيه، الذي بعث به إلى هذا المعهد الراقي والباهظ التكاليف، كي يصبح طبيبًا.. ولا شيء غير هذا.

يحدث ذلك في الليلة التي يقدّم فيها عرضه المسرحي ببراعة جعلت القاعة تقف لتصفّق له طويلاً، بينما يحضر أبوه الذي يسمع بالأمر، ليؤنّبه ويهينه أمام الجميع ويعود به إلى البيت.

عندها، اتّجهت أصابع الاتّهام نحو الأستاذ الذي عَدّهُ الأهل سببًا لانتحار ابنهم. وقرّرت إدارة المعهد طرده لأنّه أفسد تفكير الطّلبة وحرّضهم، بطريقته الغريبة في التعليم، على التمرّد.

وطالبت الإدارة الطّلبة بتوقيع عريضة أعدّتها ضدّه، مهدّدة كلّ من يرفض توقيعها بعقوبة الطّرد.

كانت بي رغبة في مشاهدة نهاية الفيلم، ومعرفة ما إذا كان الطّلبة سيتخلّون عن الأستاذ الذي علّمهم كلّ شيء بما في ذلك الدفاع عمّا يعتقدونه حقيقة، أم هل تراهم سينهزمون، أمام أوّل مساومة دنيئة تضعهم أمامها الحياة، لولا أنّني تنبّهت إلى مرور الوقت، واقتراب نهاية الفيلم، الذي سيفاجئني الضوء بعده، ويحرق شريط حلمي ويحوّلني كما في قصّة سندريلا من سيّدة المستحيل، إلى امرأة عاديّة، تجلس في قاعة بائسة، جوار رجل قد لا يستحقّ كلّ هذه الأحاسيس الجميلة التي خلقها داخلي.

وكنت قد يئستُ من مباغتة هذا الرجل لي بكلمة، تؤكّد أو تنفي ظنوني. ولذا قرّرت أن أباغته بانصرافي. فوقفت وتوجّهت إليه بكلمات أردتها عاديّة قدر الإمكان:
- عفوًا.. هل تسمح لي بالمرور؟
وجاء جوابه كلمة واحدة:
- حتمًا..
ووقف، ليلتصق بكرسيّه، تاركًا لي ما يكفي من المسافة، ليلامس جسدي جسده من الخلف، دون أن يحتكّ به تمامًا.
مسافة، لم أعد أدري أَعَبَرْتُها في لحظة أم في ساعات. ولكنّها المسافة الصغيرة، والكبيرة في آن واحد، تلك التي عندما نقطعها، نكون قد تجاوزنا عالم الحلم، إلى عالم الحقيقة.
أكانت كافية.. ليلتصق بي عطره، ويخترق حواسّي حدّ إيقافي بعد ذلك أشهرًا، أمام رجولةٍ لن أستدلّ عليها سوى بعطرها؟

أعتقد أنّ نظراته قد رافقتني حتى مغادرتي القاعة. فقد أحسست بها تودّعني بصمت، ولكن دون أن يكلّف نفسه مشقّة استبقائي بكلمة.. أو بسؤال.

من الأرجح أنّه كان مأخوذًا بنهاية الفيلم. فلحظة غادرت القاعة، كان الأستاذ يجمع أشياءه من الصفّ، بينما كان ينوب عنه المدير العجوز في إعطاء درس الأدب، في انتظار تعيين أستاذ جديد.

كان المدير يبدو صارمًا ومتحمّسًا لإصلاح كلّ ما أفسده هذا الأستاذ حتى إنّه طلب من التلاميذ أن يفتحوا كتبهم على الدرس الأوّل، لأنّه يريد تعليمهم كلّ البرنامج الدراسي منذ بدايته.

ولكنّه فوجئ بهم، يملكون نسخة مختلفة عن نسخته؛ تنقصها تلك المقدّمة النقديّة.

فقد ذهب الأستاذ، ولكن بعد أن ألقى إلى سلّة المهملات، كلّ ما كان يعتقده غير صحيح. ولم يعد بإمكان أحد بعد الآن أن يقنع الطلبة بشيء مزّقوه ورموه.

كان الأستاذ يراقب المشهد بصمت، وهو يغادر الصفّ محمّلاً بأشيائه الصغيرة، على مرأى من المدير.

وعندما وقف ليلقي نظرة أخيرة على طلبته، نهض أحدهم وصعد على مكتبه ليودّعه من علوّه، دون أدنى كلام، بذلك القدر من صمت البكاء.

لحظتها.. كانت عدوى الشجاعة تنتقل إلى بقيّة الطلبة، الذين راحوا يصعدون الواحد بعد الآخر على طاولاتهم ليودّعوا صمتًا ذلك الأستاذ الذي طُرد من وظيفته، لأنّه علّمهم الوقوف على الممنوعات والنظر إلى العالم بطريقة مختلفة.

وكما في الحياة، كانت هناك قلّة فضّلوا البقاء جالسين على كراسيّ الخضوع، تملّقًا للمدير.

ولكنّهم في انحنائهم، لم يكونوا ليستوقفوا النظر، فقد قصرت قامتهم، وسط صفّ أصبح واقفًا كلّه على الطاولات!

كان الأستاذ يغادر الصفّ. وكنت أغادر القاعة، واثقة من أنّني تقاسمت مع ذلك الرجل الغريب لحظة بكاء، بعدما تقاسمت معه لحظات من الرغبة الصامتة.

ولم يكن مهمًّا لحظتها أن تكون تلك المرأة التي جلست إلى جواره «هي» أم «أنا»؛ فقد حدثت الأشياء بيننا كما أرادها في عتمة قاعة سينما.

***

ما كدت أرى السائق في انتظاري عند الباب، حتى ألقيت بنفسي داخل السيّارة على عجل، وكأنّني أريد أن أحتفظ بتلك الأحاسيس الجميلة، في مكان مغلق.

خفت على ذلك الشيء الجميل، الذي عشته بصمتٍ جوارَ رجل غريب، أن ينطفئ داخلي بسرعة، أن يقتله أو يبعثره الشارع، بضوئه، وضجيجه، وفضول مارّته، وبؤس واقعه.

كان شيئًا شبيهًا بتلك اللحظات التي نعيشها مع شخص لا نعرف شيئًا عنه. نتقاسم معه كرسيًّا مجاورًا أو مقابلاً في عربة ميترو، أو في مقطورة، مسافة من الزمن، دون أن نتبادل شيئًا، عدا النظرات المتواطئة. ثم ننزل مكتفين بنعمة الصمت، وبلحظات شفّافة مرّت بنا كشال من دانتيل الشهوة. وخلّفت داخلنا كلّ تلك الفوضى الجميلة وإحساسًا غريبًا بأنّنا قد لا نرى هذا الوجه بعد ذلك أبدًا، وأنّه كان يكفي قليلٌ من الشجاعة.. وكلمات فقط.. كي يصبح لذلك الوجه اسم وعنوان.

ولكن، ماذا نفعل بمتعة المجهول.. إذن؟

***

في المساء، كنت أرتّب حقيبة يدي عندما عثرت على ذلك القرط الذي توقّعته قد ضاع منّي. كان قد وقع داخلها.

تساءلت.. أيمكن لشيء صغير إلى هذا الحدّ أن يغيّر مجرى قصّة؟ وهل كان لي أن أتنبّه لوجود ذلك الرجل إلى جواري - لا أمامي - لولا تلك الحادثة الصغيرة التي دونها كنت على الأرجح، عدت إلى البيت، واثقة من حماقة مراهنتي على الأوهام؟

نعم.. أليست حياتنا في النهاية إلّا نتيجة مصادفات، وتفاصيل أصغر من أن نتوقّعها على قدر من الأهمّيّة، بحيث تغيّر أقدارنا أو قناعاتنا؟

تفاصيل، في حجم تَيْنِك الكلمتين، اللتين على صغرهما، جعلتاني أصدّق أنّ الأحلام الأكثر جنونًا قابلة للتحقيق، وأنّه لا حدود بين الكتابة والحياة.

منذ البدء، أخذت بجماليّة تلك العلاقة الغريبة، والمستحيلة، وبذلك الحبّ الافتراضي الذي قد يجمع بين رجل من حبر وامرأة من ورق، يلتقيان في تلك المنطقة الملتبسة بين الكتابة والحياة، ليكتبا معًا، كتابًا خارجًا من الحياة وعليها في آن واحد.

أكثر من انبهاري بشخصيّة ذلك الرجل، ومساحة الظلّ فيها، كنت مبهورة بلقائنا المحتمل بين عتمة الحبر.. وعتمة الحواسّ.

كلّما تعمّقت في هذه الفكرة، كنت أزداد تصديقًا أو تورّطًا في مقولة أندريه جيد، واثقةً تمامًا بكتابة قصّة حبّ من الجمال إلى درجة لم يَعِدْ بها الجنونُ أيّ كاتبة قبلي!

الجنون.. بدايته حلم.

وحلمي الليلة، أن أسكن جسد تلك المرأة التي ذهبتُ، نيابة عنها، لمشاهدة فيلم.

أودّ لو استعرت جسدها لمدّة كتاب، كما تستعير النساء عادة مصاغًا، أو ثوبًا يرتدينه لعُرس.

في هذه المدينة التي تستعير فيها النساء بعضهنّ من بعض كلّ شيء، ويتبادلن كلّ شيء، أنا التي أعرت الجميع كلّ ما في خزانتي، ماذا لو استعرت الشيء الوحيد الذي لا أملكه حقًّا؟

جسد امرأة غيري، وجهها، ملامحها، ذاكرتها العشقيّة، قصّتها مع رجل يعنيني أمره، ويعنيني أكثر أن أتأكّد من كوني لم أحلم.. ولم أجنّ، وأنّني جلست فعلاً إلى جواره لمدّة ساعتين.. وأنّه قال لي خلالهما كلمتين!

أودّ لو كان بإمكاني أن أتنكّر في زيّها، ليكون لي حقّ رؤيته في الضوء، لا في العتمة.

أن نتبادل كلامًا طبيعيًّا، لا كلمات قاطعة، أو متقاطعة كتلك التي تبادلناها.

أن نجلس متقابلين، لا متجاورين، في الزاوية اليسرى أو اليمنى، في أيّ مكان كان.

ولكن كيف؟ وأين؟

تستدرجني هذه التفاصيل، إلى فكرة على قدر من الجنون، فأركض نحو مكتبي، أحضر الدفتر الأسود، وأشرع في قراءة تلك القصّة، قافزة على الأسطر، لاهثة النظرات، بحثًا عن شيء محدّد، ما أكاد أعثر عليه، حتى أتوقّف عن القراءة، بفرحة من عثر على شيء أضاعه في البحر.

أغلق الدفتر وأتنفّس الصعداء. فقد عثرت على اسم المقهى الذي كانا يلتقيان فيه.

وهذه المرّة أيضًا.. لم أكن قد سمعت به من قبل!

سائق الأجرة الذي طلبت منه مرافقتي إلى مقهى «الموعد» بدا عليه شيء من الاندهاش، جعلني أعتقد أن لا وجود لهذا المقهى.

غير أنّه سألني، وهو يراني محمّلة بالجرائد والأوراق، بنيّة التمويه، إن كنت أقصد المقهى القائم بجوار حيّ الفوبور. أجبته بالإيجاب، تفاديًا لمزيد من الأسئلة.

ولكنّه راح يمدّ معي حديثًا عن الأوضاع الأمنيّة، وعن شرطيّ ألقوا به ليلة البارحة من الجسر، وعن فتاة ورفيقتها اختطفتا أثناء عودتهما من المدرسة.. وذُبحتا.

كنت أستمع إليه وهو يسرد عليّ أخبار الأقارب والجيران والزبائن، وكلّ ما سمع به من مصائب. ولا أدري أكان من الأفضل أن أسايره بالحديث، فأشغله عن فضوله تجاهي، أم أصمت، كي لا أشجّعه على تعكير مزاجي. فأنا أدري تمامًا أنّ الوضع الأمنيّ سيّئ هذه الأيّام. وهو أحد أسباب زيارة زوجي للعاصمة. ولست في حاجة إلى مزيد من التفاصيل، في هذا الصباح بالذات..

كنت أعي أنّني أقترف حماقةً أخرى، بذهابي إلى مكان لا أعرف شيئًا عنه. حتى إنّي لست واثقة من وجود ذلك الرجل فيه. ولم أحتط، سوى في ذهابي إليه صباحًا، في ساعة لا يكون مكتظًّا فيها بالزبائن. وهو الوقت الذي أتوقّع أن يلتقي فيه اثنان، لو أنّهما أرادا التلاقي في مقهى. أمّا الجرائد والأوراق التي أحملها، بنيّة التمويه، فيبدو أنّها قد تكون سببًا إضافيًّا للمتاعب، ولن تقيني من شبهات أخرى.

في النهاية.. لم يكن لي شيء أحتمي به في ذلك الصباح، سوى مقولة الشاعر الإيرلندي شيماس هيني «امشِ في الهواء.. مخالفًا لما تعتقده صحيحًا!».

وهكذا.. رحت أمشي نحو قدري، عكس المنطق.

كان المقهى أكثر هدوءًا ممّا توقّعت. وبرغم ذلك دخلته بارتباك واضح. فأنا لا أدري عمّن جئت أبحث، ولا أين يجب أن أجلس، ولا

ماذا يجب أن أطلب، وهل أخفي أوراقي أم هل أفردها على الطاولة..
وكأنّني جئت هنا لأكتب.

وقبل كلّ هذا.. أيّ زاوية يجب أن أختار للجلوس، كي لا أخطئ
باختيارها قصدي.

هو قال «احجزي لنا طاولة أخرى.. في أيّ زاوية عدا الزاوية
اليسرى.. ما عاد اليسار مكانًا لنا».

أيعني أنّني يجب أن أجلس في الزاوية اليمنى من المقهى وأنتظر؟
أم أجلس في الزاوية اليسرى، ترقّبًا لمن سيأتي ويجلس إلى يميني؟!

بدا لي المكان شاسعًا. يجلس في ركن أيسر منه شابٌّ وفتاة،
مأخوذين بنقاش حول أمر ما. وفي زاويته اليمنى رجل بقميص أبيض
بدون ربطة عنق، منهمك في الكتابة. أمامه أوراق.. وجرائد.. وكثير
من أعقاب السجائر.

جلست في الزاوية المقابلة له. محافظة على مسافة ثلاث
طاولات بيننا، تحسُّبًا للخطأ.

بدت منه التفاتة فضوليّة. نظر إليّ بعض الشيء، وإلى الجرائد
التي وضعتها على الطاولة، ثم عاد إلى الكتابة.

لم أفهم يومًا، كيف يكون بإمكان البعض أن يكتب هكذا في
مقهى أو في قطار، دون أيّ اعتبار لحميميّة الكتابة.

أن تجلس لتكتب في مكان علنيّ، كأن تمارس الحبّ على وقع
أزيز سرير معدنيّ. وبإمكان الجميع أن يتابعوا عن بعد، كلّ أوضاعك
النفسيّة، وتقلّباتك المزاجيّة، أمام ورقة.

حاولت أن أنشغل عن ذلك الرجل، ولكنّني لم أتوقّف عن متابعته.
أذهلني غيابه لحظة الكتابة. وأذهلني أكثرَ أنّه يكتب كلامًا في
صيغته النهائيّة. دون تفكير، أو تردّد، أو شطب.

كان يتوقّف أحيانًا. يأخذ نفسًا من سيجارته، ثم يعود إلى الكتابة.

في لحظة ما، بدا لي كأنّه على وشك أن يبادرني بالكلام. فقد توقّف بين جملتين، وراح ينظر إليّ دون أن يقول شيئًا. توقّعت التفاتة تفضحه. ولكن كان كأنّه ينظر إلى شيء وحده يراه. ولم أجد شيئًا أهرب إليه من نظرته تلك، سوى فتح جريدة كانت معي.. ورحت أطالعها كيفما اتّفق.

بدت منه لحظتها، ابتسامة مربكة، لم أفهمها تمامًا؛ أكان يسلّم عليّ بها؟ أم يشفق عليّ من وحدتي؟ أم يسخر ممّا أقرأ؟.. أم يقول لي فقط إنّه تعرّف إليّ!

ربّما كانت المرّة الأولى التي أطلت فيها النظر إلى ملامحه.

كان على قدر من الوسامة. وكنت أشعر بمودّة غامضة تجاه هذا الوجه، وضعفٍ تجاه هذا الحضور الرجاليّ الصامت الذي لا يشبه في شيء التصرّفاتِ الذكوريّة في هذه المدينة.

إحساس ما، كان يقول لي إنّني في زمن ما، أحببت رجلاً يشبهه، أو هو يشبه تمامًا رجلاً سأحبّه يومًا.

ورغم ذلك لم أجرؤ على القول إنّه «هو»، قبل أن تصدر عنه أيّ التفاتة تشي به.

أكان منشغلاً عنّي حقًّا؟ أم كان فقط يتحرّش بي بصمته. يجلس أمامي هكذا على مرمى قدر. ينتظر سؤالاً يأخذنا إلى شيء قد يحضر؟ أنا المرأة الجبانة التي لم تبادر يومًا رجلاً بالكلام، كيف لي أن أشاغبه، أن أشعل تلك الإنارات الصغيرة التي ستجعله يوقف الكتابة ويقول لي شيئًا؟

كم تمنّيت لحظتها أن ينطق! ولكنّه كان يعبث بي، بكلام لا يُقال إلّا صمتًا.. ويُدخلني في حالة من الارتباك الجميل.

أثناء تفكيري، جاء النادل وسألني ماذا أريد. لا أدري لماذا أجبته على غير عادتي «قهوة».

ربّما لأنسيه أنوثتي. ما دام الرجال يطلبون عادة قهوة.

ذهب ولم يعد.

ولم يعنني كثيرًا أنّه لم يأتِ بقدر ما كان يعنيني قدوم رجل مميّز المظهر، يرتدي قميصًا أسود ونظّارة شمس سوداء، في العقد الرابع من عمره. له خطى واثقة، وأناقة رجولة، في غنى عن أيّ جهد.

بدا على الرجل كأنّه يعرفني، أو كأنّه فوجئ بوجودي هناك؛ فقد ألقى نحوي نظرة مندهشة، ثم سلامًا ودّيًا بإشارة من رأسه. وذهب للجلوس جـوار ذلك الرجل، الـذي توقّف أخيرًا عن الكتابة، وراحا يتبادلان حديثًا، لم يصلني منه شيء.

داهمني شعور بالندم. وربّما بالضآلة، كلّما طال حديثهما، وكلّما طال انتظاري لشيء لا يأتي.

عندما تنتظر أحدًا، أنت لا ترى شيئًا بعينه، ولا تتأمّل شيئًا بالتحديد؛ نظراتك مبعثرة كمزاجك. والـذي تنتظره قد يأتي من اللامكان، ويفاجئك وسط ذهولك، وفوضى أفكارك.. وأسئلتك.

من هو هذا الرجل؟ هل تعرّف إليّ؟ بل كيف أتعرّف إليه؟ وهذه المرأة التي سطوت على هويّتها، ما شكلها؟ ما لون شعرها؟ ما هي عاداتها في السلام.. عاداتها في الكلام... عاداتها في الانتظار؟

وهـذا الرجل الـذي بادرني بالسلام ومضى، تراه يعرفني؟ أم يعرف أخي.. أو زوجي؟ أم تراه يعرفها؟ ولماذا يتأمّلني هكذا؟ تراني أشبهها؟ تراه كان ينتظرني أم كان ينتظرها؟ أم تراه كان موجودًا هنا للتحدّث إلى هذا الصديق لا أكثر.. وماذا لو كان «هو»؟

أبحث في عينيه عن شيء ما، عن ذكرى.. عن شوق مؤجّل، عن بقايا حزن سرّي، عن حبّ مات في هذا المكان.

ولكن عينيه المختفيتين خلف نظّارة سوداء، لا توصلانني إلى أيّ جواب، بينما يطالعني هو عن بعد، دون أن تفضحه نظراته.

أن يسترق النظر إليّ أثناء حديثه، هذا لا يعني شيئًا؛ أيّ رجل غيره، كان سيتصرّف كذلك، على الأقلّ من باب الفضول، إن لم يكن من باب التحرّش الصامت بأنثى تجازف بالجلوس بمفردها في مقهى بمدينة كهذه.

وماذا لو كان صديقه، هو الرجل الذي جئت من أجله، وأنّه يمثّل معي دور التجاهل كما فعل طوال عرض الفيلم، إنّ هذا الدور يشبهه تمامًا. إنّه رجل يشي به الصمت، وتلك الزّاوية اليمنى التي اختارها للجلوس مقابلاً للذاكرة.

أخيرًا جاء النادل بفنجان القهوة، وضعه أمامي، أو بالأحرى رمى به أمامي، وذهب.

انتبهت لعدم وجود السكّر جواره، كما هي العادة. رفعت يدي لأناديه، ولكنّني عدلت؛ فقد كان بعيدًا، ولم أشأ أن أرفع صوتي لأقول كلامًا تافهًا مثل «يا خويا.. يعيّشك.. جيبلي سكّريّة..».

شعرت بأنّ صمتي أجمل من أن أكسره لأقول شيئًا لنادل خاصّة أنّ عواقب ما سأقوله قد لا تكون محمودة، حسب ما توحي به لحيته.

فقد يرفض أن يعطيني السكّر. وقد يطلب منّي أن أذهب إلى بيتي، وأشرب قهوة بالسكّر أو بالقطران.. إذا شئت. هذا إذا لم يقلب عليّ فنجان القهوة.

فمنذ الأزل، الجزائر بلد يمكن أن يحدث لك فيه أيّ شيء مع نادل!

كتلك الحادثة التي روتها لي صديقة صحافيّة أقامت في السبعينيّات في نزل فخم بالعاصمة، مع وفد من الصِّحافيّين الأجانب، بمناسبة الذكرى الثلاثين لاندلاع الثورة. وبعد انتظار طويل، وبعد أن يئست من إحضار طلباتها، استدعت النادل، وقالت له على طريقة الشرقيين:

- نحن ننتظر منذ نصف ساعة، عليك أن تولينا اهتمامًا خاصًّا. إنّنا ضيوف لدى الرئاسة!

ولكنّه ردّ عليها بطريقة لا يتقنها غير الجزائريِّين:

- ما دمت ضيفة عند الرئاسة.. روحي لعند بن جديد «يسربلك».

ومضى ليتركها مذهولة.

طبعًا عندما عادت إلى سوريا وروت هذه الحادثة، لم يصدّقها أحد. فعندنا فقط يطلب النّادل من رئيس الجمهوريّة أن يخدم ضيوفه.. بنفسه!

أمام ما أعرف من قصص، عدلت عن طلب أيّ شيء من ذلك النّادل، وخاصّة أنّني في وضع «مشبوه» بالنسبة إليه.

حتى إنّني، لم تكن بي رغبة في النهاية لاحتساء تلك القهوة.

ولكن.. فجأة وقف ذلك الرجل ذو القميص الأسود، واتّجه نحوي وفي يده صحن عليه بعض قطع من السكّر.

لا أدري كيف انتبه لما كنت سأطلبه، رغم أنه كان يبدو مشغولاً بالحديث إلى صديقه.

إحساس غامض انتابني وهو يقترب منّي، ويمدّني بذلك الصحن الصغير. عطره الذي اخترق حواسّي، أعادني إلى العطر الذي شممته

في السينما، عندما اقترب ذلك الرجل منّي ممسكًا ولاّعة، فانتابني مزيج من الخوف والاندهاش.

وحدها نظرته كانت تنقص، ليكتمل المشهد. ولكن كان باستطاعته أن يثير داخلي الأحاسيس نفسها، ويقول الشيء نفسه دون أن يخلع نظّارته السوداء؛ فقد أصبح لهذا العطر ذكرى تقودني في عتمة الحواسّ.. لأستدلّ عليه.

ولذا لم أقاوم رغبة في استدراجه، أو في اختباره، وأنا أكرّر معه المشهد نفسه، مستعملةً الكلمات نفسها:

- آسفة.. لقد أزعجتك..

وجاءني الرّد، مذهلاً في تطابقه:

- قطعًا..

وكما في المرّة الأولى قالها ومضى، دون أن يضيف شيئًا.

أمّا أنا، فمن ذهولي بقيت لحظات أتابع عودته إلى تلك الطاولة. وجلوسه بالتلقائيّة نفسها التي غادرها بها.

لحظات.. أتأمّله، قبل أن أصدّق ردًّا لفرط ما أردته بدا لي كأنّني توهّمته.

لم يكن قرطي هو الذي وقع منّي هذه المرّة، بل قلبي الذي أصبح بكلمة واحدة يقع مغمى عليه كلّما خطر للحبّ أن يلعب معي لعبة الغمّيضة، ويضعني أمام رجلين، عليّ كلّ مرّة، أن أتعرّف بكلمة واحدة إلى أحدهما!

كنت ما أزال تحت وقع تلك الكلمة، عندما رأيتهما ينهضان. بدت من الرجل صاحب قميص الأبيض إشارة من رأسه كأنّه يودّعني بها، رافقتها نظرة غائبة تَعِد بشيء ما.. ومضى.

لاحظت أنّه كان يرتدي بنطلونًا أبيض أيضًا، بينما توجّه نحوي الآخر، ممسكًا جريدة، لم تكن معه عند مجيئه.

وقف برهة أمامي.. ثم سألني:

- أتسمحين لي بالجلوس؟

كان يجب أن أقول «لا». أو في حالةٍ أخرى «تفضّل» ولكنّني أجبت:

- طبعًا..

لكنّه لم يجلس قال وهو ما زال واقفًا:

- في الحقيقة.. أنا أكره هذا المكان.. وأفضّل أن نذهب لتناول شيء معًا في مقهى آخر.. أيزعجك هذا..؟

أجبته:

- قطعًا.

طبعًا. كان يجب أن أقول العكس. ولكن وجدتني لا أملك من لغة سوى لغته، خاصّةً أنّني وجدت في عدم حبّه لهذا المكان، دليلاً آخر على كونه «هو».

أخرج من جيبه قطعة نقديّة، تركها على الطاولة، ثمن قهوتي. ثم بلياقة فاجأتني، سحب الكرسيّ الذي أجلس عليه، ليساعدني على مغادرة المكان.

ولم أملك سوى أن أتبعه. أو بالأحرى أن أتبع شيماس هيني وأواصل مشيي في الهواء، مخالفة لما أعتقده.. صحيحًا!

أمام باب المقهى أوقف سيّارة أجرة بإشارة من يده وجلس جوار السائق ووجدتني ألحق به، وأجلس خلف سائق شابّ، فاجأتني طيبته، مِمّا جعلني أغفر له ضيق سيّارته، وحرارتها القاتلة.

كنت سأفتح النافذة. ولكنّني خفت أن يزيد هذا من احتمال رؤية الآخرين لي. فرحت أنتظر أن ينطق هذا الرجل.. لتنطلق بنا السيّارة أخيرًا.

- هل تعرف مكانًا يمكن أن نذهب إليه؟

التفت السائق دهشًا نحوه؛ فلم يحدث أن طرح عليه راكب سؤالاً كهذا.

تأمّله بشيء من السخرية. ربّما أشفق علينا، أو بارك جنوننا.. قال:

- أين تريدان الذهاب؟

أجاب اللون الأسود:

- إلى أيّ مكان لا يزعجنا فيه أحد. هل هناك مقهى، أو قاعة شاي هادئة؟

ابتسم الرجل ساخرًا من طلبه. من الأرجح أن يكون استنتج أنّنا غريبان.

أدار محرّك سيّارته وطار بنا.

كان الطريق بعيدًا بعض الشيء. ورغبة ما لم تفارقني أثناءه بالجلوس أخيرًا إلى هذا الرجل. أن أكون جواره أو مقابلة له، لا خلفه كما أنا الآن يصلني منه بعض عطره، تحمله نحوي نسمات سيّارة مسرعة فأتقاسم معه مجرى الهواء، وكثيرًا من صمت الأسئلة.

أوّلها: لماذا جلس جوار السائق؟ أليضع بيننا مسافة ما.. لسبب أو لآخر، أم لأنّ أيّ سائق أجرة في الجزائر يشترط عليك أن تجلس جواره لا خلفه؟ وقد يذكّرك بهذا، صارخًا في وجهك «ياخُو.. مانيش خدّام عندك!».

أمّا السؤال الأهمّ فهو ليس سبب جلوسي وراءه بل طبعًا سبب وجودي معه.

ما الذي أوصلني إلى هنا؟ ترى فضولي الأدبيّ هو الذي جعلني أدخل مغامرة على هذا القدر من الغرابة؟

أم تراني أذهب نحو الحبّ بذريعة الأدب؟

وكيف يمكن لرجل لم يقل لي سوى بضع كلمات أو بالأحرى كلمة أن يأتي بي حتى هنا، دون أن أسأله حتى من يكون. وكأنّ كلّ

قدراتي العقليّة قد تعطّلت لتنوب عنها حواسّي، فألحق رجلاً اختزن جسدي رائحته؟

في لحظة ما، كدت أسأله «ما اسم عطرك يا سيّدي؟» ثم تردّدت. جنون أن أسأل رجلاً عن اسم عطره، قبل أن أسأله عن اسمه. أمّا أن أسأله عن اسمه الآن، فسيأخذ السؤال بُعد الإهانة للحلم. الحلم لا اسم له.

وهو، تراه يعرف اسمي؟ وأيّ الأسماء تراه يعرف.. اسمي أم اسمها؟ وبرفقة من هو جالس.. برفقتي أم برفقتها؟ ومع من هو ذاهب إلى هذا العنوان الذي لا يعرفه، معي، أم معها؟

عند «سيّدة السلام» توقّفت بنا السيّارة، أمام مقهى شاهق الموقع، هادئ الأجواء، يطلّ على أودية لا نهاية لعمقها.

مضى السائق محمّلاً بشكرنا اللغوي.. والنّقديّ ليتركنا أمام الأسئلة.

أجبنا عن سؤال النادل بالجواب نفسه: «نريد كوكا». وكأنّنا نقول نريد أن تتركنا وشأننا.

وصمتنا لنترك المجال لأسئلة أكبر.

كنت أعدّ نفسي لكلام كثير. ولكنّه لم يقل شيئًا. أشعل سيجارة، وراح يتأمّلني في نظرة تطالعني بين غيابين. ثم قال وهو يسكب لي المشروب، بيد ما زالت ممسكة بالسيجارة.

- أخيرًا أنت؟

كان في نبرته شوق، أو اندهاش جميل، كأنّما لفرطه، لا يمكن أن تختصره أكثر من كلمتين.

شعرت أنّه يواصل الحديث إلى امرأة غيري. ربّما تلك المرأة التي لم يكن يقول لها شيئًا، عدا صمته، وربّما امرأة أخرى غيرها.

ذهلت لاستنتاج كهذا. أيعقل أن يأخذني مأخذها؟

ولكنّه واصل بما يؤكّد ظنّي:

- غريب حقًّا.. أن أصادفك في ذلك المقهى. لولا صديقي لما حضرت إلى هناك.

صمت قليلاً ثم واصل:

- شيء فيك تغيّر منذ ذلك الوقت. ربّما تسريحتك.. أحبّك بشعرك الطويل هذا. أتدرين.. كدت لا أتعرّف إليك لولا ثوبك الأسود.

سألته دهشة:

- وهل تعرف هذا الثوب؟

أجاب ضاحكًا:

لا.. ولكنّني أعرف لك طريقة في ارتداء الأسود.. لكأنّه معك لون خلق للفتنة.. لا للزهد.

لم أدر كيف أردّ على غزل لم أكن مهيّأة له، ولا أظنّني كنت المقصودة به.

قلت وأنا أسايره في خطئه:

- أمّا أنا.. فأعترف أنّك فاجأتني.. قبلك لم أر رجلاً يلبس الأسود في هذه المدينة. حتى لو كان ذلك حدادًا. لكأنّ الرجال يخافون هذا اللون أو يكرهونه.

- وأيّ لون توقّعت أن أرتدي؟

- لا أدري.. ولكنّ الناس هنا يرتدون ثيابًا لا لون لها.

ثم واصلت بعد شيء من التفكير:

- صديقك أيضًا.. يبدو غريبًا عن هذه المدينة.

ردّ ضاحكًا:

- لماذا؟ ألأنّه يرتدي قميصًا.. وبنطلونًا أبيض؟

- بل لأنّه يرتدي الأبيض باستفزازيّة الفرح في مدينة تلبس التقوى بياضًا.

ابتسم وقال:

- صديقي فرحه إشاعة أنّه باذخ الحزن لا أكثر. والأبيض عنده لون مطابق للأسود تمامًا.

وأمام صمتي واستغرابي لكلام من الواضح أنّني لم أفهمه، واصل:

- الأبيض هو خدعة الألوان.. ألا تعرفين هذا؟

قلت كمن يعتذر:

- لا.. لا أعرف.

وغرقت في لحظة صمت.

كيف لي أن أواصل الحديث مع رجل، يبدو هو نفسه كاذب الفرح.. بقدر ما صديقه باذخ الحزن؟

وأنا التي، جئت مصادفة لهذا اللقاء.. في ثوب أسود.

كيف أبرّر هيئتي، ولم يحدث أن أقمت علاقات لونيّة مع الأشياء.

حاولت أن أغادر سيرة الألوان، كي لا ينفضح جهلي بها، قلت:

- عجيبة علاقتنا التي بدأت في العتمة، منذ ذلك اليوم وأنا أريد أن أدخل الضوء إلى هذه القصّة.

ابتسم وأجاب:

- ولكنّنا لم نلتق في العتمة.

كدت أسأله، أين التقينا إذن؟ ولكن سؤالاً كهذا بدا لي غريبًا وقد يفضحني إن كان يتوقّعني «هي».

رحت أستدرجه لاعتراف ما قلت:

- أحبّ قصص التلاقي.. في كلّ لقاء بين رجل وامرأة.. معجزة ما، شيء يتجاوزهما، يأتي بهما، في الوقت والمكان نفسيهما، ليقعا تحت

الصاعقة نفسها. ولذا يظلّ العشّاق حتى بعد افتراقهما.. وقطيعتهما، مأخوذين بجماليّة لقائهما الأوّل، لأنّها حالة انخطاف غير قابلة التكرار، ولأنّها الشيء النقيّ الوحيد الذي ينجو ممّا يلحق الحبّ من دمار.

توقّعت أن يقول ما يشي بلقاء، أو بقصّة ما. ولكنّه قال:

- كلّ البدايات جميلة في الحبّ.. وأجملها بدايتنا.

قلت بمراوغة الاندهاش:

- حقًّا؟

أجاب:

- طبعًا.. لأنّها معجزة تتكرّر معنا كلّ مرّة.

لم يقل أكثر من هذه الجملة، التي جعلتني أستنتج أنّنا التقينا قبل عرض ذلك الفيلم. ولكن أين.. ومتى؟ تلك أسئلة لم يبدُ مهيّأً للجواب عنها؛ فقد دخل في حالة صمت، واضعًا بيني وبينه جملاً من ضباب الدخان.

رحت أتأمّله للحظات، وهو مشغول عنّي بنا.. أو بها.

ثم كسرت الصمت، بأوّل جملة خطرت بذهني.

قلت:

- إنّ رجلاً يرتدي الأسود.. هو رجل يضع بينه وبين الآخرين مسافة ما. ولذا ثمّة أسئلة، لا أجرؤ على طرحها عليك، رغم بساطتها. إنّك تبدو لي رجلاً يكره الأسئلة..

قاطعني شبه مندهش:

- أنا أكره الأسئلة؟ من قال هذا؟

توقّعت للحظة أنّني أخطأت. ولكنّه واصل:

- أنا أحبّ الأسئلة الكبيرة.. الأسئلة المخيفة التي لا جواب لها. أمّا تلك الفضوليّة، فهي تزعجني بسذاجتها. وأظنّها تزعج آخرين غيري..

- وكيف تردّ إذن على أسئلة الناس حولك؟

سحب نفسًا عميقًا من سيجارته وكأنّه لم يتوقّع سؤالي.. وردّ
بنبرة لا تخلو من مسحة تهكّميّة:

- الناس؟ إنّهم لا يطرحون عليك عادة، إلّا أسئلة غبيّة، يجبرونك
على الردّ عليها بأجوبة غبيّة مِثْلها..

يسألونك مثلًا ماذا تعمل.. لا ماذا كنت تريد أن تكون. يسألونك
ماذا تملك.. لا ماذا فقدت. يسألونك عن أخبار المرأة التي تزوّجتها.. لا
عن أخبار تلك التي تحبّها. يسألونك ما اسمك.. لا ما إذا كان هذا الاسم
يناسبك. يسألونك ما عمرك.. لا كم عشت من هذا العمر. يسألونك أيّ
مدينة تسكن.. لا أيّ مدينة تسكنك. يسألونك هل تصلّي.. لا يسألونك
هل تخاف الله. ولذا تعوّدت أن أجيب عن هذه الأسئلة بالصمت.
فنحن عندما نصمت نجبر الآخرين على تدارك خطئهم.

مذهل هذا الرجل، بكلامه المربك كصمته، ومنطقه المعقّد
والبسيط في الوقت نفسه، وأجوبته التي ليست سوى رؤوس أقلام..
لأسئلة أخرى.

وبرغم أنّه لم يترك لي مجالاً لطرح أيّ سؤال «طبيعيّ» اكتشفت
في قوانين منطقه شرعيّة إحراجه، واستدراجه لقول حقيقة.. لن تؤخذ
منه إلّا بالمقلوب!

ولذا بادرته قائلة بشيء من السخرية:

- أنت رجل يغري بطرح الأسئلة معكوسة.. فهل لديك شجاعة
كافية للردّ على أسئلتي؟

أجاب بتحدّ مازح:

- هذا عائد إلى ذكائك!

رفعت التحدّي. وطرحت سؤالي الأوّل:

- أيّ اسم كنت تريد أن تحمل؟

وجاء جوابه مدهشًا:

- الاسم الذي اخترته لي في كتابك.. إنّه يناسبني.

كان يضحك وهو يجيبني. ولم أصدّق ما سمعت. جوابه كان
يعني أنه يدري من أكون. ولكن من تراه يكون هو.. ليتحدّث إليّ
وكأنه خارج توًّا من قصّتي؟

أجبته كمن يمزح:

- ولكن .. أنا لم أختر لك اسمًا بعد..

ردّ بالسخرية نفسها:

- فليكن.. يناسبني تمامًا أن أبقى بلا اسم!

- ولكن هذا يزعجني.. ألا يمكنك أن تخلع قليلاً غموضك؟

- وحده الحبّ يعرّينا يا سيّدتي..

- هل أفهم أنّك لست عاشقًا..؟

بقي سؤالي معلّقًا إلى صمته، فتداركت خطئي، وأعدت طرح
السؤال بصيغة أخرى:

- هل حدث للحبّ أن عرّاك؟

- حدث ذلك مرّة واحدة. بعدها لبست خيبتي ولم أخلعها بعد.

قلت بنشوة أنثى:

- إذن ليس في حياتك امرأة؟

أجاب:

- كم يلزمني من الصمت يا سيّدتي.. لأردّ على أسئلتك؟

كان عليّ أن أفهم «كم يلزمني من الصبر يا سيّدتي لأردّ على
فضولك» أو ربّما «لأردّ على أسئلتك الغبيّة..».

ولكن هذه الإهانة المهذّبة ليست ما استوقفني، بل كلمة أخرى
شديدة التهذيب.

سألته:

- لماذا تناديني «سيّدتي».. من أخبرك أنّني متزوّجة؟

ابتسم وقال:

- ثمّة نساء خلقن هكذا بهذا اللقب. جئن العالم بهذه الرّتبة. وأيّ تسمية أخرى هي إهانة لأنوثتهنّ.

وقبل أن أسعد بجوابه، واصل بعد شيء من الصمت:

ما عدا هذا فحالتك المدنية لم تعد تعنيني..

صيغة النفي في جملته الأخيرة، فاجأتني. شعرت أنها تخفي سوابقَ ما، أو أمرًا لا يريد الإفصاح عنه.

سألته:

- لماذا قلت «لم» تعد تعنيني.. وليس لا تعنيني؟

- ردّ بسؤال كاذب:

- أقلت هذا حقًا؟

وصمت.

كان واضحًا أنه يعرف شيئًا عني. والمزعج، أنني لم أكن قد عرفت بعد شيئًا عنه. ولذا قرّرت أن أواصل التحدّي مستعملة طرقه المقلوبة، في طرح الأسئلة.

قلت:

- لم يحدث أن التقيت بشخص يشبهك في هذه المدينة، بي فضول لمعرفة أيّ مدينة تسكنك؟

ولكنّه ردّ ساخرًا وكأنه اكتشف الهدف من سؤالي:

- لن يفيدك جوابي في شيء. أنا كالكتّاب الذين يسكنون مدينة، كي يكتبوا عن أخرى. أسكن مدينة، لأتمكن من حبّ أخرى. وعندما أغادرها، لا أدري أيّهما كانت تسكنني.. وأيّهما سكنت. أنا حاليًّا شقّة شاغرة. غادرت قسنطينة عن حبّ.. وغادرتني هي عن خيبة!

- أأنت من قسنطينة؟ عجيب.. توقّعت أن تكون غريبًا عنها.

- لنقل إنني كذلك.

- وماذا تعمل في الحياة؟.. أقصد ما كنت تريد أن تكون؟

قال ضاحكًا لاستدراكي، وللنبرة الساخرة التي صحّحت بها سؤالي:

- في الواقع كنت أريد أن أكون ممثّلاً.. أو روائيًّا، كي أعيش أكثر من حياة.. إن حياة واحدة لا تكفيني. أنا أنتمي إلى جيل يعاني أزمة عمر وأنفق حياته حتى قبل أن يعيشها.

وأضاف:

- ما عدا هذا.. أنا رسّام، وراضٍ تمامًا عن مهنتي، لأنني لا أفعل بيدي إلا ما أريد.

قاطعته مندهشة:

أنت رسّام!؟

وماذا توقّعت أن أكون؟

لا أدري.. ولكن..

ولكن ماذا..؟

كنت أعرف في السابق رسّامًا من قسنطينة.. تذكّرته اللحظة. أذكر كان مهووسًا بها إلى درجة أنه لم يكن يرسم سوى..

قاطعني قائلاً:

- سوى الجسور!

صحت:

- هل عرفته أنت أيضًا؟

ابتسم وقال:

- لا.. ولكن، أتوقّع لرسّام يحب هذه المدينة، أن يرتكب حماقة كهذه.

- لماذا تسمّي هذا حماقة؟

- لنقل إنني لا أحبّ الجسور..

- عجيب.. لقد قضى هو أشهرًا في إقناعي بالعكس. توقّعت أن يحبّ الرسّامون المعالم نفسها.

أطفأ سيجارته وكأنه يريد أن ينتهي من موضوع مزعج وقال:

- ما أدراك.. ربّما غيّر رأيه منذ ذلك الحين.. وحدهم الأغبياء لا يغيّرون رأيهم!

استنتجت أن حديثي عن قسنطينة يزعجه، فرحت أبحث عن موضوع أستدرجه به إلى الكلام. وقبل أن أنطق قال وهو يتأمّلني:

- أحبّك في هذا الثّوب.. الأسود يليق بك..

- حقًّا؟

- حقًّا. ولكن أكثر من هذا اللون. أحبّ المصادفة التي جعلتنا نرتدي اللون نفسه اليوم أيضًا. ما زلت أذكر ذلك الثّوب الذي كنت ترتدينه يوم رأيتك أول مرّة. حتى إنني كما في قصّة ذاك الأمير الذي لم يبق له من سندريلا سوى حذاء ليتعرّف به إلى فتاة لا يعرف سوى مقاس قدمها، أتوقّع أنني لو رأيت امرأة ترتدي ثوبًا من الموسلين للحقت بها، متأكّدًا من كونها أنت.

نفض سيجارته ببطء وواصل:

- الذي أحزنني يومها، هو أنني لم أستطع أن أتبادل معك ولو كلمة واحدة. كلّ الأضواء كانت ضدّنا. ربّما لأننا كنا الأجمل في زفاف كان لغيرنا. أذكر.. كانت الفرقة الموسيقيّة تعزف أغاني للفرح، عندما توقّفت فجأة، وراحت تعزف موسيقى الدخلة إيذانًا بقدوم العروسين. واصطفّت على الجانبين نساء في كلّ زينتهن التقليديّة، يضربن على البندير والدفوف. في تلك اللحظة بالذات، كنّا ندخل مصادفة معًا، مرتديين اللون الأسود نفسه، عندما انطلقت زغاريد النساء حولنا. لم نكن العروسين، وجدنا هناك خطأً في تلك اللحظة، وذلك المكان بالذات. فقد كنّا سابقين للعروسين بخطوات فقط. ولكن كان مرورنا

معًا في تلك اللحظة هو الخطأ الأجمل. فبعدنا بدا الموكب الشرعيّ أقلّ تألقًا في بياضه. لم يغادرني هذا المشهد أبدًا بعد ذلك لسنوات. لكأنهم زفّوك إليّ وهمًا في ذلك الثوب الأسود.

سحب نفسًا من سيجارته ثم واصل:

أذكر، يومها تبعثرنا ارتباكًا في تلك القاعة. رحت تحادثين آخر، وأحادث أخرى باهتمام مقصود. أخذ كل واحد منّا مكانًا في مجلس مختلف، تفاديًا لمزيد من الأضواء والأخطاء. ولكنّنا لم نذهب أبعد بعضنا من بعض. لقد كنّا متقابلين حتى في تجاهلنا المتعمّد أحدنا للآخر. لا أظن أنّك اشتهيتني في البدء، ولا أنا اشتهيتك. الحبّ هو الذي اشتهانا معًا، وحلم ببطلين يشبهاننا تمامًا، ليمثّلا دورًا على هذا القدر من الغرابة.

كنت أستمع إليه، دون أن أجرؤ على مقاطعته بكلمة. وجدت في صمتي ملاذًا، وإيهامًا له بأنني أعرف كلّ هذا، إضافة إلى تلك الحالة الجمالية التي يضفيها الصمت في مواقف كهذه.

شعرت بأنه يتحدّث عن امرأة غيري. فأنا لا أذكر أنني ذهبت إلى زفاف بمفردي ولبست ثوبًا كهذا، لأنني لا أملك أصلاً في خزانتي أيّ ثوب من الموسلين الأسود. ولو حدث هذا، ودخلت قاعة زفاف خطأً، بصحبة رجل غريب على هذا القدر من التميّز، لما كنت نسيت ذلك، ولا كانت هذه المدينة التي تحترف الإشاعات، منحتني فرصة النسيان.

خفت أن أصارحه، فأكسر كثيرًا من جمالية وهم كلّ منّا بالآخر. فبقيت صامتة، كي أستمتع بوضعي الملتبس بين امرأتين، واحدة يطاردها لأنها ترتدي الأسود، والأخرى تطارده لأنه قال «قطعًا».

في النهاية كان كلانا بالنسبة إلى الآخر سندريلا والأمير في الوقت نفسه. وكان هذا أغرب ما في قصّتنا!

لم أجد شيئًا أعلّق به على كلامه، سوى جملة أردتها أن تحمل أيّ تفسير:

قلت:

- كم لنا من البدايات لقصّة واحدة!

أجاب:

ولهذا كنت واثقًا تمامًا، أننا سنلتقي. بل إنني تصوّرت لنا لقاءً مشابهًا لهذا..

ثم توقّف قليلاً وواصل:

- أتدرين لماذا تركت لسائق التاكسي حرّيّة اختيار مكان لنا، وجازفت بموعدنا الأوّل؟

وقبل أن أسأله «لماذا؟» واصل:

- لأنه في الحبّ أكثر من أيّ شيء آخر، لا بدّ أن تكون لك علاقة ثقة بالقدر. أن تتركي له مقود سيّارتك. دون أن تعطيه عنوانًا بالتحديد، أو تعليمات صارمة، بما تعتقدينه أقصر الطّرق. وإلّا فستتسلّى الحياة بمعاكستك، وتتعطّل بك السيارة، وتقعين في زحمة سير.. وتصلين في أحسن الحالات متأخّرة عن أحلامك!

قلت:

- إن أمرًا كهذا يتطلب كثيرًا من الصبر. وأنا امرأة لا تعرف الانتظار.

أجاب:

- أنتِ لم تعرفي الحبّ إذن!

قلت:

- بل عرفته.. ولكنّ معرفتي به لم تزدني إلّا عجلة. ولهذا ربّما.. كثيرًا ما أخطأت. علّمني الحبّ أن لا أصدّقه فما استطعت. وعلّمني أن أتعرف إليه قبل أن أحتفي به، فما استطعت. ما زلت أمام قطار الحبّ،

أرى في كلّ نازلٍ قدومه. فأحمل عنه أمتعته، وأسأله عن رحلته، وعن مهنته، وعن أسماء المدن التي مرّ بها، والنساء اللاتي مررن به. ثم أكتشف، وهو يحادثني، أنه أخطأ بين قطارين وجهتَه.. فأذهب نحو حب آخر، وأتركه مذهولاً من أمري جالسًا على حقيبته.. دون علمه.

ألهذا قال وهو ينفض رماد سيجارته في المنفضة ببطء مدروس:

- أتمنى أن تغادري بعد الآن هذه المحطة..

ساد بيننا شيء من الصمت، الذي لم أعرف كيف أكسره سوى بسؤال بدا لي ساذجًا بعد جملة كهذه.

كان الأصح أن أقول «كيف؟» ولكنني سألته:

- لماذا؟

وجاء الجواب مباغتًا في صرامته:

- لأنني آخر راكب ينزل من هذا القطار. لقد كان الطريق إليك طويلاً. بعدي توقفت كل الرحلات. فلا تنتظري شيئًا يا سيدتي.. لقد أعلنتك مدينة مغلقة!

كيف يمكن لامرأة أن تقاوم رجلاً ثملاً بهذا القدر من الكبرياء؟ وهل ثمّة أجمل من حب يولد بشراسة الغيرة، واقتناعنا بشرعية امتلاكنا لشخص ليس لنا.. نراه لأول مرة!

كان على قدر من إغراء الرجولة في تلقائيتها. وهو يلفظ هذا البلاغ العشقي الأول، بهدوء مربك في ثقته، بحيث لم يبق من مجالٍ لسؤال منطقي مثل «بأيّ حقّ تقول هذا؟» فقد وقعتُ بجملة، تحت سطوة الحب وجنونه، ورحت أتبادل معه حوارًا خارج المنطق:

- ولكنني لا أعرف عنك شيئًا..

- هذا أجمل.

- ولا تعرف عنّي أكثر من وهم الموسلين..

- لا يهم..

- وتعتقد أنك تستطيع إيقاف صفير القطارات.. ونداءها السرّي داخلي..؟

- قطعًا..

- وهل تظن أنّ من السهل أن نكون عاشقين.. في هذا الزمن المضاد للحب؟

- طبعًا.

- ولكننا نذهب نحو تورّط عشقي..

- حتمًا يا سيدتي!

وقبل أن أجمع دهشتي لأضيف شيئًا، كان يرفع يده، ويطلب من النادل الحساب.. وسيارة أجرة.

وما هي إلّا دقائق حتى كنا متجهين معًا صوب فراق، ونحن بعدُ مقبلان على حب.

عطره كصوتي. لم يكن هذه المرة مرتفع النبرة.

سألته:

- متى نلتقي؟

أجاب:

- سأتصل بك.

لم يترك لي من فسحة سوى لعلامة تعجّب.

- تتصل بي؟ كيف؟!

وجاء الجواب هادئًا:

- لا تقلقي.. أعرف كل شيء.

- ولكن..

- أعرف.

كانت السيارة تنزل بنا نحو ضجيج قسنطينة الاعتيادي.

وكنا، منعطفًا بعد آخر، نتسلّق حبًا شاهقًا في صمته التصاعدي.

فجأةً، طلب من السابق أن يوقفه أمام ضوء أحمر، ومدّه أمام دهشتي بورقة نقدية.. وبعنواني كاملاً، طالبًا منه أن يوصلني حتى الباب. ثم انحنى نحوي وكأنه سيضع قبلة على خـدّي.. ولكنه لم يفعل. همس في أذني: «من الأحسن أن لا نعود معًا؛ هذا أكثرُ أمانًا لكِ» ثم أضاف كمن نسي شيئًا: «سأشتاقك».

وغادر السيارة.. ليتركني تحت وقع المفاجأة.

***

هو الحب إذن..

دومًا.. يقدّم لي أوراقه الثبوتية على هذا النحو.

في حالة من انسياب العواطف، يأتي رجل لا أحتاط من بساطته، أُطمئن نفسي بكونه ليس هو الأجمل، ولا هو الأشهى، وفي تلك اللحظة التي أتوقّعها الأقل، يقول كلامًا مربكًا، لم يقله قبله رجل. وإذا به يصبح الأهم.

غالبًا.. وأنا ألهو باندهاشي به، تبدأ الكارثة.

الحب ليس سوى الوقوع تحت صاعقة المباغَتة!

مرةً أخرى.. ها هوَذا يذهب ويتركني معلّقة إلى علامات الاستفهام. تنتابني حالة لم أعرفها من قبل: مزيج من أحاسيس عجيبة تفاجئني وأنا أغادر تلك السيارة، وأسرع نحو البيت ببراءة امرأة عائدة من السوق، أو من زيارة، لا من موعد في مكان لا تعرفه مع رجل لا تعرفه.. ولكنه يعرفها!

أغلق باب غرفتي. أخلع بسرعةٍ ثوبي الأسود، وكأنني أخلع تهمةً على عجل.

أجلس على طرف سريري منهكة، مبعثرةً، تائهة النظرات. أحاول أن أفهم ما حدث لي تمامًا، أن أستعيد كل الذي قاله ذلك الرجل في

ساعة ونصف، كل تفاصيل حوارنا الذي لم يسألني فيه سوى سؤال أو سؤالين، بينما طاردته أنا بالأسئلة دون جدوى، ما دمت قد عدت في النهاية بأسئلة أكثر، لم أكن أتوقع معظمها. ليس أقلّها: من يكون هذا الرجل؟ ومن أين له كل تلك المعلومات؟ وكيف يعرف حتى عنوان بيتي؟

طبعًا، في منطق الأشياء كان يجب أن أعرف عنه أكثر مما يعرف عنّي، فهو ليس إلّا بطلاً في قصتي.

ولكن، أصبح إبداعي الآن يقتصر على التحايل عليه، لاكتشاف قصتي الأخرى وهي تُروى على لسانه. كتلك اللحظة التي حدثني فيها عن موعدنا الأول، وعن ثوب الموسلين الأسود الذي كنت أرتديه يومها. وكان يمكن أن أصدّق احتمال لقاءٍ كهذا.. لو أنه كان في خزانتي ثوب من الموسلين الأسود.

ولم أقاطعه عمدًا، ولا علّقت على كلامه؛ اكتفيت بالاستماع إليه باندهاش مستتر، وربما بغيرة سرّية من تلك المرأة التي فجّرت فيه يومًا كل هذه الأحاسيس الجميلة.

قادتني هذه الفكرة إلى اكتشاف فاجأني.

لقد ولدت قصتي معه، أيضًا في لحظة غيرة. فقد كان هو الرجل الذي كنت أبحث عنه لأقيس نفسي به. ولذا منذ البدء، لم يفارقني إحساس بالغيرة منه والغيرة عليه، ورغبة في قتل تلك المرأة والحلول محلها، دون أن أترك بصماتي على عنق الكلمات.

منذ البدء، لم يكن لي هاجس سواها. حتى إنني سألته مرتين إن كان في حياته امرأة، وأجابني في المرتين بالنفي. وربما كان هذا أجمل ما قال لي.

طبعًا، لم يكن هناك من مبرّر لسعادتي؛ فأنا ما زلت أذكر ذلك الذي سألته في أول موعد لنا: «هل في حياتك امرأة؟» وأمام فرحتي

بجوابه، أضاف «لا تفرحي.. من الأفضل أن تحبّي رجلاً في حياته امرأة.. على أن تحبي رجلاً في حياته قضية. فقد تنجحين في امتلاك الأول، ولكن الثاني لن يكون لك.. لأنه لا يمتلك نفسه!».

ولم أمتلكه. أخذته منّي تلك القضية إلى الأبد. ولا استفدت برغم ذلك من نصيحته: ما زلت في الحياة أحب الرجال الذين في حياتهم قضية، وفي الروايات، أحب الأبطال الذين في حياتهم امرأة.

وكان أجدر بي.. لو فعلت العكس!

ذات لحظة، راودني احتمال أن يكون في حياة هذا الرجل أيضًا قضية ما، تبرّر حزنه الباذخ، ونوبات صمته، ونزعته إلى التهرّب من الأسئلة. وهي صفات كثيرًا ما خبرتها في هذا النوع من الرجال.

ولكنني استبعدت احتمالاً كهذا. فقد انتهى زمن القضايا الكبيرة، والقضايا الجميلة، التي كانت تجعل جيلاً كاملاً من الرجال يبدو أكثر عنفوانًا وتألّقًا مما هو.

في الدكاكين السياسية، التي يديرها حكام زايدوا علينا بدهاء في كل قضية... باعونا «أمّ القضايا» وقضايا أخرى جديدة، معلّبة حسب النظام العالمي الجديد، جاهزة للالتهام المحلّي والقومي. فانقضضنا عليها جميعًا بغباء مثالي. ثم متنا متسمّمين بأوهامنا، لنكتشف، بعد فوات الأوان، أنهم ما زالوا هم وأولادهم على قيد الحياة، يحتفلون بأعياد ميلادهم فوق أنقاضنا.. ويخطّطون لحكمنا للأجيال القادمة.

ولذا.. منذ «تلك القضية» انقرض الحالمون، وسقط فرسان الرومانسية عن خيولهم!

توصلني هذه الخواطر إلى زوجي الذي لم أمتلكه أيضًا. لا لكوني أقتسمه مع امرأة أخرى «شرعية». ولكن لأنه ملك للمسؤولية، ولأن الكرسي هو قضيته الوحيدة.

في النهاية، أكاد أصل إلى نتيجة مخيفة: الحب قضية محض نسائية. لا تعني الرجال سوى بدرجات متفاوتة من الأهمية، بين عمرين أو خيبتين، وعند إفلاس بقية القضايا «الكبرى».

أمن هنا يأتي حزن النساء.. أمام كل حب؟

فجأةً، ينتابني إحساس بالخوف من هذه القصة التي ستؤلمني حتمًا. وبرغم ذلك أتوقع أن أنجرف نحوها دون رادع، ودون الاستفادة من كل ما تعلمته في الحياة.

في مواجهة الحب، كما في مواجهة الموت، نحن متساوون. لا يفيدنا شيء: لا ثقافتنا.. ولا خبرتنا.. ولا ذكاؤنا.. ولا تذاكينا.

نذهب نحو الاثنين، مجرّدين من كل الأسلحة.. ومن كل الأسئلة.

وأنا التي واجهت الحب عزلاء دائمًا، أتوقع أن يأخذ بعين الاعتبار، شغفي بهزائمه. ويعوّضني عن كل خسارة معه بخسارةٍ جميلة أُخرى.

ولذا لم يعنني يومًا، أين هو ذاهب بي حصان الحب الجامح. ما دامت حريتي معه تقتصر على الموت بسببه.. أو الموت دونه!

ما يشغلني حقًا هو كيف أواصل كتابة هذه القصة بالنزاهة نفسها.

كيف لي بعد الآن، أن أكون الراوية والروائية لقصة هي قصتي.

والروائي لا يروي فقط. لا يستطيع أن يروي فقط. إنه يزوّر أيضًا. بل إنه يزوّر فقط، ويلبس الحقيقة ثوبًا لائقًا من الكلام.

ولذا فإن كل روائي يشبه أكاذيبه، تمامًا كما يشبه كل امرئ بيته.

وصلت إلى هذه الفكرة وأنا أتذكر ما قرأته عن الكاتب الأرجنتيني بورخيس الذي أصبح أعمى تدريجيًا، والذي كان عندما

يصل إلى مكان، يطلب من مرافقه، أن يصف له لون الأريكة، وشكل الطاولة فقط. أما الباقي، فكان بالنسبة إليه «مجرد أدب»، أي بإمكانه أن يؤثّثه في عتمته.. كيفما شاء.

عندما تعمّقت في منطقه، اكتشفت أن كل رواية ليست سوى شقّة مفروشة بأكاذيب الديكور الصغيرة، وتفاصيله الخادعة، قصد إخفاء الحقيقة، تلك التي لا تتجاوز، في كتابٍ، مساحة أريكة وطاولة. نفرش حولها بيتًا من الكلمات، منتقاة بنيّات تضليلية، حدّ اختيار لون السجاد.. ورسوم الستائر.. وشكل المزهرية.

ولذا.. تعلّمت أن أحذَر الروائيين الذين يكثرون من التفاصيل: إنهم يخفون دائمًا أمرًا ما!

تمامًا، كما يحلو لي أن أتسلّى بقرّاء يقعون في خدعتها، بحيث لا ينتبهون لتلك الأريكة التي يجلسون عليها طوال قراءتهم لذلك الكتاب، متربّعين على الحقيقة.

منذ الأزل.. وأنا أبحث عن قارئ يتحدّاني، ويدلّني أين توجد «الطاولة» و«الأريكة» في كل كتاب!

زوجي مثلًا، لم يوفّق يومًا في تمييز الأثاث الحقيقي عن الأثاث المزيّف في أي نص كتبته. ولذا، أصبح يبدي انزعاجه من جلوسي لساعات أمام طاولة الكتابة، بدل تخصيص هذا الوقت لطفل لا يأتي، دون أن يعترف تمامًا بأن ما يزعجه، هو الكتابة في حدّ ذاتها، كعمل مواجهة، ومراوغة صامتة. لم يستطع – برغم إمكانياته البوليسية – التجسّس على مصداقيتها.

وبدل أن يواجهني بحقيقة أفكاره، راح يوجّهني من طبيب إلى آخر. ويبعث بي من مدينة إلى أخرى، ليحوّل الأمومة مشكلتي وقضيّتي الأولى.

لم أعد أذكر كم زرت من الأطباء بتوصيات خاصة، وكم من أضرحة للأولياء أجبرتني أمّي على التبرّك بها.

سنتان وأنا أرافقها دون اقتناع، وحتى دون رغبة حقيقية في «الشفاء» من عقمي.

يمكنني أن أعترف بأنني كنت أذهب فضولاً.. وربما استسلامًا لا أكثر.

أحيانًا، أحب استسلامي. يمنحني فرصة تأمل العالم دون جهد. وكأنني لست معنيّة به.

في الواقع، أثناء ذلك أكون في حالة كتابة.. صامتة.

كهذا المساء، أتوقع أن أمـارس عادتي في الكتابة، صمتًا، وأنا أتفرّج على زوجي، وهو يخلع بذلته العسكرية، ليرتدي جسدي للحظات، ثم.. يغرق في النوم.

دومًا، كان ضابطًا يحب الانتصارات السريعة حتى في سرير. وكنت أنثى تحب الهزائم الجميلة، والغارات العشقية التي لا تسبقها صفّارات إنذار... ولا تليها سيارات إسعاف، وتبقى إثرها جثث العشاق أرضًا.

بي افتتان بقصف عشوائي، يموت فيه الأبرياء عشقًا.. على مرمى اشتهاء، دون أن يكون لهم الوقت ليسألوا: لماذا؟

تمنّيت أحيانًا، لو أنه مارس الحب معي دون أن يخلع بذلته. ربما كان ببذلته تلك، فتح له طريقًا إلى جسدي بالقوة.

فقد كنت دائمًا مأخوذة بقوته.

ولكنه هذه الليلة أيضًا لن يفعل. لأنه يخاف عليها أن «تتجعلك». وربما – فقط – لأنه رجل بلا خيال. بل بالأحرى هو ينفق خياله وذكاءه خارج هذا السرير.

في النهاية، الرجال الذين خلقوا لكرسي، لم يُخلقوا بالضرورة لسرير. والذين يبهروننا بثيابهم ليسوا الذين يبهروننا بدونها.

والمشكلة، أننا نكتشف هذا في ما بعد!

الليلة أيضًا، سأسترق النظر إليه وهو يخلع قوته ويرتدي منامته. وأستعيد دون قصد ذلك الحوار الجميل في مسرحية ألبير كامو «حالة حصار».

- اخلع ثيابك!.. عندما يغادر رجال القوة بذلتهم لا يكونون جميلين للرؤية.

ويأتي الجواب:

- ربما.. ولكن قوتهم تكمن في اختراعهم لتلك البذلة!

طبعًا.. فاللباس ليس سوى «الإشعار» الذي نريد إيصاله إلى الآخرين. ولذا، ككل إشاعة، هو يحمل دائمًا نية التضليل، حسب منطق ذلك الرجل الباذخ الحزن، الذي يرتدي الفرح إشاعة.

وهكذا، تكمن عبقرية العسكر، في اختراعهم البذلة العسكرية التي سيخيفوننا بها.

ويكمن دهاء رجال الدين، في اختراعهم لثياب التقوى التي سيبدون فيها وكأنهم أكثر نقاءً وأقرب إلى الله منّا.

وذكاء الأثرياء، في اختراعهم توقيعات لكبار المصمّمين، كي يرتدوا من الثياب ما يميّزهم عنّا، ويضع بيننا وبينهم مسافة واضحة!

وهو.. لماذا تراه اختار الأسود؟

أليعطيني إشعارًا واضحًا بكونه «هو»؟

أم ليأتي مطابقًا للون جئته فيه مصادفة، واخترته لي الحياة بنيّة التضليل، كي أعطيه إشعارًا كاذبًا.. بأنني «هي»!

***

عشرة أيام من الترقّب الصامت.

حاولت خلالها أن أتجاهل أنني أنتظر شيئًا. ولكنني لم أستطع أن أفعل غير ذلك.

كنت لسبب غامض، واثقة تمامًا من أنه سيتصل بي، بطريقة أو بأخرى. ولكن الحياة كانت تكذّب حدسي يومًا بعد آخر.

وهو نفسه لم يقل شيئًا وهو يودّعني عدا «سأشتاقك».

كان رجلاً يعيش خارج الزمن. فكيف وجدت في هذه الكلمة وعدًا بشيء ما؟

كان اليأس يتسلل إليّ تدريجيًا، ليكتسح مساحات شاسعة، ملأتها أملًا. حتى إنني أصبحت لا أغادر البيت، خوفًا من أن يأتي هاتفه أثناء غيابي.

ولكن الهاتف لم يكن يحمل لي سوى ثرثرة أمّي ومشاريعها العادية.

منذ قليل طلبتني لتخبرني بأنها ستحضر لقضاء اليوم معي، مستفيدة من تغيّب زوجي ليومين.

ما إن فتحت لها الباب.. حتى أطلقت عليّ وابل أسئلتها وهي تتأمّلني مذعورة كعادتها:

- واش بيك يا بنتي.. زيّك ما عجبنيش..

«ماذا بي؟» أكاد أضحك لسؤال كان لا بد أن تطرحه عليّ بالمقلوب، على طريقة ذلك الرجل، كي أجيبها عمّا ليس بي. فذلك أسهل عليّ.

أصمت، لأنها في جميع الحالات لن تفهم.

تواصل:

- راني جبت لك معاي شوية «بسيسة» حمّصتها لك البارح.. دُرك ندير لك بيها صحن «طمّينة».. غير تأكليها تولّي زيّ الحصان..

من قال لأمّي إنني أريد أن أصبح مثل الحصان؟

هذه المرّة، لا أمنع نفسي من الابتسام وأنا أراها تهجم على المطبخ، معتقدة أن مشكلتي هي الأكل لا غير؛ وأن لا أحد يهتم بي ويطبخ لي ما أحب.

ولأنه حدث أن أحببت يومًا هذه «الطمّينة»، فستظل أمّي تطاردني بها حتى آخر أيامي، أو آخر أيامها.

والطمّينة هي صحن مكوّن من خليط من العسل والسمن وطحين الحمّص. وهي تقدّم للنفساوات ليستعدن قوّتهن بعد الوضع. وتقدّم أيضًا للضيوف الذين يأتون ليطمئنوا إلى النفساء. وربما جاء اسمها من هنا.

لا أذكر كم من كميات أكلت من هذه «الطمّينة»، مع فطور الصباح وقهوة ما بعد الظهر، دون أن أتساءل مثل اليوم أكانت أمّي تعدّها لي كل فترة، بنيّة تغذيتي، أم بنيّة استدراج القدر كي تحلّ البركات في هذا البيت، وتسعد يومًا بتقديم «طمّينتها» لضيوف سيأتون ليطمئنوا إليّ.. وإلى حفيدها!

حول فنجان قهوة، وصحن طمّينة، ها نحن نجلس لتطمئنّ إحدانا إلى الأخرى، وكأننا لم نتحدّث يوميًا على الهاتف، أو كأن في هذه المدينة ما يستحق الحديث كل يوم.

تسألني عن أخبار زوجي. أجيب أنه جيد. وأكاد لا أجيب. مرّة أخرى اتذكّر فلسفة ذلك الرجل الذي كان يجيب بالصمت عن الأسئلة الغبية، لأن الناس يسألونك عن أخبار زوجتك.. لا عن أخبار المرأة التي تحب.

ولكن كيف لأمّي أن تسألني عن أخبار رجل لا أعرف أنا نفسي اسمه، ولا تعرف هي أنه حبيبي.

وماذا تراها ستجيب لو قلت لها في نوبة جنون، إنني أحب رجلاً آخر.. غير زوجي؟

تراها عرفت الحب لتفهمني. هي التي لم تعرف حتى معنى الزواج. وتحمّلت نتائجه فقط.

كم مرّة تراها مارست الحب في حياتها؟ خمس سنوات من الـزواج. كانت خلالها تسكن في بلد وأبي في آخر. ولم يكن يعود من الجبهة إلى تونس، إلّا مرّة كل بضعة أشهر، ليقضي معها بضعة أيام لا أكثر، يعود بعدها إلى قواعد المجاهدين، حيث كانت تنتظره مسؤولية إدارة العمليات في الشرق الجزائري.

ذات يوم، ذهب ولم يعد. كان له أخيرًا شرفُ الاستشهاد، ولها قدرُ الترمّل في العمر الذي تتزوج فيه الأخريات.

في الثالثة والعشرين من عمرها، خلعت أمّي أحلامها. خلعت شبابها ومشاريعها، ولبست الحداد اسمًا أكبر من عمرها ومن حجمها. لقد وقعت في فخّ الرموز الكبرى، بعدما وقعت قبله في فخّ الزواج المدبّر. وهذه المرّة أيضًا لم يستشرها أحد، إن كان هذا الاسم الكبير يناسبها ثوبًا أسود حتى آخر عمرها، وإن كانت تفضّل أن تكون زوجةً لرجل عادي، أو أرملة لرمز وطني. لقد وجدت نفسها أمام الأمر الواقع، بطفلين صغيرين.. واسم كبير!

ومنذ ذلك الحين، تواصل طريقها هكذا، بجسد ليس لها، وبقدر يرضي كرامة الوطن، الوطن الذي يملك وحده، متى شاء، حق تجريدك من أيّ شيء، بما في ذلك أحلامك، الوطن الذي جرّدها من أنوثتها، وجرّدني من طفولتي.. ومشى.

وها هوذا، يواصل المشي على جسدي وجسدها، على أحلامي وأحلامها، فقط بحذاء مختلف، إذ لبس معي جزمة عسكرية.. ومعها حذاء التاريخ الأنيق.

أتأمّلها في أنوثتها المعطوبة، في جمالها المسالم، في مرحها البسيط الذي يجاور الحزن. ها هي ذي غامضة وهادئة كالجوكوندا. وأنا أكره الجوكوندا. أكره الملامح الهادئة، والأنوثة المسالمة، والأجساد الباردة. فمن أين جاء أمّي كل هذا الصقيع؟ أمن استسلامها للقدر أم من جهلها؟

ومن أين جاءتني أنا كل هذه الحرائق؟ أمن تمرّدي على كل شيء؟ أم من براكين الكلمات التي تنفجر داخلي باستمرار؟

وكيف يمكن لهذا الرماد الجالس أمامي ملتفًا بملاءة سوداء.. أن يلد كل هذه النيران التي تسكنني؟

يقول مثل: «النار تلد الرماد» وكثيرًا ما تكذب الأمثال! ها هوذا مسحوق الرماد، يلد كل هذا الجمر، كل هذه السيول النارية التي أحرقت في داخلي كل شيء، كل القناعات الجاهزة، كل الأكاذيب التي توارثتها النساء.

توصلني أفكاري من جديد إلى ذلك الرجل. وتراودني فكرة حاولت مقاومتها منذ عشرة أيام. فأستفيد من وجود أمّي لأقترح عليها مرافقتها بصحبة السائق حتى البيت. وهكذا يمكنني أثناء العودة أن أطلب منه التجول بي في المدينة.

وأدري أن إمكانية العثور على ذلك الرجل في مدينة كهذه، ضئيلة جدًا. ولكن لماذا لا أحاول؟ فأنا لا أخسر شيئًا سوى بعض الوقت. وهو الشيء الوحيد الذي أملك من رتابته، ما يفوق قدرتي على الإنفاق.

وهكذا بسرعة، كنت قد ارتديت فستانًا جميلاً. وتزيّنت تهيّؤًا للقاء محتمل.

ها أنا في سيارة رسمية، أجلس جوار سائق سلّمته مقود القدر.

أشعر براحة، لأنني لم أجهد نفسي في البحث عن مكان لهذا الموعد. ما دامت التفاصيل الصغيرة، مهمة القدَر، فلأترك للقدَر إذن حق التصرف، أو التسلي ببرنامجي.

لن أتدخل هذه المرّة إطلاقًا لأختار وجهة السائق، أو أقترح عليه بالتحديد، الطريق الذي سيسلكه ليوصلني إلى قدري.

تركض بي السيارة نحو المجهول. والسائق الذي يعرفني، ويعرف هذه المدينة جيدًا، يعجب لأمري. ولا يفهم طلبي العجيب «خذني حيث شئت.. أريد أن أتفرّج على المدينة».

إنه مجرد جندي متقاعد، تعوّد أن يتلقى الأوامر فينفّذها، وليس مؤهلاً لأداء دور القدر. ولذا لا يفهم أن أجرّب معه وصفة ذلك الرجل نفسها، عندما طلب من سائق غريب أن يأخذنا حيث شاء، ويمنح القدر فرصة قيادة سيارتنا.

فجأة، سألني وقد لفّ بي نصف شوارع المدينة، متوهمًا أنني أريد أن أتفرّج على واجهات المحالّ:

- ودُرك. وين نروحوا؟

حاولت أن أستدرجه لاختيار مكان بالتحديد؛ قلت:

- والله ماني عارفة يا عمّي أحمد.. راني شوية قلقانة إذا عندك بلاصَهْ تحبها أنت.. اديني ليها.

أجاب وقد فاجأه طلبي:

- أنا نحب كل شيء في قسنطينة. راني ولد البلاد.

رحت ألحُّ في حشره:

- وواش تحب أكثر في قسنطينة؟

أجاب بعد شيء من الصمت:

- نحب القناطر.. ما كان حتى بلاد عندها قناطرها..

أصابني جوابه بشيء من الخيبة. ولكنني احترمت قانون اللعبة، وقلت:

- إدّيني نحوّس في كاش قنطرة تحبها..

وراحت السيارة من جديد، تسرع بي من جسر وهم إلى آخر، معلّقة بين السماء والأودية التي يتدحرج نحو هاويتها أملي الضئيل في العثور على ذلك الرجل.

لقد قال إنه لا يحب الجسور. وربما قال إنه لم يعد يحبها. فلماذا جئت أبحث عنه فوقها؟

أتماديًا في نزاهتي مع القدر، كي أثبت له حسن نيّتي وثقتي المطلقة به؟

أم لأنني اعتقدت أنه برغم ذلك – أو بسبب ذلك – قد أجده هناك، وأنه يحدث أن نتردّد على الأماكن التي لم نعد نحبها، فقط لنبرّر كراهيتنا لها، ونتأكد من أننا على حق؟ وهو تصرّف يشبهه تمامًا!

في الواقع، كنت لا أصدّق كراهيته لهذه الجسور. وبرغم ما قاله أحسّه مشابهًا لذلك الرسام الذي عرفته في الماضي.. والذي كان مهووسًا بها حدّ الجنون.

أذكر أنه كان يحبّني بقدر حبّه لها، ويصر على كوني أشبهها كلما رسمها.

وأنا لم أكن أحبّها، ولا كنت أشبهها. كنت أحبّه، وأشبه صديقه الشاعر لا غير.

أو ربما بالعكس، كنت أشبهه هو، وأحبّ صديقه. أو على الأصح، كنت أشبه نفسي.. وأحبّهما معًا.

فافترقنا. كان هناك حبّ زائد في قصتنا. وكان ثمّة قدر مضاد.

مات الشاعر ميتة فلسطينية.

وتزوّجت تلك الفتاة.. زيجة قسنطينية.

واختفى الرسام، وكأنه قرّر أن يموت أيضًا على طريقته غيابيًا. كان من الممكن أن يعود، تحت أيّ مبرّر؛ فقد كان رجلاً لا يغلق في وجهه باب. ولكنه لم يعد.

مضى كما جاء، دون ضجيج. وترك لي لوحة معلّقة على جدار غرفة الاستقبال. عليها جسر معلّق كقصتنا.. بحبال من حديد.

قبل هذه اللوحة لم أكن أحب الجسور الحديدية. تلك الشاهقة، كسؤال لا يطاله جواب. والآن أيضًا، وأنا أرى هذا الجسر خارج تلك الألوان الزيتية التي تعوّدتها، تعاودني كراهية غامضة له.. لم أجد لها يومًا سببًا منطقيًا.

طلبت من السائق أن يتوقف، عساني أعثر على جواب لهذا الإحساس، أو ربما عثرت على ذلك الرجل هنا وسط عشرات الناس العابرين.

يحدث للحياة أن تهدي إليك الشيء الذي تحبّه الأكثر، في المكان الذي تكرهه. فلطالما أذهلتني الحياة بمنطقها غير المتوقع. أفتح باب السيارة من الجانب المطل على الجسر. أقترب من سوره الحديدي، فتفاجئني قسنطينة كما لم أرها يومًا من جسر: هوّة من الأودية الصخرية المخيفة، موغلة في العمق، تزيدها ساعة الغروب وحشة.

أتذكّر وأنا أرى الناس حولي يسرعون في كل الاتجاهات، وكأنهم يخافون الجسور، أو كأنهم يخافون ليل قسنطينة، تلك القصيدة لوولت ويتمان «على جسر بروكلين»:

«المدّ الصاعد تحتي، وأراك وجهًا لوجه!
غيوم من الغرب
والشمس ما تزال هناك لنصف ساعة أخرى

وأراك وجهًا لوجه

حشود من الرجال ومن النساء يتنكّرون

في ثيابك العادية،

ما أغربكم في عينيّ».

يعاودني فجأةً إحساسي الدائم بالدوار. وقدماي تكادان لا
تحملانني. وأنا أقف مذعورة على علوٍّ سبعمئة متر، أستعيد رجلاً
رحل.. وأنتظر آخر لن يأتي.

أسعد لأن السائق غادر السيارة، ووقف ليرافقني حتى لا تثير
وقفتي العجيبة فضول المارة، الذين لم يتعودوا رؤية سيارة رسمية تقف
وسط الطريق، لتخرج منها امرأة غريبة الأطوار تريد التفرّج على جسر!
أشعر برغبة في مدّ حديث مع السائق الذي أشعل سيجارة
ووقف بدوره يتأمّل الجسر.. وكأنه يكتشفه.
رحت أحدثه وكأنني أريد أن أبرّر جنوني هذا.
قلت:
- تعرف يا عمّي أحمد.. هاذي أول مرّة نجي فيها هنا.. كل ما
نُوقف قدّام قنطرة.. تجيني الدّوخة.. القناطر تخوّفني.
ردّ بنبرة الأبوة:
- ما تخافيش يا بنتي.. المومن ما يخاف غير من ربّي.
واصلتُ وكأنني أعاتبه على اختياره هذا المكان:
- ما على باليش علاش تحبّ القناطر.. نقولك الصح.. أنا نكرها.
أجابني بمنطق البسطاء:
- حتى واحد ما يكره بلادُو.. واش تكون قسنطينة بلا قناطرها..
إيه لو تنطق هاذ القنطرة يا بنتي..
وصمت، فتركته لصمته.

قررت أن لا أجادله: منطق المسنين والبسطاء يجرّدك من منطقك، من الأفضل ألاّ تجادلهم في عمر من القناعات. لأنهم في جميع الحالات، أصبحوا أكبر من أن يغيّروا رأيهم!

فجأةً.. قال وكأنه تنبّه لشيء:

- هيا نروحوا..

تنبّهت بدوري إلى تقدّم الوقت بنا. فأجبته:

- صح.. راح يطيح الليل!

سبقني كعادته، بينما رحت ألقي نظرة أخيرة على تلك الأودية القاحلة، وكأنني أودّعها بعدما تأكّد لي الآن تمامًا أنني أكره هذا الجسر، وأن فضولي تجاهه قد مات تمامًا، كأملي في لقاء ذلك الرجل الذي قضيت أكثر من ساعتين، وأنا أجوب هذه المدينة في البحث عنه دون جدوى.

شعور عارم بالخيبة، كان يزيد حزني. وقد خسرت تلك المراهنة الجنونية التي أبرمتها مع القدر.

أجئت هنا سابقة أم متأخرة عن الحب، فلم أجد أحدًا؟

أم لست أنا التي تقدّمت أو تأخرت، بل القدر هو الذي كان دقيقًا هذه المرّة في توقيته.. كما هو الموت؟!

فجأة، خطفتني من أفكاري طلقات نارية انطلقت على مقربة منّي. وهزّني دويّها بقوة مباغتة، حتى لكأن رصاصها اخترقني.

انتفضت. والتفتُّ مذعورة خلفي. فلم ألمح سوى شاب، أصبح على عدة أمتار منّي، يركض كسهم وسط الناس، ويختفي عند زقاق يتفرّع من الجسر.

بحثت عن عمّي أحمد، فلم أره داخل السيارة، ولا خارجها.

تقدّمت خطوات نحو الجهة الأخرى، وإذا بجسده ممدّد على الأرض ودم ينزف من رأسه، ومن صدره.

شعرت أنه يكاد يغمى عليّ، أو أنني أريد أن يغمى عليّ، كي أفقد وعيي ولا أرى شيئًا مما يحدث حولي.

كانت رقعة الدم تتسع أمامي، وصوتي يضيع منّي.

تجمّع حولي المارّة. سألني بعضهم ما الذي حدث، بينما البعض الآخر لم يكن في حاجة إلى سؤال أو تساؤل؛ لقد رأى بنفسه كل شيء، أو استنتج ذلك.

كنت أستمع إليهم يتحاورون. بعضهم يستغفر الله، عاتبًا على دولة يتنقّل فيها المسلحون بهذه الحرية. بعضهم يلقي نظرة دون تعليق ويبقى واقفًا للفرجة. أما أنا فأصبت بخرس الذهول. ولم أنطق إلّا عندما وصلت أخيرًا سيارة الأمن، لينزل منها شرطيان يشقّان طريقهما بصفّارة.

لم أجد ما أقول لهما وهما يسألانني عما حدث، سوى «خذوه إلى المستشفى.. أرجوكم خذوه».

راحا يتفحصان حالته. رصاصة في الرأس وأخرى في الصدر. طلبا سيارة إسعاف، برغم كونه «لن يعيش» حسب رأي أحدهما.

كان يبدو على سلوكهما توتّر واضح. كانا في مقتبل العمر، ويمسكان بمسدسيهما بعصبية، وكأنهما منذ اللحظة التي اكتشفا فيها أنه ليس هناك من أمل في إنقاذه، أصبح همّهما أن ينجوا بنفسيهما من تلك الحلقة البشرية التي التفّت حولهما، والتي قد يكون بينها قاتل آخر، يحلم باقتناص رأس أيّ شرطي.

تأمّل أحدهما السيارة، ثم رقمها بإمعان. استنتج بسرعة رتبة صاحبها ووظيفته. فذهب نحو ذلك الجسد الممدّد أرضًا، وأخذ المفاتيح من تلك اليد التي انغلقت عليها، وكأن عمّي أحمد كان يريد أن يفتح هذه السيارة على عجل، ويهرب بي من خطرٍ توقّعه بحدسه العسكري، أو كأنه أراد أن يموت كأي جندي أثناء تأدية واجبه ممسكًا سلاحه.

فجأةً، أصبحت تلك السيارة الرسمية أهم من ذلك الرجل الذي قادها سنوات. والهروب بها، أهم من إنقاذ هذا الرجل الممدّد في بركة دم.

لا أدري كم مرّ من الوقت، قبل أن تحضر سيارة الإسعاف المنتظرة. وقت بدا لي طويلاً وغير منطقي.

أثناء ذلك كان أحد الشرطيين يقف على مقربة من الجريح شاهرًا سلاحه، مطالبًا الناس بأن يتفرقوا، بينما كان الثاني يتفقّد السيارة ومحتوياتها. ثم ما كادت تصل سيارة عسكرية حتى حسم الأمر. فنقل عمّي أحمد على عجل في سيارة الإسعاف، بينما تكفّل أحد العسكريين بقيادة السيارة والعودة بها إلى البيت.. دوني.

جاءني أحدهم بعد ذلك طالبًا منّي مرافقته إلى المخفر، لأقدّم شهادتي عن الحادث بكل ملابساته وتفاصيله.

وعبثًا حاولت إقناعهم بالسماح لي بمرافقة السائق في سيارة الإسعاف، ولكنهم رفضوا، موضحين أنه ليس ثمّة من ضرورة لوجودي.

سألت «إلى أين تذهبون به؟». أجابني أحدهم بشيء من العصبية «إلى المستشفى العسكري». فهمت أنه ليس هناك من مجال لأي نقاش أو جدل.

كنت أراهم ينقلونه نحو سيارة الإسعاف، يضعونه على ناقلة جرحى ويوشكون أن يمضوا به. انتابني شعور بأنني لن أراه ثانية بعد الآن، وأن ذلك الباب ربما سينغلق عليه إلى الأبد.

ركضت نحو السيارة. ارتميت على يده ألثمها، أغرق وجهي ودموعي فيها، وكأنني أنقل إليه شيئًا من الحياة. كأنني أتقاسم معه حياتي ما دمت لم أتقاسم معه موته، أنا التي جئت به حتى هنا.

شعرت بأنني أقبّل يد الموت، الموت الذي سيأخذه، والذي ينتظر الآن فقط بأدب، أن أرفع شفتيّ عنه ليسحبه ويمضي به.

سمعته يتمتم بكلمات لم أفهمها. وصلني منها شيء شبيه بـ«ما عليهش يا بنتي» أو ربما «ما تبكيش يا بنتي..» ولكنني كنت أبكي، فبإمكاني الآن أن أبكي في هذه السيارة القبر.. بعيدًا عن الأنظار.

استعجلني العسكري الذي كان ينتظر نزولي ليغلق الباب. ولم يعد بإمكاني إلّا أن أغادر السيارة، ونظراته الفارغة تلاحقني، ويده التي تركتها توًّا، بقيت متدلية تشير سبابتها بالشهادة.

تقذفني السيارة أمام باب المخفر.

تنتابني حالة لم أعرفها من قبل: مزيج من الحزن والذهول والذعر والغثيان، وأنا أواجه رهطًا من الناس، لم أصادف مثلهم في حياتي؛ أناس بمظهر مخيف، ووجوه مغلقة، ونظرات عدوانية، بعضهم في ثياب عادية، وآخرون ملتحون، يرتدون شعاراتهم داخل زيّ أفغاني. أحدهم حليق الرأس في بذلة رياضية، ويداه مشدودتان خلف ظهره بسلاسل حديدية. وآخر جالس دون وجه ولا ملامح، وآثار ضرب واضحة عليه. بينما يتنقّل العسكريون بلثام أسود، شبيه بجوارب صوفية تخفي رؤوسهم، فلا يبدو من وجوههم سوى ثلاثة ثقوب يتحدثون ويرون بها، دون أن يُعرَفوا.

أيّ كابوس هو هذا؟

أستنتج أن هذه القاعة العارية الجدران، المتّسخة البلاط، البائسة المظهر، تجمع دون تمييز بين المجرم، والطالب المشبوه، والمواطن الذي جاء لسبب ما، والسارق الذي قبض عليه توًّا.. وأنا!

أنا التي هنا، لأنني أحب رجلاً وهميًا، وأكره الجسور الحديدية، وأردت أن أتأكد من كراهيتي لها، وإذا بي في قاعة كل أثاثها من

حديد. يجلس خلف مكاتبها رجال من حديد، يستجوبون رجالاً آخرين، مكبّلين بسلاسل حديدية.

هذا زمن الحديد إذن. وكان لا بد أن أغادر دفتري لأكتشف هذا.

بعد لحظات من الوقوف، انتبه شرطي إلى وجودي الشاذ في ذلك المكان. فرافقني إلى مكتب جانبي صغير كي أنتظر فيه.

سعدت بوحدتي، وباختلائي بنفسي للحظات، والهروب من تلك النظرات الفضولية التي كانت تتفحصني بشيء من العدوانية، التي لم أجد لها من مبرّر، سوى أنوثتي أو اختلافي.

هذه مدينة ترصد دائمًا حركاتك، تتربّص بفرحك، تؤوّل حزنك، تحاسبك على اختلافك.

ولذا عليك أن تراجع خزانة ثيابك، وتسريحة شعرك، وقاموس كلماتك، وتبدو عاديًا، وبائس المظهر قدر الإمكان، كي تضمن حياتك. فهي قد تغفر لك كل شيء، كل شيء عدا اختلافك.

وهل الحرية في النهاية سوى حقّك في أن تكون مختلفًا!

ما لم أجد له من مبرّر أيضًا، هو طول انتظاري في ذلك المكتب الصغير. وكأن أمري لا يعني أحدًا، أو كأن الجميع مشغولون عنّي بأمر أهم.

بين حين وآخر، كانت تصلني صرخات شاب، أتوقع أنهم يستجوبونه على طريقتهم، وهو ما زاد حزني وشعوري بالعجز.. والألم.

في لحظةٍ ما.. توقعت أنهم أَلْقَوُا القبض على القاتل. ولكن كنت أشك في أمر كهذا. فلم يحدث أن ألقوا القبض على قاتل بهذه السرعة.

ثم حضر فجأة شرطي، وطلب منّي مرافقته.

هذه المرّة كان ينتظرني مكتب مؤنّث بلياقة أكثر، تتناسب مع رتبة الضابط الجالس خلفه، تعلوه صورة الرئيس الشاذلي بن جديد. نهض الضابط لمصافحتي وطلب منّي الجلوس.

بادرته بالسؤال:

- هل عثرتم على القاتل؟

أجاب وهو يرتّب بعض أوراقه:

- لا.. نحن نعتمد على شهادتك لمساعدتنا في ذلك.

أبتلعُ ريقي. يواصل:

- كل التفاصيل تعنينا. حاولي أن تتذكري كل شيء.

أجيب:

- سأحاول..

يأخذ ورقة استعدادًا لتسجيل أجوبتي.

يسأل:

- أولاً.. هل رأيت القاتل؟

أجيب:

- لا.. أنا كنت أنظر نحو الجسر.. عندما سمعت طلقات نارية. وعندما التفتّ.. رأيت شابًا يركض ويختفي في الزقاق المتفرّع عن الجسر.

- أتعتقدين أنه كان وحيدًا.. أم كان بصحبته أحد؟

أجيب:

- أنا لم أرَ إلّا رجلاً واحدًا يركض. ولا أدري إن كان آخرون في انتظاره، أو في صحبته.

- كم تتوقعين أن يكون عمره تقريبًا؟

- ربما بين العشرين والخامسة والعشرين..

- أيمكن أن تصفيه لي؟

- لا أعرف كيف أصفه.. أنا لمحته من الخلف.

- هل لاحظت أثناء مشواركم أن سيارة أو دراجة نارية تتبعكم؟

- لا أدري، فقد كنت مشغولة بالنظر أمامي. أدري فقط أنه أثناء وقوفنا عند الجسر، كانت هناك زحمة سيارات، وزحمة مارّة، وأن البعض كالعادة، كان يلتفت بفضول وينظر إلينا.

- هل أطلتما الوقوف على الجسر؟

- لا أظنّ.. ربما بقينا هناك ما يقارب عشر دقائق لا أكثر. أذكر أن السائق قال لي فجأة «هيا نروحوا» وكأنه تنبّه لشيء. ثم اتجه نحو السيارة.. وما كدت ألحق به حتى أطلقوا الرصاص عليه.

- هل من عادتك أن تتردّدي على هذا المكان؟

- لا.. إطلاقًا.

- هل أخبرت أحدًا بمشوارك هذا؟

- لا.

- الشغالة مثلًا.. أما قلت لها أين أنت ذاهبة؟

- لا.. أخبرتها كالعادة أنني سأغادر البيت لا أكثر.

يتوقّف قليلاً وهو يقلّب ورقة صغيرة أمامه. ثمّ يسألني:

- وأخوك.. هل هو على علم بتنقّلاتك؟

أجيبه دَهِشَة:

- أخي..؟ ولكنّه لا يقطن معي.

يجيب:

- أعرف ذلك.

ثمّ يواصل:

- هل لاحظت في الآونة الأخيرة تغيّرًا في سلوك السّائق، شيئًا من العصبيّة أو شيئًا من القلق الواضح في تصرّفاته؟

- لا.. إنّه رجل هادئ ومسالم. وكان أثناء مشوارنا الأخير يتحدّث إليّ بروحه المرحة ذاتها.

يواصل تسجيل بعض ملاحظاته على ورقة. ثمّ ينهض ويصافحني قائلاً:

- قد نتّصل بك مرّة ثانية إذا كان من ضرورة للتدقيق في بعض التفاصيل.

ثمّ يواصل:

- لقد علمت أنّ زوجك موجود في مهمّة بالعاصمة. سأرسل له خبرًا عن طريق الوزارة.. وأقدّم له تقريرًا حال عودته.

يرافقني نحو الباب، ويطلب من عسكريٍّ مرافقتي إلى البيت، فأصافحه. وبصوت لم يعد صوتي أقول «شكرًا» وأغادر عالم الحديد.. إلى عالم الذّهول والفجيعة.

***

مخيفة هي الكتابة دائمًا. لأنّها تأخذ لنا موعدًا مع كلّ الأشياء التي نخاف أن نواجهها أو نتعمّق في فهمها.

يوم بدأت هذا الدّفتر ما كانت نيّتي أن أفلسف الأمور حولي. ولذا أكتشف اليوم، أنّ موت هذا الرّجل أكبر منّي، يتجاوز حدود فهمي، يتجاوز منطقي، لأنّه حدث خارج دفتري، أو بالأحرى على هامش صفحتي، في ذلك الخطّ الأحمر الدقيق الذي يفصل بين الحياة والكلمات.

العجيب، والمؤلم في موته، أنه مات بسبب بطلٍ وهميٍّ وكائنٌ حِبْرِيّ، ولم يحدث للموت أن كان في متناول الكلمات، في متناول الوهم، إلى هذا الحد!

ذلك الرّجل الذي يكره الجسور، ويكره الأسئلة. أوصلني حبّه إلى أسئلة لا جواب لها.

لماذا مات ذلك الرّجل؟ لماذا اليوم؟ لماذا الآن؟ لماذا هناك بالتّحديد؟ لماذا هو بالذّات؟

كنت أستدرجه ليختار عنوانًا لقدري، فاختار عنوانًا لقدره.

قلت له خذني إلى المكان الذي تحبّه الأكثر في هذه المدينة، فسرق الموت سؤالي، وأوصله إلى جوابه الأخير.

مَنْ منّا المتّهم الأوّل الآن في جريمة كهذه؟

القدر الذي سلّمته مقود السيّارة وأبرمت معه معاهدة ثقة.. فخانني؟

أم أنا التي رحت أطارد رجلاً وهميًّا، خارج حدود الورق، وإذا بي أحوّل لعبة الكتابة إلى لعبة موت؟

أم ذلك الرّجل الوهميّ، الذي أقنعني بأن أثق بالقدر، ثمّ تخلّى عنّي، كي يلقّنني درسًا في كتابة القصص؟

كلّ الأسئلة أصبحت تُختصر عندي في سؤال واحد:

موت هذا الرّجل جريمة قَدَر..؟ أم جريمة أدب؟ وبالتالي إلى أيّ درجة أنا مسؤولة عن موته؟

ولكنّ الأمور بالنّسبة إلى زوجي، الذي عاد على عجل في صباح اليوم التالي، لا يمكن أن تكون مبسّطة إلى هذا الحدّ. ليس فقط لأنّه يجهل القصّة التي أكتبها وأعيشها، والتي أوصلتني إلى ذلك الجسر. ولكن لأنّه قبل كلّ شيء رجل عسكريّ. والأسئلة التي تعنيه أسئلة محض بوليسيّة، لا مكان فيها للقدر، ولا للأدب. وها هي تنهال عليّ مشابهة لتلك التي سبق أن أجبت عنها البارحة. ولكن بنبرة عصبيّة مختلفة، وبإضافات جديدة هذه المرّة.

- لماذا ذهبت إلى هناك؟ أجننت لتوقفي سيّارة رسميّة وسط الطّريق، وتنزلي لتتفرّجي على جسر.. وتتبادلي الحديث مع السّائق على مرأًى من النّاس؟

- أردت أن أرى الجسر عن قرب لا أكثر.. لأنّني أراه دائمًا على تلك اللّوحة المعلّقة في الصالون.. تلك التي أهداها إلينا الرّسّام خالد بن طوبال يوم زواجنا. وصادف أن مررت من هناك، فقلت لا بأس أن أنزل وأتفرّج على الجسر، ما دمت أتجوّل وما دام أمامي بعض الوقت.

- تتجوّلين؟ أهذه مدينة للفسحة؟ أو هذا زمن للتجوال؟ البلد يعيش حالة حصار معلنة على كلّ التراب الوطنيّ، وأنت تتجوّلين؟ ألا تقرئين الجرائد؟ ألا تتحدّثين إلى الناس؟ كلّ يوم يقودون رجال الشّرطة، يذبحونهم كالنّعاج ويلقون بهم من الجسور..

- ولكن لا أفهم ما ذنب عمّي أحمد في كلّ هذا؟

- إنّه يقود سيّارة عسكريّة.. أي إنّه عسكري!

- ولكنّه لم يكن يرتدي زيًّا عسكريًّا..

- لا يهمّ.. كان في خدمة الدّولة.. وهذه تهمة كافية. إلّا إذا توقّعوا أنّه أنا. وفي هذه الحالة كان لهم أكثر من سبب لقتله.

يصمت قليلاً ثمّ يطرح سؤاله الأهمّ:

- أين كنت تجلسين؟

أُتَمْتم:

- جواره كما أفعل أحيانًا.. (في الواقع كما أفعل دائمًا).

نغرق معًا في صمت فاضح. تذهب أفكارنا معًا إلى الشّيء نفسه.

في البدء، كان زوجي يحتجّ على جلوسي في جوار السّائق. ولكنّني كنت، مع عمّي أحمد بالذّات، عاجزة عن الجلوس خلفه. فقد كان يعيش معنا معظم الوقت كفرد من العائلة. وكان في حضوره شيء

من الوفاء والطيبة التي تجعلني أخجل من إعادته خارج البيت، إلى مرتبة سائق وخادم أشيائي لا أكثر، هو الذي كان يومًا يحمل سلاحًا.

كنت أحترم ذاكرته الوطنيّة. أحترم يديه، وشعيرات رأسه الرماديّة. ولم يكن يعنيني أن تكون قامته الفارعة توحي بأنّه أصغر من عمره، حتّى يبدو أحيانًا قريبًا في مظهره من زوجي. كما لم تعنني يومًا نظرات التعجّب التي كانت تقابلني بها زوجات الضبّاط، عندما يفاجئنني جالسة إلى جواره.

في النّهاية، خلافي مع زوجي قد يتلخّص في هذا المقعد. فقد كان طموحه الجلوس خلف سائق في سيّارة رسميّة، وطموحي كان الجلوس في جوار رجل في سيّارة.

كان بين أحلامنا مسافة مقعد، لا أكثر. ولكن كانت المسافة أكثر شساعة ممّا توقّعت. فأنا لم أكن أعرف قبل اليوم أنّ اختيارنا الجلوس في مقعد بالذّات دون غيره قد يفضح اقتناعاتنا وطموحاتنا إلى هذا الحدّ، ولا أنّه قد يتسبّب في قتل رجل بريء لأنّه دون أن يغيّر مكانه، غيّر صفته ورتبته.

وها أنا إذن، أمام شرح آخر لموته، شرح لا يبرّئني أيضًا من دمه، ما دمت بجلوسي في جواره، حوّلته في نظر الآخرين من سائق إلى ضابط، وجعلته بالتّالي هدفًا مفضّلاً لرصاصهم.

أفكّر فجأة في غرابة القدر الذي أبدع هذه المرّة في كتابة نهاية لحياة هذا الرّجل، الذي عاش جنديًّا بسيطًا.. خمسين سنة. ثمّ مات برتبة ضابط كبير.

لقد بلغ أحلامه في اللّحظة الأخيرة من عمره. ومات بتهمة أحلامه. وربّما سعيدًا بها. ألم يمت ضابطًا في المكان الذي يحبّه الأكثر في قسنطينة؟ الجسور!

المكان نفسه الذي من الأرجح، أنّه حارب فيه منذ ثلاثين سنة، وجازف فيه بحياته أكثر من مرّة. ولكنّ الموت لم يأخذه يومها، لأنّه لم يرده جنديًّا متنكّرًا في برنس المجاهدين، أو شهيدًا في عمليّة فدائيّة. تلك ميتة عاديّة.

أراده بعد ثلاثين سنة، جنديًا يجلس في مقعد ضابط جزائريّ.. ليموت برصاص جزائريّ.

إنّ ميتة كهذه، وحدها ميتة استثنائيّة!

تذهب بي الأفكار بعيدًا. بين السخرية والألم، أتوقّف في محطّات للنّدم.

لقد قتلت ذلك الرّجل، لا بجنوني فقط، بل بطيبتي أيضًا. وتواضعي المبالغ فيه الذي يجعلني أصرّ على الجلوس في جواره، لأهدي إليه وهم التساوي بي.

في الواقع، التواضع كلمة لا تناسبني تمامًا. أن تتواضع يعني أن تعتقد أنّك مهمّ لسبب أو لآخر، ثمّ تقوم بجهد التنازل والتساوي لبعض الوقت بالآخرين، دون أن تنسى تمامًا أنّك أهمّ منهم.

هذا الشّعور لم أعرفه يومًا. لقد كنت دائمًا امرأة، لفرط بساطتها، يعتقد كلّ البسطاء، وكلّ الفاشلين حولها، أنّها منهم.

ولم يكن من أمل في تغيّري: لقد وُلِدت اقتناعاتي معي. أنا أحبّ هؤلاء النّاس، أتعلّم منهم أكثر ممّا أتعلّم من غيرهم، أرتاح لهم أكثر ممّا أرتاح لغيرهم، لأنّ العلاقات معهم بسيطة، وأكاد أقول جميلة. بينما العلاقات مع الناس المهمّين – أو الذين يبدون كذلك – هي علاقات متعبة ومعقّدة.. أي علاقات فاشلة!

ولذا كانت لي مع ذلك الرّجل علاقة، أكتشف الآن جماليّة تلقائيّتها.

***

موت عمّي أحمد قلب حياتنا رأسًا على عقب.

فأمام اقتناع زوجي بأنّه هو الذي كان معنيًّا بذلك الاغتيال، قرّر أن يأخذ تدابير أمنيّة جديدة، أوّلها الاستغناء عن سيّارته الرّسميّة، والتنقّل من الآن فصاعدًا في سيّارة عاديّة يغيّرها بين الحين والآخر.

ثانيًا إحضار سائق جديد.. لن يرافقني إلّا للمشاوير الضروريّة، على أن أجلس خلفه هذه المرّة، ولا أفتح معه أيّ حديث.

أمّا تنقّلاتي فستقتصر هذا الأسبوع على زيارة بيت عمّي أحمد، لتقديم التعازي لأهله، بينما تكفّل زوجي بإرسال خروف. وأتوقّع أن يكون زارهم هذا الصّباح.

أمّا مشواري الثّاني، فسيكون لزيارة أمّي وتوديعها، قبل ذهابها إلى الحجّ، للمرّة الثالثة.. أو الرّابعة.. لا أدري بالتحديد. فلا أحد يدري هنا عدد حجّات الآخر، مذ شاعت ظاهرة المزايدة في كلّ ما له علاقة بمظاهر التّقوى.

فهل من عجب أن أصاب هذا الأسبوع بإحباط، شبيه بالانهيار العصبيّ، وأنا أتنقّل من بيت بائس يعلو منه صوت القرآن، وعويل نسوة مرتدياتٍ السّوادَ، مات فيه المعيل الوحيد لسبعة أشخاص، إلى بيتٍ تتنقّل فيه أمّي بثوبها وشالها الأبيض، وحولها نسوة من كلّ الأعمار، لبسن كلّ ما في خزانتهنّ من صيغة وأثواب أنيقة، وجئن يودّعنها للمرّة العاشرة، أو بالأحرى جئن ليقنعنها للمرّة العاشرة، بأنهنّ لا يقللن عنها ثراءً، وبإمكانهنّ الذهاب إلى الحجّ أكثر من مرّة لو شئن.

وطبعًا سيكون بينهنّ بعض نساء الضبّاط، اللاّئي جئن مجاملة لي. واللاّئي سيطاردنني بالأسئلة عن «الحادث» تحسّبًا لما قد ينتظر أزواجهنّ من مفاجآت.

ولكنّني كنت منذ عدّة أيّام، قد فقدت رغبتي في الكلام، وكان حضورهنّ الباذخ استفزازًا لحزني.

كنّ نساء الضجر، والبيوت الفائقة الترتيب، والأطباق الفائقة التعقيد، والكلمات الكاذبة التهذيب، وغرف النّوم الفاخرة البرودة، والأجساد التي تخفي تحت أثواب باهظة الثّمن.. كلّ ما لم يشعله رجل.

وكنت أنثى القلق، أنثى الورق الأبيض، والأسرّة غير المرتّبة، والأحلام التي تنضج على نار خافتة، وفوضى الحواسّ لحظة الخلق.

أنثى عباءتها كلمات ضيّقة، تلتصق بالجسد، وجمل قصيرة، لا تغطّي سوى ركبتي الأسئلة.

منذ الصغّر كنت فتاة نحيلة بأسئلة كبيرة. وكانت النّساء حولي ممتلئات بأجوبة فضفاضة.

وما زلن دجاجات، ينمن باكرًا، يَقُقْنَ كثيرًا، ويَقْتَتْنَ بفتات الرّجولة، وبقايا وجبات الحبّ التي تقدّم إليهنّ كيفما اتّفق. وما زلت أنثى الصّمت، وأنثى الأرق.

فمن أين بالكلمات، كي أتحدّث إليهنّ عن حزني؟

يومها، لم ينقذني سوى مرور ناصر مصادفة بالبيت. فتحجّجت به، لأترك مجلس النّساء وأخلو به.

هوذا ناصر أخيرًا..

لا أذكر كم مرّ من الزّمن على آخر لقاء لنا. فلم يحدث خلال سنوات زواجي الخمس أن زارني أكثر من مرّة في العام.

أمّا بقيّة لقاءاتنا، فكانت تتمّ هنا في بيتنا، خلال الأعياد أو المناسبات العائليّة.. أو مصادفة مثل اليوم. وكأنّنا لا نسكن المدينة نفسها.

لقاؤنا الأخير، كان في عيد الفطر الماضي. بدا لي يومها على غير عادته قلقًا وصامتًا. عادة، يقبّلني بشوق. نتبادل بعض أخبارنا. ونضحك أحيانًا ونحن نستعيد بعض ذكرياتنا المشتركة. ولكنّني احترمت وقتها صمته، ومضيت.

ناصر يصغرني بثلاث سنوات. ولكنّه كان دائمًا توأم حزني وفرحي، وتوأم رفضي أيضًا.

ثمّ انكسر شيء بيننا فجأة، منذ زواجي. حلّ محلّه شيء من العتاب الصّامت، الذي فسّرته في البدء بالغيرة. فقد كان ناصر متعلّقًا بي. كنت كلّ عائلته، كلّ اقتناعاته، كلّ مفخرته. هو الذي فشل في الدّراسة وتحوّل تاجرًا في عمر ما زال فيه الآخرون يواصلون دراستهم. وكان يرفض أن يأتي رجل غريب ويسرق منه كلّ شيء كان ينفرد بامتلاكه. حتّى إنّه قلّما لفظ اسم زوجي أمامي. وكأنّه لا يعترف بوجوده.

أذكر منذ سنتين، حاولت أن أناقشه في هذا الموضوع قلت له «لقد مرّ على زواجي ثلاث سنوات.. وحان لك أن تتقبّل هذا الأمر.. إنّه مكتوب».

ولكنّه فاجأني متذمّرًا:

- مكتوب؟ أن ينهبوا البلاد.. أن يفرغوا أرصدتنا.. ويسطوا على أحلامنا.. ويستعرضوا ثرواتهم على مرأى من بؤسنا. ربّما كان هذا مكتوبًا.. أمّا أن يتزوّج هؤلاء السّفلة بناتنا.. ويمرّغوا أسماء شهدائنا في المزابل.. فليس هذا مكتوبًا.. أنت التي كتبته وحدك!

ناصر عمره سبع وعشرون سنة. يصغرني بثلاث سنوات،
ويكبرني بقضيّة.

لقد جاء العالم هكذا حاملاً قضيّة معه، كما نحمل أسماءً لا
نختارها، وإذا بنا نشبهها في النهاية. ربّما لأنّ أبي الذي كان مأخوذًا
بشخصيّة عبد الناصر، أثناء حرب التحرير، أراد أن يعطيه اسمًا مطابقًا
لأحلامه القوميّة. وإذا به دون أن يدري يعطيه اسمين: اسمه كواحد
من كبار شهداء الجزائر، ولقبًا لأكبر زعيم عربيّ.

ناصر تقاسم كلّ شيء مع الوطن، يتمه... واسمه الذي لم يعد اسمه.
ناصر عبد المولى، كان الطّفل المدلّل لذاكرة الوطن. ولكن ليس بالضرورة
طفل الوطن المدلّل. ولد باسم أكبر منه، وُضع على كتفيه برنسًا للوجاهة.
وكانت تلك مصيبته.

ليس سهلاً أن تكون ابن رمز وطني، دون أن تشعر بالبرد تحت
ذلك المعطف الفاخر السّميك.

فماذا تراه كان يلبس، تحت ذلك المعطف، ليتدفّأ في زمن
الخيبات؟

ماذا تراه كان يخبّئ تحت برنس الصّمت؟

أقبّله بشوق. أبادره كعادتي بلهجة قسنطينيّة، مسروقة كلماتها
من قاموس الأمومة:

- واش راك.. يا أميمة توحّشتك..؟

يجيب:

- مليح.. يعيّشك.

ويجلس في جبّته البيضاء مقابلاً لي. أستنتج أنّه عائد من الصّلاة
أو ذاهب إليها. فلم يحدث أن التقيت به، إلّا كان بين صلاتين.. أو
بين قضيّتين.

كما الآن، عندما أقول له، وكأنّني أبحث عن موضوع أبادره به:

- لقد جئت لأودّع «مّا».. يبدو أنّها لن تشبع من الحجّ..

فيجيبني:

- لقد قلت لها إنّ أجرها سيكون أعظم، لو تصدّقت بثمن حجّتها على فقراء العراق ولكنّها لم تصدّقني...

فأصمت ولا أدري كيف أواصل معه الحديث.

ناصر لم يُشف بعد من حرب الخليج. عند بدء الاجتياح العراقيّ كان يعيش مشتّتًا.. مضطربًا. ينام وهو من أنصار صدّام حسين، ويستيقظ وهو يدافع عن الكويت.

ثمّ ما كادت الأحداث تأخذ منحى المواجهة العسكريّة والتحالف العالميّ ضدّ العراق، حتّى انحاز نهائيًّا إلى العراق مأخوذًا بـ«أمّ المعارك».

كان مثل الجميع يراهن على المستحيل، ويحلم بمعركة كبرى.. نحرّر بها فلسطين!

ولكنّه عند سقوط أوّل صواريخ عراقيّة على إسرائيل ووقوعها على أراضٍ قاحلة، طلبني ليلاً ليقول لي «أهذا هو السّكود الذي كان يهدّد به صدّام العالم.. إنّه ليس أكثر من «تحميلة» وضعتها إسرائيل في مؤخّرتها..!».

ضحكت.. ولم أتوقّع أن يكون لهذه الحرب كلّ ذلك التأثير في ناصر.

كانت تلك الفترة هي الوحيدة التي كان خلالها ناصر يتردّد عليّ، ربّما ليجد أحدًا ينقل إليه تذمّره وسخطه لا أكثر. فقد كان يدري، أنّ بإمكانه أن ينقل إليّ أيّ عدوى من هذا القبيل.

.. كذلك اليوم الذي زارني فيه وفاجأني جالسة أمام أوراقي. وكنّا في عزّ تلك الفجائع، وما تلاها من إهانات. فراح يؤنّبني، وكأنّني ارتكبت ذنبًا في حقّ أحد. مردّدًا:

- لا أفهم من أين لك القدرة على مواصلة الكتابة وكأنّ شيئًا لم يحدث. لا هذه الأرض التي تتحرّك تحت قدميك.. ولا هذا الدّمار الذي ينتظر أمّة بكاملها منعاكِ من الكتابة.. توقّفي.. تأمّلي الخراب حولك. لا جدوى ممّا تكتبين..

قلت كمن يعتذر:

- ولكنّني كاتبة..

صاح بي:

- ولأنّك كاتبة عليك أن تصمتي.. أو تنتحري. لقد تحوّلنا في بضعة أسابيع من أمّة كانت تملك ترسانة نوويّة.. إلى أمّة لم يتركوا لها سوى السكاكين.. وأنت تكتبين. وتحوّلنا من أمّة تملك أكبر احتياطيّ ماليّ في العالم، إلى قبائل متسوّلة في المحافل الدوليّة.. وأنت تكتبين. هؤلاء الذين تكتبين من أجلهم.. إنّهم ينتظرون أن يتصدّق عليهم النّاس بالرّغيف وبالأدوية.. ولا يملكون ثمن كتاب. أمّا الآخرون فماتوا. حتّى الأحياء منهم ماتوا.. فاصمتي حزنًا عليهم!

لا أظن أنّ ناصر كان يتوقّع، أنّه بهذه الكلمات التي ربّما غيّر رأيه فيها بعد ذلك، قد غيّر مساري في الكتابة، وأرغمني على الصمّت سنتين.

... سنتين كاملتين، تعلّمت فيهما أن أحتقر كلّ أولئك الكتّاب، الذين في الجرائد والمجلاّت واصلوا الحياة دون خجل، أمام جثمان العروبة.

كنت أرى القنوات الأميركيّة، تتسابق لنقل مشاهد «حيّة» عن موت جيش عربيّ يمشي رجاله جياعًا في الصّحارى. يسقطون على مدى عشرات الكيلومترات كالذباب في خنادق الـذلّ، مرشوشين بقنابل الموت العبثيّ، دون أن يدروا لماذا يحدث لهم هذا.

وأرى قوافل البائسين. هاربة بالشاحنات من بلد عربيّ إلى آخر. تاركة كلّ شيء خلفها، بعد عمر من الشّقاء.. دون أن تفهم لماذا.

وأرى الكويتيّين يرقصون في الشوارع حاملين الأعلام الأميركيّة، مقبّلين صور بوش، مهدين إلى الجنرال شوارزكوف حفنة من تراب الكويت. ولا أفهم كيف وصلنا إلى كلّ هذا.

وحده رجل غير مكترث بنا، لم يفقد قريبًا في أيّ حربٍ من الحروب التي ارتجلها، ولا فقد في زمن الجماعة، ولو شيئًا من وزنه، كان يظهر على الشاشات، يمارس السباحة على مرأى من غَرَقِنا، واعدًا إيّانا بمزيد من الانتصارات.

خلال تلك الفترة.. لم تفارقني فكرة الانتحار. ولم يمنعني من تحقيقها سوى فجيعة أمّي بموتي.

في الواقع، كنت أبحث لي عن موت «استعراضيّ» كبير لا يشبه في شيءٍ بندقيّةَ الصّيد المتواضعة التي أطلق بها خليل حاوي، رصاصة على جبينه في 7 حزيران 1982 احتجاجًا على اجتياح إسرائيل للبنان، على مرأًى من كلّ الإخوان والجيران العرب، بعد أن قال لأصدقائه «أين هذه الأمّة؟ من العار أن أقول أنا عربيّ أمام هذا التفرّج المخزي».

كنت أريد لي انتحارًا على قدر فجيعتي، شبيهًا بانتحار الكاتب اليابانيّ ميشيما، الذي بعد أن سلّم الجزء الرّابع والأخير من روايته الرّباعيّة، إلى المطبعة، توجّه ذات صباح أحد، لتنفيذ الفصل الأخير من حياته كما خطّط له إعلاميًّا، بعد أن قرّر الانتحار، احتجاجًا على خروج اليابان مذلولة من الحرب العالميّة أمام أميركا، وضياع شخصيّتها القوميّة أمام الغزو الغربيّ.

الجميل أنّه استعدّ لموته، بأخذ دروس خاصّة بالمصارعة والفروسيّة، والكمال الجسمانيّ، ما مكّنه من أخذ قائد القوّات اليابانيّة رهينةً، والتوجّه بخطاب حماسيّ إلى ألف جنديّ يابانيّ، كانوا مجتمعين لمناسبة وطنيّة.

وعندما لم يترك خطابه أثرًا في ذلك الجيش المهزوم، عاد ميشيما إلى غرفة قائد القوّات. وارتدى اللّباس التقليديّ اليابانيّ، عاقدًا أربطته وأزراره برباطة جأش ملحوظة. ثمّ دعا المصوّرين ليأخذوا له صورًا، برفقة جيشه الصّغير، المكوّن من مئة شابّ، أعدّهم للموت دفاعًا عن عظمة اليابان. ووقف ممسكًا بسيفه السامورائيّ المحظور، لينتحر مباشرة أمام عدسات المصوّرين، هو ومساعده، وفقًا لطريقة الهاراكيري الرّهيبة في الانتحار، الواحد تلو الآخر.

سلامًا ميشيما.

أينما كنت أيّها الصّديق، أقبّل جبين رأسك المفصول عن جسدك، والملقى منذ نوفمبر 1970 عند أقدام الوطن، رفضًا أبديًّا لذلّ ذلك الانحناء لأميركا.

ما زلت أتساءل: أكنّا وقتها متفائلين أم سذّجاً كي ننحاز إلى أمّة متمادية في هزيمتها وعنادها، كي تنجز بتفوّقٍ كلَّ ذلك الإخفاق!

في تلك الفترة، أصبح ناصر ضرورة يوميّة، لبقائي على قيد العروبة، مزايدًا عليّ في كلّ شيء، رافضًا أن أشتم أمامه نظامًا عربيًّا بالتحديد. فإمّا أن أشتمها واحدًا؟.. واحدًا.. (لأسباب يسردها عليّ مطوّلة مفصّلة.. ومقنعة) أو أصمت. ففي شتم نظام عربيّ دون آخر، بالنّسبة إليه، ما يفوق جريمة السكوت عنه.

أذكر، كان يمرّ بي أحيانًا؛ يقضي برفقتي بعض الوقت، ثمّ يمضي قائلاً «كان الله في عون هذه الأمّة، نصف حكّامها عملاء، والنّصف الآخر مجانين» قبل أن يصحّح نفسه مضيفًا «أما الأخطر.. فهم العملاء المجانين!».

ثمّ فجأةً تغيّر ناصر.

لم يعد يحدّثني عن الستّة والعشرين مليارًا الّتي تبخّرت من خزينة الدولة الجزائريّة، ولا عن أصدقائه، الذين انضمّوا إلى لوائح آلاف الطّلبة والشباب القسنطينيّين، الجاهزين للدفاع عن العراق، والاستشهاد تحت علمه، الذي أضيف إليه للمناسبة «الله أكبر»، وهو ما جعل بعض الساخرين يقترح أن يضاف إلى العلم الجزائريّ شعار «الله غالب»، أي لا نستطيع شيئًا من أجلكم... ولا عن تلك الإشاعات التي كان يصدّقها الجميع، والتي كانت تقول إنّ إسرائيل حصلت على صاروخ يطول الجزائر، وهي تستعدّ لضرب قسنطينة. فعاش النّاس لمدّة شهر، على أهبة الحرب، كأنّهم يتمنّون حدوثها لمتعة الجهاد.. أو لولعٍ بالاستشهاد.

لا أدري.. أهو الذي فقد شهيّته للكلام، أم أنا التي فقدت حماستي لكلّ القضايا، ودخلت في حالة ذهول من أمري.

بين خيباته الوطنيّة، وإفلاس أحلامه القوميّة، غسل يديه من العروبة، أو على الأصح، توضّأ ليجد قضيّته الجديدة في الأصوليّة.

وأنا الّتي عشت دائمًا متأخّرة عنه بقضيّة، لم أفهم ما الّذي كان يحدث له بالتحديد. ولماذا هو بين لقاء وآخر، يصبح بعيدًا، يصبح غريبًا عنّي إلى هذا الحدّ.

حتّى إنّني لم أعد أجرؤ على أن أتبادل معه ضحكة أو نكتة كعادتي. لم أعد أجرؤ حتى على مخالفة رأيه، خشية أن يجادلني ويناقشني بمنطق ليس لي من جواب عليه.

أحاول استدراجه للحديث، أقول:

- لقد أنقذتني بقدومك.. فأنا لا صبر لي على هذا الرّهط من النّساء.

يجيب:

- لقد اخترت أن تدخلي هذا العالم.. وعليك الآن أن تتقبّليه.

أشعر أنّني على وشك أن أنفجر في وجهه. ولكنّني أهدّئ نفسي، فأقول بصوت مؤثّر، وكأنّني أستجدي منه لطفًا:

- ناصر.. أنت تدري تمامًا أنّ هذا الجوّ ليس جوّي. ولن نعود إلى الحديث في هذا الموضوع. أنا متعبة، ومرهقة. لقد مات عمّي أحمد منذ ثلاثة أيّام على مقربة منّي. ما حدث له أمر مروّع.. شيء لا يصدّق!

أتوقّع منه كلمة مواساة، أو كلمة يترحّم بها على روحه. ولكنّه يصمت. ولا أدري أمن تأثّره، أم لأنّ الأمر لا يعنيه، أم..؟

تذهب أفكاري بعيدًا. وفي لحظةٍ أتصوّر الاحتمالات الأكثر جنونًا. وصوت ذلك الضابط يعود فجأة ليسألني «هل أخوك على علم بتنقّلاتك؟» فأجيبه «لا.. إنّه لا يسكن معي» فيردّ «أنا أعرف ذلك».

... لولا أنّ صوت ناصر يأتي بعد صمت لينقذني من سكتة قلبيّة وهو يقول:

- رحمه الله.. كان رجلاً طيّبًا.

أكاد أشكره. أرتمي فجأة عليه. أقبّله وأجهش بالبكاء. فلا يملك إلّا أن يحتضنني.

دموعي تسيل لتبلّل لحيته التي تلتصق بخدّي، وتعطيني إحساسًا غريبًا. أشعر كأنّه أبي.. هو الذي كان دائمًا ابني.

يسألني وهو يضمّني إليه.

- واش بيك حياة..؟

لا أجيب. أتمتّع بضمّته لي، بحنانه المفاجئ. أشعر فجأة؛ بأنّني كنت في حاجة إلى حنان دون أن أدري، وأنّه منذ سنوات لم يحدث لأحد أن ضمّني بحنان، فقط بحنان، دون شهوة ولا رغبة.

أقول له وسط دموعي:

- ناصر.. عامِلْني بحنان.. هل يجوز الحنان في شريعتك؟ أنت كلّ ما أملك في هذه الدّنيا. إذا شئت لا تكن معي. ولكن لا تكن ضدّي. هذا يؤلمني كثيرًا. أنت الّذي تضع جثمان أبي دائمًا بيننا.. وتزايد على الجميع في رفع اسم الشهداء.. لم يكن أبي يريد لنا قدرًا كهذا.. لا أريد أن يأتي يوم نصبح فيه أعداءً، فقط لأنّنا لا نفكّر بالطريقة نفسها.

من منّا كان يبكي لحظتها؟ لا أدري.

أدري فقط أنّ بعض الضّحكات كانت تأتيني من الغرفة الأخرى، حيث تتسامر نساء ينتظرهنّ عند الباب سائق لم يمت بعد، وأنّني قرّرت أن أغادر البيت دون أن أودّعهنّ.

لم أعد أذكر أيّ حدث بالتحديد كان سببًا لانهياري، بعد ذلك، وأوصلني حدّ فقدان شهيّة الحياة.

لا شيء كان يغريني، ولا أحد كانت تعنيه حياتي.

أمّي كانت مشغولة عنّي بحجّتها. وزوجي مشغول عنّي بمسؤوليّاته. وأخي بقضيّته، والبلد بمواجهاته. وعندما أردت أن أجد لي رجلاً وهميًّا، أطلقوا الرّصاص على أوهامي.

هذه مدينة، لا تكتفي بقتلك يومًا بعد آخر، بل تقتل أيضًا أحلامك، وتبعث بك إلى مخفر، لتدلي بشهادتك في جريمة أوصلتك إليها الكتابة.

زوجي الذي لم يكن له من وقت، ليحاول فهمي، ولا كان يدري ماذا يجب أن يفعل بي، وهو يراني أنغلق على نفسي كمحار، قرّر أن يبعث بي إلى العاصمة لأرتاح بعض الوقت على شاطئ البحر، حتّى مرور تلك الزوبعة.

وكانت تلك أجمل فكرة خطرت في ذهنه منذ زمن بعيد، وهديّة القدر الّتي.. لم أتوقّعها.

পাঞ্জ

قلّما تأتي تلك الأفراح التي ننتظرها في محطّة.

وقلّما يجيء، أولئك الّذين يضربون لنا موعدًا. فيتأخّر بنا أو بهم القدر.

ولذا، أصبحت أعيش دون رزنامة مواعيد، كي أوفّر على نفسي كثيرًا من الفرح المؤجّل.

مذ قرّرت أنّه ليس هناك من حبيب يستحقّ الانتظار، أصبح الحبّ مرابطًا عند بابي، بل أصبح بابًا ينفتح تلقائيًا حال اقترابي منه.

وهكذا تعوّدت أن أتسلّى بهذا المنطق المعاكس للحبّ.

وكنت قد جئت إلى هذه المدينة دون مشاريع، ودون حقائب تقريبًا. وضعت في حقيبة يدي ثيابًا قليلة، اخترتها دون اهتمام خاصّ لأقنع نفسي بأنْ لا شيء كان ينتظرني هناك.. عدا البحر.

البحر الذي يملك حقّ النّظر إليّ في ثياب خفيفة، دون أن يناقشه أحد في ذلك. ولذا جئته بأخفّ ما أملك، وبتواطؤ صامت، فأنا لا أدري إن كنت جئت حقًّا من أجله.

عندما نسافر، نهرب دائمًا من شيء نعرفه. ولكن نحن لا ندري بالضرورة، ما الّذي جئنا نبحث عنه.

أترك حقيبتي ملقاة على سرير شاسع، لن يشغله سواي. وأذهب لاكتشاف البيت الذي سأقضي فيه أسبوعًا أو أسبوعين.

في الواقع، أذهب لاكتشاف مزاج الأمكنة، وما تبثّه روحها من ذبذبات، أستشعرها منذ اللّحظة الأولى.

أحببت هذا البيت: هندسته المعماريّة تعجبني، وحديقته الخلفيّة، حيث تتناثر بعض أشجار البرتقال واللّيمون، تغريني بالجلوس على مقعد حجريّ، تظلّله ياسمينة مثقلة. فأجلس، وأستسلم للحظة حلم.

البيوت أيضًا كالنّاس. هنالك ما تحبّه من اللّحظة الأولى. وهنالك ما لا تحبّه، ولو عاشرته وسكنته سنوات.

ثمّة بيوت تفتح لك قلبها.. وهي تفتح لك الباب. وأخرى معتمة، مغلقة على أسرارها، ستبقى غريبًا عنها، وإن كنت صاحبها.

هذا البيت يشبهني. نوافذه لا تطلّ على أحد. أثاثه ليس مختارًا بنيّة أن يبهر أحدًا. وليس له من سرّ يخفيه على أحد.

كلّ شيء فيه أبيض وشاسع. لا تحدّه سوى خضرة الأشجار أو زرقة البحر والسّماء.

بيت لا يغري سوى بالحبّ والكسل، وربّما بالكتابة.

أتساءل وأنا أتأمّله، من ترى سكن هذا البيت، ومن مرّ به قبلي، ليؤثّثه ويعتني بحديقته إلى هذا الحدّ.. خلال أكثر من ربع قرن؟ فمن الواضح أنّه بيت يعود إلى أيّام الاحتلال الفرنسي، يوم كان كبار الإقطاعيّين الفرنسيّين، يعمّرون فيلّات فخمة على الشّواطئ الجزائريّة،

غالبًا ما تكون غير بعيدة عن السّهول والأراضي الزراعيّة، التي كانوا يمتلكونها، وحيث يأتون للاصطياف.

بعد الاستقلال، حجزت الّدولة الأملاك الشّاغرة التي تركها المعمّرون الفرنسيّون لتكون مقرًّا صيفيًّا لكبار الضبّاط والمسؤولين الذين أصبح لهم وجود شرعيّ ودائم على شواطئ موريتي وسيدي فرج، ونادي الصنوبر.

من الأرجح أن تكون هذه الفيلا هي أحد هذه الأملاك التي يتناوب عليها الضبّاط كلّ صيف، قبل أن يأتي من يحجزها نهائيًّا، مستندًا إلى نجومه الكثيرة، أو إلى كتفيه العريضتين، ويشتريها حسب قانون جديد، بدينار رمزيّ مثير للعجب.

متى حصل زوجي على هذه الفيلّا.. وكيف؟ أسئلة لا يعنيني الجواب عنها، ولكنّها تقودني إلى التّفكير فيه. فأتذكّر أنّني لم أطلبه هاتفيًّا لأطمئنه إلى سلامتنا، كما طلب منّي أن أفعل، حال وصولنا.

في الواقع، كان أسهل وأكثر راحة لنا أن نسافر، أنا وفريدة، بالطّائرة. ولكن زوجي أصرّ على أن يرافقنا السّائق بالسيّارة لخدمتنا، وحراسة هذا البيت الكبير، الذي لا يمكن أن نبقى فيه بمفردنا، وذلك بانتظار أن يلحق بنا بعض الأهل..

في انتظار ذلك أمامي عدّة أيّام للرّاحة، لا أدري تمامًا كيف أنفقها،. أبدأها بأخذ حمّام دافئ، واللّجوء إلى النّوم، احتفالاً بحرّيتي.

رحت أستعجل النّوم. أحاول أن أنام دون أن أقع في فخةّ الأحلام.

ثمّة غرف جميلة إلى حدّ الحزن، تعاقبك أسرّتها بالحلم!

وبرغم ذلك، في الصّباح، لم أنجُ من جسدي. كنت أستيقظ، وتستيقظ رغبة داخلي. تلفّني رائحة شهوتي فأبقى للحظات، مبعثرة تحت شرشف النّوم النّسائيّ الكسول.

يستبقيني إحساس بمتعة مباغتة، لم أسع إليها. جاءني بها البحر حتّى سريري.. ليتحرّش بي.

على غير عادتي.. أستيقظ باكرًا هذا الصّباح. وكأنّني أريد أن أستفيد من كلّ لحظة حرّيّة قد تسرق منّي فجأة، لأيّ سبب كان.

يفاجئني جوع صباحيّ لا يقاوم، وكأنّ شهيّتي للحياة تضاعفت هنا، فأبعث بالسّائق لإحضار لوازم الفطور، وأبقى لأتفرّج على البحر.

رائحته بعد ليلة كاملة من المدّ والجزر تزحف نحوي متوحّشة تستفزّ حواسّي بشهيّة غامضة للحبّ.

أتجاهل اعترافه الفاضح بليلة حبّ قضاها على مقربة منّي، منشغلاً بترويض الأمواج، بينما كنت أنا منشغلة عنه بترويض حواسيّ والهروب بنفسي من تلك الهواجس التي كانت تطاردني وتعكّر مزاج نومي.

البارحة نمت نومًا عميقًا، كما لم أنم منذ أيّام. شعرت بمعنى السّكينة، وكأنّني تركت كلّ شيء خلفي، وجئت لألقي بنفسي هنا، على سرير شاسع، لا ذاكرة له.

والآن لا رغبة لي سوى في تناول فطوري، والخروج بصحبة فريدة على الأقدام، لاكتشاف هذه المنطقة.

حتّى قبل أن يغريني شاطئ سيدي فرج بمنشآته السياحيّة ومركباته التجاريّة، أذهلتني مصادفة وجودي دائمًا في الأماكن التي يطوّقها التّاريخ، والتي تشهر ذاكرتها في وجهك عند كلّ منعطف.

«سيدي فرج» ليس في النّهاية اسمًا لوليّ صالح، ما زال النّاس يتردّدون على ضريحه، طالبين بركاته، بل اسم المرفأ الذي دخلت فرنسا منه إلى الجزائر.

فهنا رست سفنها الحربيّة، ذات 5 يوليو من صيف 1830، بعدما تمّ تحطيم الوسائل الدفاعيّة المتواضعة الموضوعة في مسجد «سيدي فرج» وتحويله مركزًا لقيادة أركان المستعمرين.

وشاءت الأقدار، أو بالأحرى شاء المفاوضون الجزائريّون، أن يجعلوا فرنسا تغادر الجزائر بعد قرن وثلاثين سنة، في هذا التّاريخ نفسه، ليصبح 5 يوليو أيضًا تاريخ استقلالنا.

نعم.. في زمن سابق، كان الجزائريّون يصرّون على كتابة التاريخ بغرورهم!

«حادثة المروحة» الشّهيرة نفسها، التي صفع بها الـدّاي وجه القنصل الفرنسي، والتي تذرّعت بها فرنسا آنذاك لدخول الجزائر، بحجّة رفع الإهانة، ليست إلّا دليلاً على كبريائنا أو عصبيّتنا.. وجنوننا المتوارث.

وربّما كغمزة للتّاريخ، تفنّن الجزائريّون غداة الاستقلال في هندسة هذا المرفأ، وبنوْه على شكل قلعة عصريّة، جاعلين برج سيدي فرج ومنارته، ذَوَيْ علوّ شاهق أو هكذا يبدوان وكأنّ هناك من لا يزال يتوقّع قدوم عدوّ من البحر..

ولكنّ العـدوّ منذ ذلك الحين، لم يعد يأتي من البحر.. ولا بالضرورة من الخارج!

سعدت ذلك اليوم بمشواري الصباحيّ. أذكر أنّني مشيت يومها دون هدف محدّد، بانبهار الاكتشاف الأوّل. وعدت إلى البيت مع فريدة محمّلتين بمشتريات.. وأحلام مختلفة.

كنت أشعر أنّني حقّقت حلمًا صغيرًا، لم يكن على بساطته في متناول يدي. اكتشفت أنّ أمنيتي لم تكن تتجاوز المشي باطمئنان في شارع.

في البيت كانت الحياة هادئة كما لم أعهدها من قبل. وكنّا بدأنا نعيش أنا وفريدة على إيقاع جديد يتناسب مع حياة المصيف.

فبرغم خلافاتنا السّابقة، وبرغم اختلاف عُمْرَيْنا، وثقافتينا وذوقينا، كنّا سعيدتين بوجودنا معًا، بعدما أصبح بيننا تواطؤ الحرّيّة المؤقّتة، التي نزلت علينا معًا، والتي لم تكن تعني، في ظروفنا تلك، المفهوم نفسه لكلتينا.

فبالنّسبة إلى فريدة التي قضت عمرها عبدة في بيت الزّوجيّة، ولم تغادره سوى لتعود إلى أخيها مطلّقة، لم تكن الحرّيّة سوى إمكانية النظر إلى الآخرين من ضرفة بحرية وهم يعيشون.. ويسبحون ويتحمّصون تحت الشّمس نيابة عنها.

الحرّيّة لم تكن أكثر من حقّها في الحلم.

أمّا حرّيّتي فقد جاءت معاكسة لمنطق حرّيّتها. لقد أصبحت أنا امرأة حرّة، فقط لأنّني قرّرت أن أكفّ عن الحلم!

اكتشفت ذلك البارحة. عندما فتحت دفتري الأسود الذي أهملته بعض الشّيء منذ قدومي، كي أسجّل عليه أوّل فكرة توصّلت إليها أخيرًا: «الحرّيّة أن لا تنتظر شيئًا».

وكان يمكن أن أكتب هذا في صيغة أخرى، كأن أقول: «الترقّب حالة عبوديّة». فلقد توصّلت إلى الأولى من خلال الثانية.

ولكن ما كدت أتحرّر من عبوديّة الانتظار، حتّى وقعت في عبوديّة الكتابة. وهو ما جعل فريدة تجد في بقائي بالبيت، وعكوفي الدّائم على الكتابة، علامات مثيرة للقلق.

وكانت تشعر تجاهي بمسؤولية مزدوجة. نظرًا إلى سنّها، وإلى كونها مكلّفة من طرف أخيها بالسّهر على صحّتي. فراحت تغريني بمشاهدة التلفزيون، وتحثّني على الخروج.

وهكذا قرّرت ذات عصر أن أخرج، هربًا من النّوم والكتابة، اللّذين يتناوبان عليّ في هذا الوقت بالذّات..

في الواقع، حيث كنت، حالة من الضّجر الجسديّ تنتابني كلّ يوم في توقيت القيلولة. وكيفما كان الطّقس، يطاردني هاذ الإحساس حتّى مجيء الغروب. ويضعني كلّ عصر أمام الأسئلة نفسها: ماذا يفعل النّاس أثناء هذا الوقت بوقتهم.. وأجسادهم؟ وكيف ينفقون هذه السّاعات؟ ولماذا، في العصر دون أيّ وقت آخر، ذبذبات عالية من الشّهوة تسيطر على تلك الغرف النّسائيّة، التي تنتقل فيها النّساء بثياب البيت.. متكاسلات.. ضجرات؟

ولم يكن الوقت مناسبًا لأعثر على أجوبة لكلّ هذه الأسئلة. فاكتفيت بأن أرتدي أوّل فستان صادفني، وأغادر البيت، هربًا من جسدي!

أذكر أنّني اجتزت شارعنا بخطًى كسلى. رحت أتفرّج على تلك البيوت البيضاء ذات النّوافذ الزّرقاء.. أو الخضراء، والتي تعيش قيلولتها بسكينة لم أعهدها.

لا شيء كان يشبه هنا شوارع قسنطينة، المكتظّة بالسيّارات والمارّة، وضجيج الحياة. كلّ شيء هنا جميل ونظيف، ومهندس بذوق، وكأنّه ينتمي إلى مدينة أخرى. أو كأنّه وُجد خطأً هنا. ولولا وجود بعض السيّارات على جانب رصيفه، أو مرور أحدهم وهو عائد من مخبز، أو من ملعب «تنس»، لتوقّع المارّ من هنا أنْ لا أحد يسكن هذا الشّارع.

فهذا الشارع، يستيقظ وينام بهدوء، وبحضارة لا علاقة لهما بصراخ الباعة والأطفال، ونداء المآذن التي تستيقظ عليها شوارع قسنطينة.

أمام مخبز فاجأتني رائحة الخبز الطّازج. فدخلت مستسلمة لجوع مفاجئ. اخترت تشكيلة من قطع الحلوى، ورغيفين.

ثمّ تذكّرت أنّ مشواري لم ينتهِ، فطلبت من البائع، أن يحتفظ لي بها. وواصلت جولتي بحثًا عن بائع الجرائد، حيث رحت أقلّبها بفضول من لم يطالعها منذ أسبوع.

كلّ شيء أصبح فجأة يغريني بالقراءة. وكأنّني أستيقظ هذا الصّباح لأكتشف العالم.

اشتريت مجلّة نسائيّة.. وأخرى سياسيّة. وجرائد بالعربيّة وأخرى بالفرنسيّة. ولم أسأل نفسي إن كنت سأطالعها حقًّا. لذّتي كانت في شرائها. أنا التي كانت الجرائد تأتيني حتّى الآن، مدفوعة ومنتقاة، حسب ذوق زوجي واهتماماته!

أذكر أنّني كنت أطالع إحداها، عندما جاءني من الخلف صوت يقول «دعي الجرائد.. لا شيء يستحقّ القراءة هذه الأيّام!».

تسمّرت مكاني دهشة. تأمّلته غير مصدّقة. فاجأني صمت الارتباك الجميل. فبقينا للحظات يتأمّل أحدنا الآخر بوقع المصادفة.

أتوقّع أنّ حمرة قد علت وجنتيّ اللتين نسيت أن أضع عليهما حمرة، وأنّني تلقائيًّا مددت يدي إلى شعري لأرفع خصلاته، وأنّه تماديًا في إرباكي، لم يخلع نظّارته. وكأوّل مرّة راح يتأمّلني.

قال فجأة:

- أعترف بأنّني لم أتوقّع وجودك هنا..

قلت وكأنّني أعتذر عن هيئتي:

- ولا أنا توقّعت شيئًا كهذا..

واصل مبتسمًا:

- أما قلت لك تعلّمي أن تثقي بالقدر؟

أجبت وقد استعدت صوتي:

- أذكر ذلك. ولكن لنقل إنّني أعاني أزمة ثقة..

بدا على صاحب المحلّ اهتمام خاصّ بحوارنا، نظرًا إلى عدم وجود زبائن غيرنا. وتفاديًا لمزيد من فضوله، طلبت من محدّثي أن يشتري جريدته ونغادر المكان.

ولكنّه ابتسم وقال:

- أنا لم آتِ لأشتري جرائد.

سألته ونحن ننسحب:

- وماذا جئت تفعل إذن؟

قال:

- الآن بإمكاني أن أقول إنّني جئت لأراك.. ولكنّني جئت لأشتري سجائر لا غير.

ثمّ أضاف وهو يفتح علبة السّجائر:

- أنا أيضًا.. لم أعد أثق بشيء.

وأشعل سيجارته الأولى.

مشينا خطوات معًا، دون وجهة محدّدة، معرّضين جنوننا للأنظار. ثمّ توقّفنا فجأة مثقلين بصمت الأسئلة.

أمسك فجأة بذراعي، وكأنّه يريد أن يوقظني من حلم، كما يوقظ أحدهم أولئك الذين يمشون أثناء نومهم.

وقال:

- أريد أن أراك..

تكهرب جسدي للمسته..

قلت:

- ولكن..

- ليس لهذه الكلمة من مكان بيننا. يكفي أنّها تحيط بنا من كلّ جانب.

قلت:

- لا أدري كيف يمكن أن يتمّ ذلك..

أخذ منّي جريدة كنت أحملها. أخرج من جيبه العلويّ قلم رصاص. وخَطّ على طرفها رقم هاتف وقال:

- اطلبيني على هذا الرّقم، سنتّفق على التفاصيل..

أخـذت الجريدة منه، وأنا لا أصـدّق ما يحدث لي. سألته
بتلقائيّة مقصودة:

- هذا الرّقم.. رقم ماذا؟ أقصد هل هو رقم مكتب أم منزل؟

أجاب:

- إنّه رقمي.

قلت وأنا أستدرجه لمزيد من البوح:

- ولو ردّ أحد على الهاتف.. أطلب منه التحدّث إلى من؟

قال متجاهلاً قصدي:

- لا أحد غيري يردّ على الهاتف..

أغلق أمامي في جملة واحدة أيّ مجال لسؤال آخر، وخاصّة
للسّؤال الأهمّ؛ فهذه المرّة أيضًا لن أعرف اسمه.

افترقنا.

أنا بالارتباك نفسه، وهو بذلك الحضور الواثق نفسه. لم يلحّ
لأتّصل به في أقرب وقت. وكأنّه كان واثقًا من أنّ ذلك سيحدث.
لم يسألني ما الذي جاء بي إلى هنا.. وإلى متى سأبقى؟ وكأنّ تلك
التفاصيل لا تعنيه تمامًا، أو كأنّه يعرف برنامجي كاملاً!

قال فقط:

- شهيّة أنت اليوم..

ثمّ أضاف ونظراته تتدحرج على ثوبي الأسود نفسه.

- أحبّك في هذا الثوب..

ثمّ واصل بعد شيء من الصّمت:

- وأحسده!

افترقنا دون وداع كما التقينا دون سلام. فهكذا تحدث الأشياء معه دائمًا.

لم يحاول أحدنا أن يستبقي الآخر، بكلمة إضافيّة، أو بنظرة. كان لنا إحساس مشترك بأنّنا على موعد أجمل.

وأعترف بأنّني كنت أتمنّى لو أنّه بقي أكثر، لو أنه قال لي أشياء أكثر.

ولكنّني تقبّلت ذلك اللّقاء، كما جاء. مدهشًا.. مباغتًا.. موجزًا. لقاء في عمر سيجارة، أشعلها ونحن نلتقي، وأطفأها، وهو يسحقها أرضًا بحركة من قدمه قائلاً «أحسده!» ومضى.

هذا الرّجل الذي يحسد فستاني الأبسط، ويباغتني بكلمة لم أتوقّعها، تراه يعني ما يقول؟ أم أنّ مصادفة ارتدائي هذا الثّوب نفسه، تثير فيه كلّ هذه الرّغبة متوقّعًا أنّني ارتديته لأستدرج القدر.

طبعًا، ليس هذا صحيحًا. ولو كان كذلك لتحضّرت لهذا اللّقاء بطريقة أفضل.

مدهش الحبّ. يأتي دائمًا بغتة، في المكان واللّحظة اللذين لا نتوقّعهما، حتّى إنّنا قلّما نستقبله في هيئة تليق به.

وأصدّق تمامًا مصمّمة الأزياء «شانيل» الّتي كانت تنصح المرأة بأن تغادر كلّ يوم بيتها وهي في كلّ أناقتها، وكأنّها ستلتقي ذلك اليوم بالرّجل الذي سيغيّر حياتها، لأنّ ذلك سيحدث حتمًا في يوم تكون قد أهملت فيه هيئتها!

أهو الحبّ؟ كلمة منه فقط، وإذا بي امرأة لا تشبه الأخرى. تلك التي غادرت البيت بثوب عاديّ.. بأظافر غير مطليّة.. وملامح مرهقة.

أعود إلى البيت أجمل، وإذا بالحياة أيضًا جميلة وشهيّة.

والأجمل أنّها مدهشة دائمًا. في كلّ منعطف لشارع يمكن لحياتك أن تتغيّر. يمكن أن يقع لك حادث، ويمكن أيضًا أن تلتقي برجل يحدث فيك زلزالاً جميلاً!

في البيت، وجدت فريدة جالسة أمام التلفزيون، وكأنّها لم تقض حياتها أمامه، لتشاهد المسلسلات السّاذجة نفسها، أو كأنّه لا ينتظرها في قسنطينة.

أشفقت عليها من غبائها.

كيف أشرح لها أنّ الإنسان، لا بدّ أن يعيش بملء رئتيه، بملء حواسّه وإحساسه، كلّ الأشياء الّتي يصادفها والّتي لن تتكرّر.

كيف أقنعها بأن تحبّ الأشياء التي لن تراها سوى مرّة واحدة، لا تلك التي تراها على جهاز التلفزيون كلّ يوم.

كنت أشعر برغبة في أن أنقل إليها عدوى سعادتي، وشهيّتي للحياة. ولكنّها كانت امرأة محدودة الأحلام، محدودة الذكاء. فوجدت في سذاجتها نعمتي. فهي على الأقلّ لن تتنبّه لما يحلّ بي.

رفعت رأسها عن الشّاشة لتسألني، إن كنت فكّرت في إحضار الخبز.

أجبتها بشهقة الدّهشة، أنّني نسيته عند الخبّاز.

فكّرت وأنا أنصرف نحو غرفتي لأغيّر ثيابي، أنّني دخلت رسميًّا مرحلة الحماقات الجميلة، وأنّني إن كنت نسيت حلويات قضيت نصف ساعة في اختيارها، فمن المتوقع أن أنسى بعد الآن أشياء أخرى، وأقيم في كوكب آخر، لا علاقة له بتفاصيل عالمي الأرضيّ».

ما كدت أغيّر ثيابي حتّى حملت جرائدي وذهبت نحو الحديقة، لا بنيّة مطالعتها، بل بنيّة أن أخلو بنفسي لأتصفّح قصّتي مع هذا الرّجل، الذي طاردته لاهثة في شوارع قسنطينة.. وعندما يئست من أمره وسافرت، وجدته قد سبقني إلى هنا.

عجيبة هي الحياة بمنطقها المعاكس. أنت تركض خلف الأشياء لاهثًا، فتهرب الأشياء منك. وما تكاد تجلس وتقنع نفسك بأنّها لا تستحقّ كلّ هذا الرّكض، حتّى تأتيك هي لاهثة. وعندها لا تدري أيجب أن تدير لها ظهرك أم تفتح لها ذراعيك، وتتلقّى هذه الهبة التي رمتها السّماء إليك، والّتي قد تكون فيها سعادتك.. أو هلاكك؟

ذلك أنّك لا يمكن أن لا تتذكّر كلّ مرّة تلك المقولة الجميلة لأوسكار وايلد «ثمّة مصيبتان في الحياة: الأولى أن لا تحصل على ما تريده.. والثانية أن تحصل عليه!».

أتساءل، أيّ المصيبتين تراه هذا الرّجل؟ وماذا لو عاد ليكون مصيبتي الثانية، بعدما كان مصيبتي الأولى؟

أتفقّد الجريدة التي خطّ لي عليها رقم هاتفه، بقلم الرّصاص. أحاول أن أستشفّ قدري معه من تلك الأرقام. تخيفني الأصفار الكثيرة. ولكنّ باقي الأرقام تطمئنني فأنا أحبّ الأرقام الثّلاثيّة الجذور.. أشعر أنّها تشبهني. ولكن لا أمنع نفسي من التّساؤل لماذا خطّها بقلم الرّصاص؟ ألأنّ الرّسّامين يكتبون عادة بقلم الرّصاص؟ أم لأنّ الأشياء معه قابلة لأن تُمحى في أيّ لحظة؟ أم لأنّه زمن الرّصاص لا غير، الرّصاص الذي يكتب قصّة ويلغي أخرى. الدليل أنّ رقم هاتفه جاء مكتوبًا على هامش صغير البياض، في الصّفحة الأولى لجريدة تغطّيها أخبار الفجائع الوطنيّة.. والقوميّة.

لماذا يأتي حبّه محاذيًا لمآسي الوطن، وكأنّه لم يبق للحبّ في حياتنا، سوى المساحة الصغيرة التي لا تكاد تُرى على صفحة أيّامنا؟ ألم يعد هناك من مكان لحبّ طبيعيّ وسعيد في هذا البلد؟

الفرح يسكنني. وجرائد الحزن تتربّص بي ملقاة على طاولة الحديقة. قبل أن أتصفّحها أندم على إحضارها. أتذكّر ذلك الذي كان

يقول «لم يحدث أن اشتريت جريدة عربيّة إلّا ندمت على اقتنائي لها...».

أستعجل قلب صفحاتها. أخاف أن تغيّر أخبارها مزاجي. ولكن بعض عناوينها الكبرى تستوقفني وتستدرجني إلى قراءتها جميعها من باب المازوشيّة!

أن تشتريَ جريدة عربيّة ذات حزيران من سنة 1991 لتقرأ طالع هذه الأمّة، فأنت تعرّض نفسك لذبحة قلبيّة.

أمّا أن تشتري جريدة جزائريّة في ذلك التّاريخ نفسه، تجمع صفحتها الأولى بين خيباتك الوطنيّة والقوميّة، فذلك ضرب من المجازفة بعقلك.

قبل أن تفتح الجريدة، يهجم عليك الوطن بعناوينه الكبرى، «السلطات العسكريّة تعلّق حظر التجوّل إلى ما بعد عيد الأضحى» «اعتقال 469 شخصًا خلال الأيّام الثلاثة الماضية» «جبهة الإنقاذ تعلن العصيان المدنيّ، وبدء الإضراب والاعتصام المفتوح» «حضور عسكري مكثّف حول المباني الرّسميّة والمساجد» «عمليّة للاستيلاء على الباصات التابعة للنقل الحضريّ استعدادًا لمسيرة ضخمة على العاصمة».

تهرب إلى أسفل الصّفحة فتنتظرك أوطان أخرى، كنت تعتقد أنّها أوطانك. فهكذا أكّد لك منذ طفولتك شاعر على قدر كبير من السّذاجة، مات وهو ينشد «بلاد العرب أوطاني..» وهو لم يعد هنا اليوم ليقرأ معك عناوين جريدة عربيّة بتاريخ 15 حزيران 1991 «استمرار محاصرة مخيّمي «الميّه وميّه» و«عين الحلوة» الفلسطينيّين من طرف الجيش اللّبنانيّ» «العراق يقوم باعتقال عشرات المصريّين وتعذيبهم»، «الإعدامات مستمرّة في الكويت في حقّ الرعايا العرب»، «انفراد الشّركات الأميركيّة بإعادة إعمار الكويت»، «إسقاط ديون مصر».

والخبر السعيد في كلّ هذا، ليس الأخير. وإنّما ستجده في صفحة داخليّة بخط كبير. «إقدام الديوان الجزائريّ للّحوم بمناسبة عيد الأضحى على استيراد 220 ألف رأس غنم من أستراليا، وصلت معظمها سالمة». و«سالمة» تعني فقط أنّها ما زالت على قيد الحياة.

رغم قضائها شهرًا في البحر مكدّسة في باخرة ومعظمها لا ينتظر سوى رحمة الذّبح صباح العيد، تمامًا كما ينتظر الجزائريّون منذ أشهر، متزاحمين مكدّسين بالعشرات أمام سفارة أستراليا، رحمة الحصول على تأشيرة الهروب إلى بلد، تقول إشاعة كاذبة إنّه يبحث عن يدٍ عاملة!

وتماشيًا مع حدث وصول هذه الباخرة، بحمولتها المباركة من الأكباش، خصّصت الجريدة صفحة كاملة، يتجادل فيها البعض ويجتهدون لحلّ الإشكال الدّينيّ الذي طرحته أذيال الأغنام الأستراليّة المبتورة، التي لا تشبه ما تعوّده الجزائريّون من أغنام ذات ألية سمينة. وهل تجوز التضحية بها؟ لينتهي بهم الأمر إلى فتوى تقول «إنّ بتر الذنب، كلّه أو جزء منه، بمقدار الثلثين، يُعَدّ عيبًا في الأضحية، سواء بتر الذّنب كلّه أو بعضه، خلقة أو بعد خلقة» وليصبح السّؤال بعد ذلك «ماذا نفعل إذن بالأغنام؟ وبماذا نضحّي صباح العيد؟».

في الواقع، الإشكال الحقيقيّ لم يكن في أذناب الأغنام الأستراليّة، التي شغلت عامّتنا وفقهاءنا لأيّام، بل في تلك الأكباش البشريّة المكدّسة أمام سفارة أستراليا، وفي سؤال كبير ومخيف: كيف.. وقد كنّا شعبًا يصدّر إلى العالم الثّورة والأحلام، أصبحنا نصدّر البشر، ونستورد الأغنام؟

***

طبعًا..

لم يكن زمنًا للحبّ. ولكن أليست عظمة الحبّ في قدرته على الحياة في كلّ الأزمنة المضادّة؟

الدليل أنْ لا شيء ممّا قرأته أو ممّا حدث لي بسبب هذا الرّجل، جعلني أعدل عن فكرة حبّه.

شيء يجرفني نحوه هذا المساء. شيء يحملني. شيء يركض بي. شيء يجلسني جوار هاتف.

على حافّة السّرير أجلس، دون أن أجلس تمامًا. وكأنّني أجلس على حافة قدري.

امرأة ليست أنا، تطلب رجلاً قد يكون «هو». ورجل اسمه «هو»، يرتدي أخيرًا كلماته، لا كلماتي. يصبح صوتًا هاتفيًا. قد يقول «ألو». قد يقول «نعم»، قد يقول «من؟».

امرأة عجلى تطلب أرقامه الستّة. وتنتظر كلمة منه. تقرّر هكذا أن تبادره بالصّمت. كأنّها تتذكّر أنّها لا تعرف هي من تطلب بالتحديد.

صوته يخترق صمتها. لا يقول «ألو». لا يقول «نعم». لا يقول «من؟».

يقول:

- كيف أنتِ؟

يواصل أمام دهشتها.

- انتظرت هاتفك.

يضع شيئًا من الصّمت بين الكلمات يواصل:

- جميل أن يأتي هاتفك ليلاً..

هي لم تقل شيئًا بعد.. وهو يتحدّث إليها كأنّه يراها بتداخل الحواسّ.. صوته يختزل المسافة بين حاسّة وأخرى. يعيد تنقيط الأحلام.

تعرفه من نقاط الانقطاع في كلامه. تعرفه، وتحبّه بنبرته الهاتفيّة الجديدة، دافئًا، كسولاً.

تقول له أوّل جملة تخطر في ذهنها:

- أحبّ صوتك..

يجيب:

- وأحبّ صمتك..

- هل أفهم أنّك لا تحبّ كلامي؟

- بل أريد أن أسمع منك ما أشاء، لا ما تقولين.

- ولكنّني لم أقل شيئًا بعد.

- هذا أجمل. أتدرين أن الحيوانات لا تكذب لأنّها لا تتكلّم. وحده الإنسان ينافق. لأنّه حيوان ناطق.. أيْ حيوان ممثّل.

- بأيّ حقّ تقول هذا؟

- بحقّ معرفتي بالحياة.. وحقّ معرفتي بك.

- وماذا تعرف عنّي؟

- أعرف ما يكفي لأحذرك.. وما يكفي أيضًا لأحبّك.

- وهل يجب أن أحذرك أيضًا؟

- بل يجب أن تحذري الحبّ.. وتحبّيني.

- ولكنّني أحبّك.

- حقًّا؟

- ...

- لاحظي أنّكِ بدأتِ تتراجعين صمتًا. الكلمات الجميلة سريعة العطب. ولذا لا يمكن لفظها كيفما اتّفق!

لا تدري كيف تواصل الحديث إليه. وكلّ ما ستقوله سيصطدم بذكائه الحادّ. وبنظرته الفريدة إلى الأشياء.. تقول:

- أريد أن أتعلّم منك فلسفتك في الحياة.

يضحك:

- أنا.. أعلّمك فلسفة الحياة؟ أنت تطلبين أمرًا مستحيلاً. أنا أعطيك رؤوس أقلام فقط. نحن لا نتعلّم الحياة من الآخرين. نتعلّمها من خدوشنا.. ومن كل ما يبقى منّا أرضًا بعد سقوطنا ووقوفنا.

- وهل يحدث هذا دومًا؟

- طبعًا.. ستتعلّمين كيف تتخلّين كلّ مرّة عن شيء منك، كيف تتركين خلفك كلّ مرّة أحدًا.. أو مبدأً.. أو حلمًا. نحن نأتي الحياة كمن ينقل أثاثه وأشياءه. محمّلين بالمبادئ.. مثقلين بالأحلام.. محوّطين بالأهل والأصدقاء. ثمّ كلّما تقدّم بنا السّفر فقدنا شيئًا، وتركنا خلفنا أحدًا، ليبقى لنا في النّهاية ما نعتقده الأهمّ، والذي أصبح كذلك، لأنّه تسلّق سلّم الأهميّات، بعدما فقدنا ما كان أهمّ منه!

تجد في حديثه بعض ما يساعدها على استدراجه للحديث عن نفسه. تسأله:

- ماذا تركت خلفك؟

يصمت. ويطول صمته. تتذكّر أنّه يجيب هكذا عن الأسئلة التي لا تستحقّ الجواب. فتصحّح خطأها.

- أقصد... ما هو الشّيء الأهمّ بالنّسبة إليك الآن؟

يجيب بصوت غائب:

- أنتِ..

يفاجئها الجواب، وكأنّها لم تكن تتوقّعه. هي كانت تتوقّع أن يسألها «وأنتِ؟» ولكنّه لا يفعل.. يواصل:

- سأنتظر موت الأوهام حولك. فربّما يومها أصبح الأوّل في سلّم أولويّاتك عن جدارة.. أو عن مصادفة!

تقاطعه:

- لستُ في حاجة إلى خيبات أكثر لأحبّك. أنا لا أملك غيرك.

- بل أنت تملكين الكتابة، أيْ وهم التفوّق. ولن نتساوى إلّا عندما تكتب قصتنا الحياة.. لا أنتِ؟

تسأله:

- أعُدْتَ بِنيّة معاكستي..؟

- بل عدتُ بنيّة حبّك. افتقدتك كثيرًا كلّ هذا الوقت. لا أفهم لماذا جاءت قصّتنا معقّدة إلى هذا الحدّ. أتدرين؟ لو كنّا أمّيّين لسعدنا بحبّنا. الأمّيّ يعرف ما يريده من امرأة، وتعرف هي ما تنتظره منه. ولكن نحن استهوتنا لعبة الكلمات. فرحنا نقسو على الحبّ إكرامًا للأدب. تصوّري.. لو كنّا أمّيّين لقلت لك من البدء «أشتهيك» وانتهى الأمر. ولكن، ها نحن بعد منتصف اللّيل نتحدّث على الهاتف لا لنحبّ بعضنا بعضًا.. بل لنفسّر هذا الحبّ.

- لنكُن أمّيّين إذن!

- لا نستطيع.. الجهل ترف لم يعد في متناولنا.

- وماذا نفعل إذن؟

- لنكن رجلاً وامرأة لا غير، لنحبّ بعضنا بعضًا بمنطق الحبّ، لا بمنطق الأدب. لا يمكن أن نخرج من عتمة الحبر لندخل عتمة اللّيل. أطالب لحبّنا بشرعيّة الضوء. أريد أن أراكِ.. أن ألمسك.. أن أقول لك أشياء دون أن نكون مجبرين على الكلام.

- ولكنّني لا أدري أين يمكن أن نلتقي.

- ثمّة مقاهٍ ومطاعم جميلة حيث أنتِ.. يمكن أن نلتقي فيها.

- ولكن كلّ جيراني هم من الضبّاط.. وهم يعرفون زوجي. ولا يمكن أن أجازف بموعد هنا.

يصمت بعض الوقت ثمّ يقول:

- إذا شئت بإمكاننا أن نلتقي عندي في البيت. ولكنّي أسكن في العاصمة. على بعد ساعة منك بالسيّارة.. لا أدري إن كان هذا يناسبك؟

أقول:

- دع لي يومًا للتفكير.. سأتدبّر الأمر.

ثمّ أواصل كمن تذكّر شيئًا:

- ولكن قبل ذلك.. أريد أن أعرف من تكون.

يجيب وكأنّ السّؤال، ليس على هذا القدر من الأهميّة:

- أحبّيني دون أسئلة.. فليس للحبّ من أجوبة منطقيّة.

- ولكن كيف تريد أن أزور رجلاً لا أعرف حتّى اسمه؟

- ستعرفين كلّ شيء في الوقت المناسب.

- ولكنّني امرأة لا تعرف الانتظار.

- خسارة.. لأنّ الأشياء تأخذ قيمتها من انتظارنا لها.

ثمّ يواصل:

- وبهذا المقياس أنت المرأة الأشهى، لأنّك المرأة التي انتظرتها الأكثر. لقد انتظرتك عمرًا، وبإمكانك أن تنتظري أيّامًا أو أسابيع. دعي للوهم عمرًا أطول.

لا أذكر ماذا قال بعد ذلك كي تفاجئنا حالة لغويّة زجّت بنا في رغبة مباغتة، عمد إلى تمديدها إلى أقصاها دون جهد واضح، عدا جهد رغبته في التّساوي بأيّ رجل أمّيّ.. يشتهي امرأة!

استيقظت في اليوم التالي مأخوذة بحالة عشقيّة، لولا أنّ نشرة الأخبار الصّباحيّة عكّرت مزاجي. فقرّرت أن أطلب زوجي لأعرف منه ما يحدث في قسنطينة.

ولكنّني فوجئت بالهاتف معطّلاً، وهو ما زاد في قلقي وجعلني أتّجه نحو أوّل فيلاّ مجاورة، لاستعمال هاتفهم.

ولكن صاحبة البيت، استقبلتني ببرود، وهي تتفحّصني بنظرة لا تخلو من الإهانة. وهو ما زاد في إرباكي، وجعلني أفسّر نظراتها في البدء بكوني جئتها في ثياب البيت.. وربّما في زيّ غير لائق بزيارة.

أمام الباب الذي فتحته لي دون أن تدعوني إلى الدّخول، رحت أشرح لها، أنّني أسكن الفيلاّ 68 على يمينكم، وموجودة هنا منذ أسبوع فقط.

أجابت بلهجة ساخرة:

- عادة تبقى النّساء هنا.. ليلة أو ليلتين لا أكثر!

تجمّدت مكاني. وكأنّ كلماتها صفعتني. ولكنّني جمعت شجاعتي. وقلت:

- أنا زوجة العميد... جئت لأسألك فقط عن سبب تعطّل الهاتف، لأنّني لم أتمكّن من الاتّصال بزوجي في قسنطينة، ولا علم لي بما يحدث في هذا البيت قبل مجيئي.

بدا على المرأة ارتباك واضح. وراحت فجأة تفتح الباب، وتدعوني معتذرة إلى الدّخول، وقد ندمت على ما قالته، معتقدة أنّني إحدى الزّائرات العابرات لهذا البيت، بعد أن شجّعتها هيئتي الصباحيّة.. على مثل هذا الاعتقاد. وراحت تبحث عن كلمات تقنعني بها أنّها توقّعت أن أكون مقيمة في فيلاّ أخرى، وأنّه نظرًا إلى خلوّ هذه الفيلّات من المصطافين في باقي أيّام السّنة، تعوّد البعض اصطحاب عشيقاته وصديقاته إلى هنا، وهو أمر يزعجها لأنّها تسكن هنا على مدار السّنة. أبديت لها تفهّمي، واعتذرت لها عن الإزعاج وأنا أودّعها بأدب. ولكنّها ظلّت تلحّ لأتّصل بزوجي من بيتها. وقالت أنْ لا ضرورة لإزعاجه بمشكلة الهاتف، فيستكفّل زوجها بالاتّصال بالجهات المعنيّة، لإصلاحه فورًا.

عند عودتي لم أخبر فريدة بما قالته لي الجارة. احتفظت بتلك الإهانة لنفسي. وماذا عساها تقول؟ وهي تعتقد في أعماقها أنّ من حقّ أخيها أن يتصرّف كيفما يشاء، ليس فقط لأنّه رجل، بل لأنّه أيضًا رجل دولة.

العجيب أنّني لم أشعر بالغيرة. إحساسي كان أقرب إلى الغثيان منه إلى إحساس آخر. فلم أشأ أن أفكّر في النّساء اللاّتي تناوبن على هذا السّرير. ولم أكلّف نفسي مشقّة وضع ملامح لوجوههنّ.

شكلهنّ لا يعنيني. فأنا أتصوّرهنّ من النّوع السّاقط والبذيء المظهر. ربّما كنّ شقراوات مزيّفات. عادة هذا النوّع يروق زوجي. وربّما كان يروق كلّ الرّجال. وهو أمر أتفهّمه تمامًا.

ولكن ما لا أفهمه، هو لماذا تزوّج زوجي سمراء، إذا كان يحبّ الشقراوات؟ ولماذا تزوّج مرّة ثانية.. إذا كانت لا تشبعه سوى الوجبات التي يتناولها خارج البيت؟

أتذكّر صديقة لي، كان زوجها مغرمًا بالشقراوات، وكان يزعجها أن تطاردها الألسن هامسة دائمًا «لقد رأينا زوجك بصحبة شقراء» فصبغت المسكينة شعرها، لا أملاً في إغرائه أو استعادته، وإنّما حتّى يبدو للنّاس من بعيد أنّه برفقتها. وكأنّ المهمّ في هذه الحالات إنقاذ المظاهر!

أكبر عقاب حلّ بي يومها، لم يكن ما سمعته من تلك المرأة، بل عدم تمكّني من سماع صوت ذلك الرّجل.

في اليوم التالي، استيقظت على صوت زوجي الذي أعلن لي عودة الخطّ الهاتفيّ. جاء صوته ليخرجني من كوابيس ليلتي. ولكن دون أن يوقظ الأحلام الجميلة داخلي.

للأحلام صوت آخر، سمّيته «هو». هو الذي لا اسم له. والذي ليس سوى حرفين للحبّ. تتناوب عليهما حروف النهي وحروف النفي.. وحروف التحذير.. وحروف التساؤل.

«هو» ليس أكثر من «لا» و«لن» و«هل» و«لِمَ».. و«متى؟».. و«كيف؟».

«هو» ليس أكثر من حرفين وستة أرقام. ليست أرقام هاتفه. إنّها أرقام اليانصيب التي ألعب بها قدري.

- اشتقتك.. لِمَ لم تطلبيني البارحة؟

- كان الهاتف معطّلاً..

- وهل حسمت أمر لقائنا؟

- أجل.. إذا كان هذا يناسبك سأزورك اليوم بعد الظهر.

يضع شيئًا من الصّمت بيننا ثمّ يقول:

- أنا ليس لي برنامج غيرك. وبإمكانك أن تأتي متى شئت، ولكن..

- ولكن ماذا.. ؟

- الوضع لا يوحي بالأمان اليوم.

أطمئنه:

- لا يمكن أن يكون الوضع أسوأ ممّا عرفته في قسنطينة.

يجيب:

- لا أظنّ أنّك عرفت شيئًا كهذا.

يثير فضولي، أسأله:

- ما الذي يحدث؟

يجيب:

- لقد تحوّلت ساحات العاصمة في اللّيل إلى غرف نوم ضخمة. افترش فيها الإسلاميّون الأرض. لا ينهضون منها إلّا في الصّباح، لإطلاق الشعارات والتهديدات.. والأدعية إلى الله..

- ومتى حصل كلّ هذا؟

- البارحة.. لقد جاءت بهم الباصات بالعشرات حتّى هنا. نساءً ورجالاً..

أسأله متعجبّة:

- النّساء أيضًا؟

يجيب:

- لقد وصلن في أتوبيسات مسدلة السّتائر. لا يبان منها إلّا القرآن المرفوع خارج النّوافذ.

أسأله وقد بدأت أفقد شيئًا من حماستي:

- وهل ما يحدث قريب منك؟

يجيب:

- طبعًا.. أنا أسكن شارع العربي بن مهيدي.. إنّه شارع متفرّع عن ساحة الأمير عبد القادر حيث يُقام الاعتصام..

أقاطعه:

- أعرف هذا الشّارع جيّدًا.

كدت للحظة أتخلّى عن مشروعي الجنونيّ. ولكنّني كنت على درجة من الإحباط، أصبح معها عدم اللّقاء به هو أسوأ ما يمكن أن يحدث لي.

توقّعت أن أفاجئه وأنا أقول:

- سأسلك طريق البريد المركزيّ للوصول إليك.. أعطني العنوان فقط.

ولكنّه أجاب بفرح أسعدني:

- توقّعت منك قرارًا كهذا.. إنّه يشبهك.

ثمّ واصل:

- أفهمت لماذا أحبّك؟

قلت وأنا أمازحه:

- لا.. لم أفهم. ستشرح لي كلّ هذا عندما أجيء!

***

إنّها الثالثة أخيرًا. أخيرًا إنّها الثالثة.

أيّها الحبّ تأخّرت كثيرًا. فلماذا تستعجلني الآن إلى هذا الحدّ. وتركض بي، في سيّارة ستوصلني إلى منتصف الرّغبة، لأواصل وحدي المشي لاهثة في شارع الخوف، متحايلة تارة على عينيْ سائق يحترف التجسّس، وتارة على نظرات مارّة متفرّغين للفضول.

ولكن من يملك ما يكفي من الحدس، لقراءة خطى امرأة ذاهبة أو عائدة من موعد حبّ؟

ذلك أنّه عكس كلّ الّذين يملكون وقتًا لتبذيره، الحبّ معلّم لا صبر له؛ يعلّمك كلّ شيء دفعة واحدة، والشّيء ونقيضه في تجربة واحدة. يعلّمك أن تكون أنت وآخر في آن واحد، ويجعلك ممثّلاً من الدّرجة الأولى.

أجتاز ساحة الأمير عبد القادر راجلة. بخطًى رصينة وداخل ثياب محتشمة. أتعلّم المشي داخل هذه العباءة.. وهذا الشال الذي يغطّي شعري، وكأنّني لم أخلعهما يومًا.

أشعر بأمان، وسط عشرات الرّجال ذوي الأزياء العجيبة والملامح العدوانيّة، والمشغولين عن همومي الأرضيّة، بهموم الآخرة، مردّدين هتافات وشعارات دينيّة وسياسيّة.

وكنت أردت تفادي المرور بهذه السّاحة. ولكن لم يكن لي مفرّ من مروري بها، وقد ازدحمت كلّ الشّوارع المؤديّة إليها، وتلك المحيطة بها. وهو ما كان سيؤخّر موعدي بساعة على الأقلّ.

لا أذكر أنّني مررت من هنا، إلّا صدمتني مقاييس تمثال الأمير عبد القادر، ووضعتني في حالة عصبيّة. واليوم أيضًا على عجلتي، يلفت انتباهي، وجوده وسط بحر من الحشود البشريّة التي لا يكاد يعلو عليها سوى بمترين أو ثلاثة. حتّى إنّ بعضهم تسلّقه بسهولة وحمّله أعلامًا خضراء.. وسوداء.

ما يحزنني حقًّا، هو أحجام تلك التّماثيل الهائلة التي تزيّن العواصم العربيّة، لحكّام لم يقدّموا لشعوبهم غير المجازر والدّمار، مقارنة بهذا التمثال المتواضع لرجل وهبنا كبرياء التّاريخ، وأسّس لنا أوّل دولة جزائريّة أذهلت فرنسا نفسها.

رجل لم يطالبنا بأن نعيد رفاته من الشّام، ولا بأن نصنع له تمثالاً في ساحة هو أكبر منها.

إنّه زمن عجيب حقًّا، اختلّت فيه المقاييس، وأصبحت فيه الشّعوب تصنع تماثيل لحكّامها، على قياس جرائمهم.. لا على قياس عظمتهم!

لذا ما زال الأمير منذ ربع قرن، غير راضٍ عن وجوده بيننا، موليًا ظهره إلى مقرّ حزب جبهة التّحرير.. ووجهه صوب البحر. وهو ما غذّى كثيرًا من النّكت السياسيّة لدى سكّان العاصمة.

أجل.. حدث أن كنّا يومًا شعبًا يتقن السخرية، فكيف فقدنا الرّغبة في الضّحك؟ وكيف أصبحت لنا هذه الوجوه المغلقة.. والطّباع العدائيّة.. والأزياء الغريبة التي لم تكن يومًا أزياءنا؟

كيف أصبحنا غرباء عن أنفسنا، وبعضنا عن بعض، غرباء إلى حدّ الخوف، وحدّ الاحتياط من عيون تتفحّصنا، أو خطًى تسير خلفنا.

أمشي. يقودني الخوف إلى السّرعة تارة، وإلى التأنّي تارة أخرى، محتميةً بثياب لا تشبهني، استعرتها هذه المرّة من امرأة أخرى، ليست سوى فريدة.

ها أنا أعيش بين ثياب امرأتين. إحداهما تحترف الإغراء.. والأخرى التّقوى. أذهب لملاقاة ذلك الرّجل مرّة في ثوب أسود ضيّق، ومرّة في عباءة فضفاضة، لا يبدو منها سوى وجهي. تتناوب عليّ امرأتان، كلتاهما أنا.

ولأنّنا نفكّر، ونتصرّف كلّ مرّة حسب ما نرتدي وحسب ما نخلع، فأنا الآن، أمرّ بهذا الحشد من النّاس بتواطؤٍ غامض. أكاد أشاركهم حماستهم وهتافهم، لولا أنّ عينيّ تواصلان البحث عن رقم البناية التي ينتظرني فيها ذلك الرّجل.. وعقلي يواصل السّؤال. لماذا يوجد هذا الرّجل دائمًا بمحاذاة السياسة ويعود بتوقيت التّاريخ؟ ولماذا معه، يحتاط فرحي من الحزن؟

أمام مقهى «الميلك بار» الذي أجتازه بخوف بالغ، أتذكّر فجأة «جميلة بوحيرد» التي، أثناء الثّورة، جاءت يومًا إلى هذا المقهى نفسه. متنكّرة في ثياب أوروبيّة. وقد طلبت شيئًا من النادل، قبل أن تغادر المقهى تاركة تحت الطاولة، حقيبة يدها الملأى بالمتفجّرات، تلك التي اهتزّت لدويّها فرنسا، مكتشفة – هي التي كانت تطالب برفع الحجاب عن المرأة الجزائريّة – أنّ هذا السّلاح أصبح يُستعمل ضدّها، وأنّ امرأة في زيّ عصريّ، قد تخفي... فدائيّة!

بعد أربعين سنة، ها أنا الوريثة الشرعيّة لجميلة بوحيرد. أمرّ بهذا المقهى نفسه. متنكّرة في ثياب التّقوى، بعد أن اكتشفت النّساء – هذه المرّة أيضًا – أنّ ثياب التّقوى قد تخفي عاشقة. تخبّئ تحت عباءتها جسدًا مفخّخًا بالشّهوة.

بخوفها نفسه، بتحدّيها وإصرارها نفسه، أمشي هذا الشّارع. بعد أن أصبح الحبّ هو أكبر عمليّة فدائيّة تقوم بها امرأة جزائريّة.

دومًا، كنت أقول لامرأة كانت أنا: لا تمرّي عندما تشعل الحياة أضواءها الحمراء. تعلّمي الوقوف عند حاجز القدر. عبثًا تزوّرين إشارات المرور. لا تؤخذ الأقدار عنوة.

وكنت أقول.. لقلب كان قلبي: حاول أن لا تشبهني. لا تكن على عجل. انظر يمينك ويسارك، قبل أن تجتاز رصيف الحياة. لا تركب هذا القطار المجنون أثناء سيره. الحالمون يسافرون وقوفًا دائمًا، لأنّهم يأتون دائمًا متأخّرين عن الآخرين بخيبة!

وكان يردّ:

«كلّ من عرفتِ مشت على أحلامهم عجلات الوطن. والذين أحببتِ، تبعثروا في قطار القدر. فاعبري حيث شئت. ستموتين حتمًا.. في حادث حبّ!».

في كلّ خطوة، كنت أشعر أنّني حقّقت معجزة البقاء على قيد الحياة. وأعجب لأنّ قلبي ما زال مكانه، رغم تسارع دقّاته التي تدقّ في اللّحظة نفسها، دقّة شوقًا، ودقّة خوفًا، على إيقاع هتافات تحملني وتغطّي على كلّ صوت داخلي: «لا دراسة.. لا تدريس، حتّى يسقط الرّئيس» وتردّ أخرى «لا ميثاق.. لا دستور.. قال الله.. قال الرّسول».

ها هي ذي البناية أخيرًا.

لا أكاد أجتاز بابها حتّى أشعر بأنّني أغادر عالمًا.. وأدخل آخر.

درجها المتّسخ لا يعنيني. مصعدها المعطّل لا يثنيني. والطوابق الأربعة التي سأصعدها تزيد من حماستي.

إنّ أجمل لحظات الحبّ.. هي عندما نصعد الدّرج!

أمام باب ينتظرني خلفه المجهول، أستعيد أنفاسي وأحاول أن أتفقّد هيئتي. ولكن قبل أن أدقّ الباب، أراه يُفتح أمامي. وقامة أعرفها تختفي قليلاً خلفه. وكأنّها تشير إليّ بالدّخول.

فأدخل.. وينغلق الباب خلفي.

أنا التي خبرت عناوين الحبّ جميعها. أدري أنّ الحبّ لا يقيم
في الفنادق من فئة خمس نجوم، ولا في البيوت الباذخة البرودة.
ولذا أسعدني أن يكون هذا البيت، في بساطة عش ودفئه.

أتّجه منهكةً دون استئذان نحو أوّل غرفة تقابلني. ألقي
بحقيبة يدي على الأريكة. أوشك أن ألقي بنفسي أيضًا جوارها.
ولكنّني أبقى واقفة لحظة أتأمّله. وكأنّني أبحث فيه عن سبب يبرّر
كلّ هذا الجنون.

يقترب منّي، وتمتدّ يداه لترفع عن رأسي غطاءً نسيت أن
أخلعه. يوشك أن يقول شيئًا. ثمّ تسبق كلماتهِ ابتسامةٌ، يليها اعتراف
لا يخلو من الحسرة:

- كم اشتقتك...!

ولا أملك إلّا أن أجيبه:

- وأنا.. ماذا غير الشّوق جاء بي إليك؟ ليتك تدري كم كان
المجيء إليك صعبًا!

يجلس على الأريكة المقابلة لي. يعبث بهدوء بذلك الشال
الذي مازال ممسكًا به. يتأمّلني في هيئة لا تشبهني وكأنّه يتعرّف
إليّ، بينما أتأمّل أنا تلك الغرفة التي يغطّيها أثاث بسيط منتقًى بذوق
عزوبيّ، لا يتعدّى أريكة كبيرة من المخمل، تشغل وظيفة الصالون.
وطاولة، ومكتبة تمتدّ على طول الجدار المقابل، ولا تترك فيها الكتب
المصطفّة بنظام، سوى مكان لجهاز التلفزيون، ولجهاز موسيقى،
تنبعث منه معزوفة خافتة على البيانو لريشار كليدرمان.

أحبّ تطابق ذوقي مع ذوق هذا الرّجل. وأحبّ أكثر، تطابق
مزاجنا الغريب في التصرّف عكس المنطق، كالاستماع إلى معزوفة
موسيقيّة في يومٍ على هذا القدر من الجنون الصارخ. الأمر الوحيد

الذي فاجأني، هو عدم وجود أيّ لوحات في هذا البيت. وهو ما كان سيساعدني على اكتشاف هذا الرّجل.

أسأله:

- ماذا تستهلك عدا السجائر؟

يجيب ضاحكًا:

- أستهلك الصّبر.. والصّمت.

- وكيف يمكنك أن ترسم بهذه الأحاسيس الثّلجيّة؟

- ومن قال لك إنّني أرسم؟ أن ترسم يعني أن تتذكّر.. أنا رجل يحاول أن ينسى.

أقول:

- أريد أن أرى بعض أعمالك.. هل يمكن ذلك؟

يجيب:

- لا.. ليس معي شيء منها.

- وماذا فعلت بها..؟

- لقد تركتها في مدينة أخرى.

يساورني فجأة إحساس بالشكّ في ما يقوله، بل إحساس بأنّه يخفي شيئًا ما، أو يكذب، وأنّه لم يكن يومًا رسّامًا.

أسأله:

- أين تعلّمت الرّسم.

يجيب بما يؤكّد ظنّي:

- إنّ أسوأ شيء بالنّسبة إلى رسّام، هو دخول مدرسة للرّسم! كنت أريد أن أجادله في هذا الرّأي، أو ربّما فقط أستدرجه للحديث عن نفسه. ولكنّه صمت. ولم يغادر صمته إلّا ليحدّثني بعد ذلك عن الأوضاع السياسيّة. ويسألني إن كنت وجدت صعوبة في الوصول إليه.

كان يتحدّث. وكنت مشغولة عنه، بالإنصات إلى يديه. كانتا الشّيء الوحيد الذي يتكلّم كثيرًا عليه.

تعلّمت أمام أجوبته الهاربة، أن أستجوبهما. وجدت فيهما المدخل الوحيد الذي يؤدّي إليه.

إنّهما بدءًا تفضحان كسله؛ فهو لا يستعمل منهما سوى واحدة: اليمنى دائمًا.

أتأمّل طويلاً أصابعه، أشعر أنّها في امتلائها وطولها تقول الكثير عن رجولته، وأنّ طريقته في تقليم أظافره، باستدارة مدروسة، كأنّه لا يريد أن يؤلم أحدًا ولو عشقًا، تطمئنني، وتثير شهيّتي للمسات حميميّة، ولكنّها لا تساعدني إطلاقًا على معرفة مهنته الحقيقيّة.

هذا الرّجل ليس رسّامًا. يداه أكثر رصانة من يدين تعيشان بعصبيّة الخلق.

نحن نعرف عازف البيانو من رشاقة أصابعه. ونعرف النجّار الذي غالبًا ما يكون قد فقد إصبعًا من أصابعه. ونعرف الدّهّان ونعرف الجزّار. ونعرف المعلّم من الطباشير العالقة به، والفلاّح الذي انغرس التراب في أظافره، وعامل المطبعة الذي أصبح الحبر جزءًا من بصمات أصابعه.

مذهل هو عالم الأيدي، في عريه الفاضح لنا. ولا عجب أن يكون الرسَّامون والنحّاتون، قد قضوا كثيرًا من وقتهم في التجسُّس على أيدٍ، كانوا يدخلون منها إلى لوحاتهم ومنحوتاتهم، حتّى إنّ النحّات رودان الذي أخذت الأيدي كثيرًا من وقته وتركت كثيرًا من طينها على يديه، كان يلخّص هوسه بها قائلاً «ثمة أيدٍ تصلّي وأيدٍ تلعن، وأيدٍ تنشر العطر وأيدٍ تبرّد الغليل.. وأيدٍ للحبّ». فكيف له إذًا أن ينحتَ واحدة دون أخرى؟

ذلك أنّ اليدين، تقولان الكثير عن أشيائنا الحميمة. تحملان ذاكرتنا، أسماء من احتضنّا يومًا. من عبرنا أجسادهم لمسًا أو بشيء من الخدوش.

تقولان عمر لذّتنا، عمر شقائنا. تفضحان العمر الحقيقيّ لجسدنا. تفضحان كلّ ما مارسناه من مهن. كلّ ما مارسنا أو لم نمارس من حبّ. ولذا ثمّة أيدٍ، كأصحابها، ليست أهلاً للحياة، ما دامت لم تفعل شيئًا بحياتها.

أتأمّل يديه، وأدري تمامًا أنّني أتأمّل يدين عرفتا الحياة. حبكتاها، عجنتاها، حدّ الولع. منحتا النّساء كثيرًا من المتعة. ومنحتهما الحياة كثيرًا من الخيبة، التي تبدو واضحة من كسلهما المتعمّد.

يدان داعبتا.. اكتشفتا.. عبثتا.. أشعلتا أكثر من أنثى. وهما تشعلانني الآن خلف دخان سيجارة الصّمت.

تضرمان النّار في أسئلتي. تشعلان حرائق غيرتي. هاتان اليدان اللّتان لم يعلق بهما شيء. هل حدث أن تعلّقتا بأحد؟ وما اسم آخر امرأة أحبّتا؟ آخر امرأة عرّتا؟ ما عمر لذّتهما؟

أنا التي تأمّلته كثيرًا، أدري أنّه رجل متعدّد الأعمار. ولذا كان بإمكاني أن أسأله «ما عمر عينيك؟ ما عمر شفتيك؟ أو.. ما عمر صمتك يا سيّدي؟».

ولكنّني سألته:

- ما عمر يديك؟

توقّعت أن تعجبه طريقتي الجديدة في اختصار الأسئلة. وقلبها على طريقته.

ولكنّه أجاب دون انبهار واضح بسؤالي:

- عمرهما.. عمر خيبتي.

قلت:

- ولكنّني برغم هذا أحبّهما.

أجـاب، وهو ينهض فجأة ليقلب الشّريط وكأنّه يقلب موضوع حديثنا.

- لقد أحببتِ دائمًا عقَدي!

لم أفهم ما يعنيه. ولم أحاول التعمّق في الفهم. اكتفيت بالوقوف، متّجهة بدوري نحو المكتبة التي كان بي فضول لاكتشافها، مستفيدة من جهل هذا الرّجل لتلك المقولة الجميلة لرولان بارت «على المرء أن يُخفي عن الآخرين صيدليّة بيته.. ومكتبته!».

استدرجتني كثرة كتبها إلى إلقاء نظرة على عناوينها. وكأنّني أطالع أخيرًا هذا الرّجل الذي استفاد من انشغالي بها لينسحب قائلاً:

- أتوقّع أن لا تفتقديني كثيرًا.. لو أنا ذهبت لأعدّ لك قهوة!

ضحكت.. أجبته:

- طبعًا لا.. لا يمكن للكتب إلّا أن تقرّبنا!

منذ النّظرة الأولى، فاجأتني شساعة المواضيع التي تضمّها هذه المكتبة، والتي تفضح ثقافة عالية باللّغتين، واهتمامات تاريخيّة وسياسيّة متشعّبة، لم أتوقّعها في هذا الرّجل.

بينما تعجّبت لعدم وجود أيّ كتاب عن الفنون التشكيليّة أو عن الرّسم، في بيت رسّام، تضمّ مكتبته كتبًا متعدّدة الاهتمامات، تتناول حياة بعض رجال التّاريخ والصّراع العربيّ الإسرائيليّ، وحتّى السّطوة العالميّة للشركات المتعدّدة الجنسيّة، وليس للإبداع مكان فيها، سوى في رفّ سفليّ، تمتدّ على طوله كتب صغيرة للجيب، ضمن سلسلة الشّعر الفرنسي المعاصر، بينها كتاب «أزهار الشرّ» لبودلير و«المركب الثمل» لرامبو.. وآخر لجان كوكتو وشعراء آخرين.

كنت أتصفّح بعضها بفضول، عندما وقعت على كتاب لهنري
ميشو «أعمدة الزّاوية». وهو كتاب لم يحدث أن قرأته أو سمعت به،
رغم أنّني أحببت في زمن بعيد هذا الشّاعر.

لا أدري أيّ مصادفة قادتني إلى ذلك الكتاب بالذّات. فقد كان،
بين ما تصفّحته من كتب، هو الوحيد الذي وضع عليه هذا الرّجل
بعض ملاحظاته، وإضافات أو إشارات إلى مقاطع دون غيرها.

شعرت وأنا أتصفّحه أنّني وقعت على المفتاح الذي يفتح سرّ
هذا الرّجل.

وصدّقت تمامًا مقولة رولان بارت. فإذا كانت صيدليّة بيتنا تفضح
للآخرين أمراضنا، فإنّ مكتبتنا قد تقول لهم أكثر ممّا نريد أن يعرفوه عنّا،
وخاصّة إذا وقعوا على كتاب شاركنا في مواصلة كتابته على الهامش.

كنت ما أزال أتصفّحه عندما عاد محمّلاً بالقهوة.

سألته:

- أيمكنني أن أستعير منك هذا الكتاب؟

قال دون أن يكلّف نفسه مشقّة سؤالي عن عنوانه.

- طبعًا!

واصل وهو يضع القهوة على الطاولة:

- طلباتك متواضعة. كنت أريد لك طلبات أجمل!

أجبته وأنا أعيد الكتب الأخرى إلى الرفّ:

- أكتفي بالمتواضعة.. الأجمل لا تطلب!

قال وكأنّه يتدارك خطأً:

- الأجمل يأتي دائمًا متأخّرًا.. يا سيّدتي!

كان صوته ملامسًا لمسمعي. ما كدت ألتفت خلفي حتّى
وجدتني على حافة جسده. بيننا مسافة أنفاس وقبلة. ولكنّه لم
يقبّلني. امتدّت يده اليمنى نحو شعري، تلامسه مرورًا بعنقي ببطء

وعبث مثير. ثمّ انزلقت نحو أذنيّ، تخلع عنهما الواحدة بعد الأخرى قرطيهما.

وضع القرطين على رفّ المكتبة، بتلقائيّة من تعوّد أن يخلع عن امرأة أشياءها الصغيرة. وكأنّه كان يهيّئني لطقوسٍ عشقيّة. ثمّ راحت شفتاه تبدآن حيث توقّفت يداه.

ها هما تعبرانني ببطء متعمّد. على مسافة مدروسة للإثارة، تمرّان بمحاذاة شفتيّ، دون أن تقبّلاهما تمامًا. تنزلقان نحو عنقي، دون أن تقبّلاه حقًّا، ثمّ تعاودان صعودهما بالبطء المتعمّد نفسه. وكأنّه كان يقبّلني بأنفاسه لا أكثر.

هو يعرف كيف يلامس أنثى. تمامًا كما يعرف ملامسة الكلمات، بالاشتعال المستتر نفسه. يحتضنني من الخلف، كما يحتضن جملة هاربة بشيء من الكسل الكاذب. فأبقى متّكئة على الجدار حيث استدرجني منذ البدء، وقد خدّرتني زوبعة اللّذّة، دون أن أسأل نفسي. ماذا تراه فاعلاً بي؟ تراه يرسم بشفتيه جسدي؟ أم يرسم قدري؟ تراه يملي عليّ نصّي القادم؟ أم تراه يلغي لغتي؟

هذا الرّجل الذي يكتبني ويمحوني بقبلة واحدة، أو حتّى من دون أن يقبّلني، كيف أقاومه وهو يعبر بشفتيه الممرّات السرّيّة للرّغبة، ثمّ يجتاحني بشراسة مفاجئة، يلتهم شفتيّ مبتلعًا كلّ ما كنت سأقوله له؟

أكتشف أنّه بدأ الآن فقط بتقبيلي. ممسكًا بي من شعري المنفلت في يده، خالطًا ريقي الممتزج بريقه.. مثيرًا عرقي الذي يطغى الآن على عطره، قاطعًا أنفاسي التي ضاعت في فمه، حتّى لكأنّني أتنفّس منه ومعه.

كنت أتمنّى لو ضمّني إليه كي يمنعني من السقوط. ولكنه كان يتلذذ بانبهار أنوثتي به، حتّى إنه لم يستعمل لضمّي سوى ذراع واحدة. ثمّ كما في قبلة عنقودية.. راح يضع على عنقي قبلاً تنازليّة متدرّجة، متلاحقة، وكأنّه يضع نقاط انقطاع عند نهاية نصّ قد يعود إليه، ومضى.

رحت أستعيد أنفاسي. أتنبّه للثوب الذي أتصبّب تحته وأنا آراه يخلع جاكيته، يشعل سيجارة، ويجلس على تلك الأريكة لاحتساء قهوته. عاودتني أسئلتي.. وأنا أنظر إليه.

كما تقرأ غجريّة الكفّ، رحت أقرأ هيئته. بحدسي وحواسيّ فقط. لا يعنيني اللّحظة أن أكتشف ماضيه، بقدر ما يعنيني أن أطالع قدري مكتوبًا عليه، قدرًا متعب الشّفاه، فوضويّ الشّعر، كسول الكلمات، مربك اللّمسات، مباغت القبلات، متناقض الرّغبات، كرجل في الأربعين.

يسألني:

- فيمَ تفكّرين؟

أجيب:

- أحبّ الرّجال في الأربعين.

يبتسم.. يردّ:

- ولكنّني لست الرّجل الذي تتوهّمين!

يلقي برماد سيجارته في المنفضة. ويمدّ نحوي يده:

- تعالي.. اجلسي قريبًا منّي.

أتردّد بعض الشّيء قبل أن أعترف:

- إنّني أتصبّب عرقًا. أنا أرتدي هذه العباءة منذ ساعات .

أتوقّع أن يقول اخلعيها مثلًا. لكنّه يقول وهو يسحبني إلى جواره:

- أحبّ رائحتك.. لقد أحببت دائماً لغة جسدك.

ثم يواصل وكأنّه يطمئنني:

- إنّ جسدًا لا رائحة له.. هو جسد أخرس!

أقول وأنا أجلس على مقربة منه:

- أخاف أن يأتي يوم يصبح فيه جسدي أكثر بلاغة منّي!

يردّ:

- في جميع الحالات هو أكثر صدقًا منك.. فوحدها حواسُّنا لا تكذب.

يواصل:

- لكن العجيب.. أنّ لي إحساسًا ثابتًا بأنّني قابلتك في بيت آخر، وقبّلتك في زمن آخر، وأنّ هذه الرّائحة أعرفها من ضمّة أخرى، وهذا المذاق خبرته في قبلة أخرى.. كيف تفسّرين أنّ بإمكاننا أن ننسى الجسد الذي امتلكناه ولكنّنا لا ننسى الجسد الذي اشتهيناه.. ولم نمتلكه؟

طبعًا لم أكن أملك جوابًا لأسئلة كهذه، وخاصّة أنّني لم أكن أبادله الإحساس بأنّ هذا قد حدث في زمن سابق.

أكتفي بالقول:

- جميلة هي هذه الحالة العالية من الرّغبة. ثمّة بطولة ما، في البقاء على قيد الوفاء.. لِوَهْم!

ولكنّه وضع رجليه على الطّاولة المقابلة له وقال بشيء من السخريّة وهو ينفث دخانه بيننا:

- أيّ بطولة؟ ما زلت تأخذين الحياة مأخذ الأدب، لأنّ النّاس يحبّون القصص التي تنتهي بخيبة، والتي تكثر فيها المبادئ، ويصمد فيها «البطل» حتّى الصّفحة الأخيرة، لأنّهم في الحياة عاجزون عن الصّمود إلى هذا الحدّ..

وأضاف:

- انتهى زمن القضايا الجميلة. لقد خذلتنا البطولات في الحياة. فلتكن لنا في الرّوايات بطولات أجمل. كلّ بطولات الفضيلة.. وكلّ انتصارات الحكمة، لا تساوي شيئًا أمام عظمة السّقوط في لحظة ضعف أمام من نحبّ. السّقوط عشقًا، هو أكثر انتصاراتنا ثباتًا!

يمسك بيدي وكأنّه يستوقفني يقول:

- هذه المرّة.. أريد لنا بطولات بسيطة وجميلة.. في متناول الجميع، كأن تكون لنا أطول قبلة في تاريخ الأدب الجزائريّ..

ثمّ يسألني أمام دهشتي:

- أتدرين بماذا فكّرت وأنا أقبّلك منذ قليل؟

قلت بفضول:

- بماذا؟

أجاب:

- فكّرت أنّ الحياة بدأت معنا في تقليد الأدب. كأنّ الحبّ أومأ لنا، لنواصل في الحياة، قبلة بدأناها في كتاب سابق.

كما في تلك الرّواية. ها نحن في موعدنا الأوّل نفسه. نواصل قبلة أمام المكتبة نفسها، وأنت تطالعين الكتب وتستعيرين أحدها.

أحبّ مصادفة هذه القبلة العابرة للكتب، العابرة لقصّتين. تصوّري روعة قبلة يبدأها رجل وهميّ في كتاب.. ويواصلها في الحياة رجل آخر، تطابق مع الأوّل حتّى لكأنّه يعرف مذاق شفتي هذه المرأة.

في زمن البطولات الخارقة، والصواريخ العابرة للقارّات والأقمار العابرة للكواكب.. قبلةٌ عابرة للزّمن، عابرة للرّوايات، تظلّ أهمّ إنجاز قد يفتخر به المرء.

أقول:

- جميل كلّ هذا.. ولكن لا أفهم لماذا تصرّ على تحطيم هذا الرّقم القياسيّ بالذّات. عادة يزهو الرّجال بتحطيم أرقام قياسيّة أخرى!

يضحك وكأنّ سؤالي فاجأه. يقول بعد شيء من الصّمت وكأنّه جمع كلماته استعدادًا لمرافعة:

- لأنّ القبلة هي الفعل العشقيّ الوحيد الذي تشترك فيه جميع حواسّنا. نحن في حاجة إلى حواسنا الخمس لتقبيل شخص. ولكن لسنا في حاجة إليها جميعها لنمارس الجنس. القبلة تفضحنا. لأنّها حالة عشقيّة محض، لا علاقة لها بالرّغبات الجنسيّة التي نشترك فيها مع كلّ الحيوانات.

ولـذا، نحن قد نمارس الحبّ مع شخص لا نشعر برغبة في تقبيله. وقد نكتفي بقبلة من امرأة تمنحنا شفتاها من الحمّى، ما تعجز أجساد كلّ النّساء عن منحنا إيّاه!

تعلو وجنتيّ حمرة مفاجئة. أرتبك لهذه الكلمات التي يتكهرب لها جسدي. ولكنّني لا أقول شيئًا، وكأنّني أصبحت فجأة أخرى.

يرفع عن وجهي خصلة أسدلها الارتباك. يقول:

- مارست الحبّ كثيرًا. ولكنّني الآن أنتبه أنّني لم أقبّل امرأة منذ زمن طويل، وأنّ عمر لذّتي توقّف على شفتيك عند الصفحة 172.

أوشك أن أسأله، عن أيّ كتاب يتحدّث؟ وكيف يذكر رقم الصّفحة بالتّحديد؟ ولكنّني لم أعد أجد لي صوتًا أضيف به شيئًا إلى ما قاله. فأقف وكأنّني أبحث عن جواب قد أعثر عليه واقفة.

قد يكون أساء فهمي. فقد نظر إلى ساعته وسألني:

- متى يحضر السّائق؟

أجبته:

- إنّه ينتظرني عند الخامسة.. في الشّارع الخلفي.

ردّ:

- أمامك ربع ساعة. أنصحك بالذّهاب.

لا أجادله في شيء. فأنا أعرف عادته في قطع موعدنا في لحظته الأجمل. كما ينقطع تيّار كهربائيّ أثناء احتفال.

أضاف وكأنّه انتبه لشؤونٍ أنساه إيّاها الحبّ:

- الوضع سيّئ، وقد تحدث مواجهات في السّاعات القليلة المقبلة بين المتظاهرين والجيش.

سألته كمن يبحث عن عذر للبقاء:

- لماذا اليوم؟ لماذا الآن؟

قال:

- لأنّ زعيم الإنقاذ خطب اليوم واصفًا الشاذلي بأنّه مسمار مزروع في كعب الجزائر لا بدّ من اقتلاعه، ولأنّ مسيرة من الملتحين تتوجّه نحو القصر الرئاسيّ مطالبة بتقديم تاريخ الانتخابات الرئاسيّة.

سألني وهو يرى اندهاشي لهذه الأخبار:

- ألا تستمعين إلى الإذاعة؟

قلت كمن يعتذر:

- لا مذياع حيث أنا، ولأنّك نصحتني بأن لا أطالع الجرائد. فأنا معزولة عن العالم منذ أسبوعين، في ذلك المصيف.

رحت على مرأى منه أجدّد هيئتي أمام مرآة. أضع من جديد ذلك الشال على رأسي.

أشياء حوله أحسدها. أتركها خلفي وأتّجه نحو الباب.

استوقفني حاملاً ذلك الكتاب. قال مازحًا وهو يمدّني به:

- يبدو لي الآن أيضًا أنّني أتطابق مع خالد في تلك الرّواية. ولكن لا خطر من إعارتك هذا الكتاب.. ما دام ليس ديوانًا لزياد!

عجبت لذاكرته، ولغمزته السّاخرة، وأدهشني أن يعرف إحدى رواياتي إلى هذا الحدّ.

قلت وأنا أطمئنه:

- لقد مات هنري ميشو منذ عدّة سنوات. ولا خطر عليك منه!

ردَّ مازحًا:

- لا أدري.. ولكنّني تعلّمت أن لا أطمئنّ إلى قراءاتك!

ضحكت.

تذكّرت أنّه في تلك الرّواية تستعير البطلة من خالد ديوان شعر لصديقه الفلسطينيّ زياد، الذي لا ينفكّ يحدّثها عنه وعن شعره بإعجاب، مطمئنًّا إلى وجوده في الجبهة. ثمّ يصادف أن يحضر زياد من لبنان لزيارة باريس لبضعة أيّام، فتقع البطلة في حبّ الشّاعر وتتخلّى عن الرّاوي، الذي خسرها منذ بدأت بقراءة ذلك الكتاب.

أمام الباب الذي ما زال مغلقًا على سرّنا، ضمّني إليه دون أن يقول شيئًا. وكأنّ ذلك الشّال الذي يغطّي رأسي أعادنا إلى خانة الغرباء.

افترقنا دون قبلة، دون سلام. كلمات قليلة فقط قالها وأنا أغادر البيت:

- أنتظر هاتفك.. اطلبيني حال وصولك لأطمئنّ إليك..

أجبت بصوت غائب:

- سأفعل..

توقّفت لأنظر إلى الباب وهو ينغلق خلفي، على لحظة مسروقة من شرعيّة القدر. ونزلت الدّرج بخطى سارق يرى في كلّ من يصادفه، عيونًا تشتبه في أمره. وهو نفسه يبدأ بالاشتباه في سعادته، وفي لذّة وقد مضت، لم تعد تستحقّ كلّ تلك المجازفة. وفي لحظة حبّ وقد

انتظرها طويلاً، وخطّط عدّة أيّام، وإذا بها في لحظة صغيرة، لا تتجاوز ما يستغرقه إغلاق باب من وقت، قد أصبحت خلفه.

أجل.. لا أتعس من عاشق يهبط الدّرج!

أعود إلى البيت، سالكة الطريق نفسه، ولكن بخوف أكثر، وحماسة أقلّ. تسكنني فسحة غامضة للفرح.. وأخرى للنّدم.

أن تخلو بنفسك ساعتين في سيّارة يقودها سائق عسكريّ يعود بك من موعد حبّ، سالكًا شوارع الغضب وأزقّة الموت، ليس سوى سقوط مفجع نحو الواقع، ووقت كافٍ للنّدم.

يساعدك في ذلك، زيّ التّقوى الذي تلبسه. وإذا به يلبسك. وإذا بك تفكّر ضدّ نفسك!

ولذا ما كدت أصل إلى البيت، حتّى أسرعت بخلع تلك العباءة، وأعدتها إلى صاحبتها. عساني أتصالح مع جسدي.

منذ قرن، لكي تستطيع الكتابة، تبنّت جورج صاند اسمًا رجاليًّا، وثيابًا رجاليّة. عاشت داخلها كامرأة. ولأنّ هذا لم يعد ممكنًا، فأنا أستعير كلّ مرّة ثياب امرأة أخرى، كي أواصل الكتابة داخلها.

الأدب يعلّمنا أن نستعير من الآخرين حيواتهم، قناعاتهم، وهيئتهم الخارجيّة. ولكن ليس السّطو على أشيائهم الحميمة هو الأصعب.

الأصعب عندما نغلق بعد ذلك دفاترنا، ونخلع ما ليس لنا، ونعود لنقيم في أجساد لم تعد تعرفنا، لكثرة ما ألبسناها ثيابًا لا تشبهها! أرتدي ثوب بيتي الصّيفيّ. وأجلس لأفكّر في ما حلّ بي.

اللّذّة كالألم. تجبرك على إعادة النّظر في حياتك، على مراجعة قناعاتك السّابقة، بل وقد تذهب بك حدّ سؤال جنونيّ: «ما جدوى حياتك بعدها؟».

ثمّة قُبل، إن لم تمت أثناءها، فأنت لست أهلاً لأن تعيش بعدها. وفي الحالتين تقع على اكتشاف مدهش: أنت لم تكن قد جئت إلى الحياة قبلها.

... كذلك الذي كان يتطاول على الموت، ويردّ ضاحكًا على خوفي عليه قائلاً: «إنّني في حاجة إلى أن أموت أحيانًا .. لأعي بعد ذلك أنّني ما زلت على قيد الحياة».

كنت عندما تأتيني الحياة بكلّ هذه المتعة، أخاف أن أعي أنّني كنت قبل ذلك في عداد الأموات.

قُبلة واحدة، وإذا بي أكتشف الحياة دفعة واحدة. وأكتشف حجم خسائري السّابقة.

كنت أودّ لو كان بإمكاني أن أملأ هذا الدّفتر الأسود. وأنا أصف فقط هذه اللّحظة الفاصلة بين عمرين. أن أوقفها. أن أحنّطها داخل الوقت.

أودّ لو كانت لي يدا النحّات الشهير رودان وموهبته، كي أخلّد عاشقين، توقّف بهما الزمن إلى الأبد في لحظة شغف، وهما منشغلان عن العالم، ومنصهران في قبلة من حجر.

لو كانت لي قدرة بروست في رائعته «البحث عن الزمن الضائع» على كتابة عشرين صفحة في وصف قبلة واحدة لا أكثر.

ألأنّ قبلة بروست لم تحدث حقًّا، وانتهت بعد طول السرد على خدّ الحبيبة، استطاع أن يصفها إلى ذلك الحدّ؟

ولأن رودان لم يكن وفيًّا تمامًا لكاميل كلوديل، النحّاتة التي أقامت معه علاقة عاصفة أوصلتها إلى مصحّ المجانين حيث ماتت، أراد منذ البدء أن يعوّض عن غيابها الحتميّ في محترفه وفي حياته، بتمثال مربك في عريه يخلّد به قبلة لن تتكرّر بينهما.

هل وعي الخذلان المبكر شرط إبداعيّ؟ والعودة بسلال فارغة وحدها يمكن أن تملأ كتابًا؟

الجواب عن هذا السّؤال لا يعنيني الآن.. وفي جميع الحالات أنا عاجزة عن الجواب عنه.

هذه الرّغبة التي تسكنني الآن تمنعني من التّفكير. تشعلني، تحرق أصابعي. تمنعني من الكتابة. بل ربّما كانت أرغمتني على الكتابة، لو لم يكن أمامي هذا الهاتف، الذي يمنحك بأرقام سحريّة وجبة حبّ فوريّة، تجعل من الحماقة الجلوس أمام ورقة لاستحضار حبيب بالكتابة!

أتّجه نحو الهاتف، لأطلب ذلك الرّجل. وأنا أفكّر في ما سبّبه هذا الجهاز من خسارة للأدب. فكم من نصوص جميلة.. وكم من رسائل حبّ لن تكتب، قتلتها كلمة «ألو»!

ولكن قبل أن أرفع السمّاعة، دقّ الهاتف وهزّني. كان زوجي على الخطّ. يحدث لكلمة «ألو» أن تقتل الوهم أيضًا!.

جمل عجلى نتبادلها، وكأنّنا نتحدّث على بعد قارّات، أو كأنّ الهاتف الذي يتحدّث منه ليس مدفوعًا من طرف الدولة.

فليكن! إنّه دائمًا على عجل. وربّما كانت الأحداث حوله هي التي تسرع، ما دام يأمرني بالعودة إلى قسنطينة، بعد غد، على متن الطائرة، لا في السيّارة، نظرًا إلى تدهور الوضع الأمنيّ في العاصمة.

أسأله ماذا أفعل بالسّائق. يقول:

- ليعد وحده بالسيّارة. بعد أن يوصلك أنت وفريدة إلى المطار. لقد حجزت لكما على الرّحلة الصباحيّة. السّاعة التاسعة والنّصف.

أغلق السمّاعة وأبقى للحظات جامدة.

كانت عودتي متوقّعة، نظرًا إلى حلول العيد بعد ثلاثة أيّام. ولكن كنت أتوقّع معجزةً ما، أو حادثًا طارئًا ما، يجعل زوجي يطلب منّي البقاء، إلى حين عودة أمّي من الحجّ. وهو ما سيمنحني فرصة لقاء ذلك الرّجل ولو مرّة أخرى.

فكرة الوقت الذي بدأ بمطاردتي جعلتني أستعجل في طلبه، وكأنّني أدخل فورًا في سباق مع الزّمن.

ستّة أرقام.. هاتف يدقّ دقّتين لا أكثر.. وصوت يردّ، وكأنّه هنا في انتظاري:

- هل وصلتِ بسلامة؟

- نعم.. وأنت؟

- لم أغادر البيت. فضّلت أن أستفيد من ذاكرة الأمكنة. رائحتك ما زلت تسكن هذا البيت. إنّها عقابك الجميل لي.

- لم أقصد ذلك..

- كان يمكن أن تفعلي، لو قرأت ما فعلت جوزفين بنابليون، عندما أجبرها على مغادرة القصر.

- ماذا فعلت؟

- رشّت بعطرها غرفته، بما يكفي لإبقائه خمسة عشر يومًا محاصرًا بها، رغم وجوده مع أخرى. وقبلها كانت كليوبترا ترشّ أشرعة باخرتها بعطرها، حتّى تترك خلفها خيطًا من العطر حيث حلّت.

أقول ضاحكة:

- حسنًا.. سأستفيد من هذه المعلومات للمرّة المقبلة.

ولكنّه يردّ بعد شيء من الصّمت:

- لن تكون هناك من مرّة مقبلة.

- لماذا؟

يردّ دون أن يؤثّر انفعالي في نبرة صوته:

- لأنّني مسافر غدًا..

- أنت ذاهب إلى قسنطينة؟

لا.. إلى فرنسا.

أصرخ من جديد بعجب:

- إلى فرنسا! وماذا ستفعل هناك؟

يجيب ضاحكًا:

- ما يفعله الآخرون عندما يسافرون إلى هناك.

- ولكنّك..

يقاطعني:

- ولكنّني لا أشبههم.. أليس هذا ما تعنينه؟ أنا كائن حبريّ أسافر بين دفاترك ومعك فقط. ومن قسنطينة إلى العاصمة.. لا أكثر. وليس من حقّي أن آخذ تذكرة سفر لشخص واحد.. ولوجهة ليست وجهتك.

يصمت ثمّ يواصل:

- ولكنّني لست البطل الذي تتوهّمين. أبطالك لا يمرضون، ولا يشيخون، وأنا متعب ومريض يا سيّدتي.

أقول بخوف مفاجئ:

- مِمَّ تعاني؟

يردّ متهكّمًا، كما لفرط حزنه:

- أعاني الوقوف.. لقد قضيت عمري واقفًا، لأنّني لا أحسن الجلوس على المبادئ.

لا أريد أن أتعمّق في فهم ما يقوله. سؤال واحد يعنيني:

- ومتى تعود؟

- لا أدري.. أنا رجل عابر.

- ولكنّني معنيّة بحياتك..

يجيب ساخرًا:

- أيّ حياتيَّ تعنيك؟

أصمت. لا أفهم ما يقصد.

يواصل:

- أنا لم أوفّق في حياتي. ولذا أصبحت أمنيتي أن أوفّق في موتي. أيمكن أن تهدي إليَّ موتًا جميلاً.. إذا ما خذلتني الحياة في المشهد الأخير؟

أصرخ:

- ما هذا الذي تقوله؟ لقد كنّا منذ ساعات قليلة سعيدين، نتحدّث عن الحبّ. ما الذي أوصلك إلى هذا التشاؤم؟

يضحك:

- ولكن لأنّ الحبّ يعنيك.. لا بّد أن يعنيك الموت أيضًا. فالحبّ كالموت. هما اللّغزان الكبيران في هذا العالم. كلاهما مطابق للآخر في غموضه.. في شراسته.. في مباغتته.. في عبثيّته.. وفي أسئلته.

نحن نأتي ونمضي، دون أن نعرف لماذا أحببنا هذا الشّخص دون آخر؟ ولماذا نموت اليوم دون يوم آخر؟ لماذا الآن؟ لماذا هنا؟ لماذا نحن دون غيرنا؟ ولهذا فإنّ الحبّ والموت يغذّيان وحدهما كلّ الأدب العالميّ. فخارج هذين الموضوعين، لا شيء يستحقّ الكتابة.

يستدرجني كلامه إلى حالة من التفكير. فأغرق في صمت يقطعه من جديد صوته:

- أتدرين بماذا فكّرت وأنا أقبّلك اليوم؟

- بماذا؟

- فكّرت.. أنّه إذا كانت كلّ القبل مثلنا تموت، فالأجمل أن نموت أثناء قبلة.

- عجيب.. هل تصدّق أنّني عندما عدت، كتبت على دفتري
«ثمّة قبل إن لم نمت أثناءها فنحن لسنا أهلاً للعيش بعدها».

يسجّل لحظة صمت وكأنّه يتعمّق في هذه الفكرة أو يتذوّقها.

ثمّ يقول:

- لقد أدركت وحدك.. أنّه دون ملامسة الموت، لا توجد حالة
حبّ شاهقة بما فيه الكفاية لتسمّي عشقًا.

أصمت. وكأنّني تلميذة تحاول أن تحفظ كلّ ما يلقّنها أستاذ، لا
برنامج دراسيًّا له عدا مزاجه المتقلّب، وعليها أن تستوعب في يوم واحد،
درسًا في الرّغبة، وثانيًا في الموت، وثالثًا في الحبّ، وآخر في فنّ التخلّي
عن امرأة، قبّلناها بكلّ ذلك الشغف.. ونغادرها بهذا القدر من اللاّمبالاة!

هذا كلّ ما علق في ذهني من هاتفه.

لا أذكر أنّه قال بعد ذلك كلمة حبّ معيّنة، أو أنّه ترك لي رقم
هاتف آخر، أو عنوانًا بالتحديد.

قال فقط، إنّه يحمل معه رائحة الوقت المسروق. وأضاف
معتذرًا أنّه يريد أن ينام ليستريح استعدادًا للسّفر.

وفهمت أنّه سيكون بإمكاني أن أطلبه غدًا، حين أستيقظ،
لنتحدّث مرّة أخيرة في هذه التفاصيل.

ولكن في اليوم التالي، كانت السّاعة السابعة صباحًا. كنت
أستيقظ من ليلة مضطربة، عندما طلبت ذلك الرّقم وأنا نصف نائمة.
كان الهاتف يدقّ بطريقة شبيهة بالبكاء.. ولم يكن ثمّة من أحد ليوقف
بكاءه على الطرف الآخر للذاكرة. إنها ملهاة الحبّ الدائمة التكرار.
الآن فقط، يمكن للصمت أن يبكي.

حتمًا

نأتي الحبّ متأخّرين قليلاً، متأخّرين دومًا.

نطرق قلبًا بحذر، كمن مسبقًا يعتذر، عن حبّ يجيء ليمضي.

بصيغ مغايرة، يعيد الحبّ نفسه، ببدايات شاهقة الأحلام.. وانحدارات مباغتة الألم. وعلينا أن نتعلّم كيف ننتظر أن يوصلنا سائق الحبّ الثمل إلى عناوين خيبتنا.

حتمًا.. نضج الحلم. ولكن الزّمن هو الذي لم يَسْتَوِ بعدُ. فما جدوى أن يبلغ القلب رشدًا سريعًا؟!

جاء العيد. ولقسنطينة عيد آخر.

أعود إليها. بقلب متعدّد الانكسارات. ها أنا أنهض من تحت أنقاض الحلم. أتنفّس من تحت ركام هائل من الأوهام.

وها هي تفاجئني بوجه لا أعرفه. وقد تراكمت فيها القمامة على امتداد الشّوارع بعد أن أضرب فيها عمّال البلديّة والتنظيفات الذين صادر الإسلاميّون شاحناتهم المخصّصة لنقل النفايات، لإرغامهم على الانضمام إلى الإضراب المفتوح.. ممّا جعل القطط هي المحتفلة الوحيدة بالعيد.

أستعجل العودة إلى بيتي. حيث أنا لا شيء يصلني سوى ضجيج المدينة التي تستعدّ لفرحها.. و«ثغاء» الخرفان التي تنتظر فجرًا موتها.

أكره الأعياد. وهذا العيد كان أكثر الأعياد حزنًا. كان عيد الغياب.

انتابني هذا الإحساس، وأنا أستيقظ ذلك الصباح، فلا أجد أحدًا في البيت لأعايده عدا الشغّالة. ولا أحد يمكن أن أطلبه على الهاتف، عدا زوجة عمّي أحمد التي زادني سماعها حزنًا، وأيقظ إحساسي بالذّنب تجاهها.

زوجي كان قد غادر البيت باكرًا. تحسّبًا لتظاهرات أو لأحداث طارئة قد تحدث بعد صلاة العيد. فريدة ذهبت كعادتها لقضاء العيد مع أهلها. «مّا» لم تكن قد عادت بعدُ من الحجّ.. وناصر لم يكن في البيت ليردّ على هاتفي. والخرفان نفسها، التي كانت في حديقة البيت، لم تعد هنا. ولم يبقَ منها سوى آثار دمٍ على الأرض، وجثّةٍ معلّقة يتسلّى جزّار بسلخ جلدها.

ماذا يفعل النّاس صباح عيد الأضحى غير الانقضاض على لحوم الخرفان سلخًا وتقطيعًا.. وتقسيمًا. فهنا لا يمكن لأحد أن يتصوّر عيد الأضحى دون أضحيّة. مهما كانت إمكانيّاته المادّيّة، أو نوع البيت الذي يسكنه. ولذا تعوّدت أن أراهم صباح العيد مسرعين جميعهم: الرّجال نحو الذّبائح.. والنّساء نحو المطابخ، يقسّمن أجزاء الشاة حسب حاجتهنّ ويتصدّقن بما زاد عنهنّ.

هذا العام أتوقّع أن تكون الحاجة إلى الصّدقات قد زادت، بعدما تجاوزت أسعار الخروف، عشرة آلاف دينار جزائريّ. وهو ما جعل أضحية العيد تفوق ثمن الإنسان نفسه، الذي لا يكلّف هذه الأيّام أكثر من رصاصة.

أطلب زوجي على الهاتف لأعايده. أشعر بأنّ هاتفي يفاجئه وربّما يسعده. أسأله إن كان أرسل شيئًا إلى بيت عمّي أحمد. يقول إنّه نسي ذلك، نظرًا إلى مشاغله. أجيبه أنّني سأتكفّل بالأمر. وقبل أن أواصل كلامي يدق في مكتبه هاتف آخر.. ويتوقّف بيننا الكلام.

أطلب من السّائق أن يأخذ نصف الشّاة إلى بيت ذلك المسكين. ثمّ ألحق به.. وأطلب منه أن يوصلني قبل ذلك إلى المقبرة.

لم يحدث إلّا نادرًا أن زرت قبر أبي صباح العيد. كنت أحبّ أن أذهب إليه وحدي. كما نذهب إلى موعد حبّ.

أكره أن أزوره في المناسبات. ربّما من كثرة ما تقاسمته مع الآخرين، كتلك المرّات التي أعبر فيها شارعًا أو مدرسة تحمل اسمه، فأشعر باليتم يجتاحني، ويكاد يغطّي على زهوي بحمل الاسم نفسه.

كان بيني وبين هذا الرّجل، الذي يقيم تحت هذا الرّخام، تواطؤ ما. ولذا صنعت له ضريحًا صغيرًا داخلي، لا علاقة له بوجاهة مقامه هنا، ضريحًا كان يكبر معي سنة بعد أخرى. وإذا به في غيابه، أكبر ممّا حولي من أحياء.

كنت أجلس إليه بين الحين والآخر، كما تجلس النّساء إلى ضريح الأولياء، يشكون همومهنّ، ويستنجدن ببركات الأموات على مصائب الحياة.

وأحيانًا، أغلق باب غرفتي، وأفتح له ذاكرة حزني وأخطائي. وأدعوه إلى الجلوس على طرف سريري. أقصّ عليه بعض ما حلّ بي. أستشيره، وأتوقّع أجوبته. وعندما لا يأتي جوابه، وتبقى صورته صامتة، أجهش بالبكاء.

أخاف أن أكون قلت له الكثير عنّي. أخاف أن لا أكون عند حسن ظنّه. فلا أصعب من أن نبقى عند حسن ظنّ الأموات.

اليوم أيضًا، ككلّ المرّات التي كان يضيق بي فيها القدر، وتخذلني الحياة، تقودني خطاي نحو هذا الشّبر من التراب، أنبش فيه عن جواب لأسئلتي الكثيرة.

ولكنّي هذه المرّة لم أعثر على جواب، بل عثرت على ناصر، وهو يهمّ بمغادرة المقبرة.

وممّا زاد من اندهاشي، أن لا تكون زيارة قبر أبي في الأعياد إحدى عاداته. بل نقلت لي أمّي منذ مدّة، أنّه أَفْتَى لها بأنّ زيارة القبور والأضرحة غير مستحبّة.

وكعادتي، لم أجادله في معتقداته، ولا في وجوده هنا، حيث لم أتوقّعه.. كالعادة. اكتفيت بإبداء اندهاشي لوجوده، وفرحتي بلقائه.

ولكنّني لم أمنع نفسي وأنا أقبّله، من أن أسأله عن مظهره الـذي بـدا لي قد تغيّر، دون أن أتمكّن مـن معرفة ما تغيّر فيه بالتحديد.

ردّ بشيء من السخرية:

- لقد فقدت كثيرًا من وزني في الفترة الأخيرة..

ثمّ أضاف:

- كي لا أفقد معتقداتي!

لم أفهم ما يعنيه. أجبته بلهجة فرحة:

- هذا أفضل.. أنت تبدو أكثر شبابًا هكذا..

أجاب بالسخرية نفسها:

- وواش اندير بشبوبيّتي..؟

هوذا كعادته، يستدرجني إلى موضوع لن يكون من السّهل الخوض فيه. كتلك المرّة التي طلبت منه فيها، منذ سنوات، أن يأخذ السّاعة الجداريّة لإصلاحها، لأنّها تتأخّر عدّة دقائق كلّ مرّة، ولكنّه ردّ هازئًا:

- روحي.. يا بنتي روحي، إحنا رانا عايشين متأخّرين على العالم بقرن. وإنت قاعدة عقاب السّاعة، تحسبي لي في الدراج والدّقائق. قرن كامل ما قلّقكش.. وقلّقوك الدقائق. حتّى الرّاجل إذا نديها لُو يموت بالضّحك... في هاذ البلاد.. النّاس ما يأخذولُو ساعة غير لمّا تحبس!

أتفادى الدخول معه في جدل سيهزمني فيه لا محالة. لأنّه يردّ على منطقي في الحياة، بمنطقه في معايشتها. وهو ما يجعل الحقّ دائمًا إلى جانبه.

أقول كمن يعتذر:

- كنت على سفر. ولم أعد سوى منذ يومين. طلبتك هذا الصّباح لأعايدك.. ولكنّني لم أجدك.

ردّ:

- أنا لا أقيم في البيت. كلّنا على سفر كما ترين، وحدهم الأموات أصبح لهم عنوانٌ ثابتٌ هذه الأيّام!

يواصل بعد شيء من الصّمت:

- لأنّه لم يعد لهم من شيء يخافون عليه.. أو يخافون منه.

أسأله مستفيدة من هذا السّياق:

- وممَّ أنت خائف؟

يردّ بثقة وكأنّي وجّهت إليه تهمة:

- من الله.. من الله وحده.

أردّ:

- كلّنا نخاف الله..

يجيب:

- كيف يخاف الله من يطيع أعداءه؟

أصمت. لا لأنّني لا أقدر على جوابه، ولكن لأنّني أجد جدلنا هذا، أمام مقبرةٍ ذاتَ عيد، ضربًا من الجنون. فنحن لم نأتِ هنا لنتناقش ولا لنتشاجر.

جئنا لنقرأ الفاتحة على قبر والدنا، وها هي ذي السياسة تطاردنا الآن في كلّ مكان، حتّى في أسرّتنا، وحتّى في دفاترنا، وحتّى في المقابر.

أقول:

- ناصر خويا.. النّاس تلتقي اليوم لتتعايد، وتتصالح، وتتسامح، وأنت لا أكاد أسلّم عليك حتّى تنفجر في وجهي.. كن أخي ولو صباح العيد.

يقول متذمّرًا:

- أيّ عيد؟ انظري حولك القبور، كلّها جديدة، كلّها طريّة، تستقبل كلّ يوم دفعة جديدة من الأبرياء.

- وما ذنبي أنا؟

- ذنبك.. أنّك تقتسمين مع الشّيطان بيته وسريره.

أردّ:

- لا أدري إن كان هذا الرّجل ملاكًا أو شيطانًا. لا أعتقد أنّه يختلف عن الآخرين، سوى بكونه ضابطًا ساميًا تقع على أكتافه مسؤوليّات الدّفاع عن الوطن، هذا الوطن الذي أؤمن به أكثر من إيماني بالملائكة.. والشياطين.

- ولا يزعجك أن يحتضنك بيدين ملطّختين بالدّم؟ بتعليمات منه يسجن الأبرياء، وتمتلئ هذه القبور. ما فائدة ما تعلّمته إذن، عن حرّيّة النّاس في اختيار مصيرهم؟

- ما تعلّمته لم يفدني في شيء. ولا حتّى في اختيار مصيري. فكيف تريد أن أقرّر مصير الآخرين؟ ثمّة أكثر من ستين حزبًا معترفًا بها رسميًا. ومهمّتها تمثيل الشّعب، والدّفاع عن اختياره. أمّا أنا فلا

يوجد حزب ليدافع عنّي. وحتّى أنت.. لم تسألني قبل اليوم عن رأيي في شيء، فلماذا تعجب أن لا يكون لي اليوم رأي؟

يصمت. وكأنّه لا يجد ما يقوله، أو لا يجد جدوى من الكلام. يستعيد لهجة أكثر حنانًا، ويقول وكأنّه يودعني سرًّا.

- حياة.. انخاف عليك.

أتمتم:

- من واش؟

يجيب:

- من كلّ شيء!

أردّ بالحنان نفسه:

- لقد خفت عليّ دائمًا من كلّ شيء.

يجيب:

- ولكن هذه المرّة أدري تمامًا ما أقول. اتركي هذا الرّجل، اطلبي منه الطّلاق ما دام ليس لك أطفال منه.

أبتسم ثمّ أضحك لكلامه.

يسألني عاتبًا:

- ما الذي يضحكك؟

أقول:

- تذكّرت «مّا» لو كانت هنا وسمعتك تنصحني بالطّلاق لجنّت. هي التي تعتبر زواجي بهذا الرّجل أكبر مفاخرها.

يردّ:

- لا تهتهمي بأمّي. إنّها تعيش حياة مستندة إلى حقيقة واحدة (الآخرين). في الواقع هي تستند إلى جدار من الوهم الكبير. استندي إلى الله في أيّ قرار تتّخذينه، فهو لن يخذلك.

أقول:

- لقد استندت إليه دائمًا.. وإلى هذا القبر. وقدري نتيجة هذا. وكنت أتمنّى أن تكون أنت أيضًا سندي. إنّك كلّ ما أملك في هذه الدّنيا. ولكن ها نحن كالغرباء نلتقي مصادفة في المقابر.. لا تطلبني ولا تزورني، وعندما أزورك لا أجدك.

يقاطعني بشيء من المرارة:

- ذات يوم.. لن تجدي صعوبة في العثور عليّ. سيكون لي أخيرًا عنوان ثابت هنا.

أصرخ:

- ما هذا الذي تقوله.. أجننت؟

يقاطعني:

- الموت أقرب إلينا ممّا تتوقّعين. أتريدين أن أدلّك على قبر لصديق، قُتل منذ أيّام دون مبرّر، سوى لأنّهم اشتبهوا في أمره، وهو يضع يده في جيبه ويوشك أن يخرج منها شيئًا، على مقربة من شرطيّ. عندما قتلوه، اكتشفوا أنّه لم يكن يحمل في جيبه شيئًا. تصوّري: الآن بإمكانك أن تموتي لا بسبب جريمة ارتكبتها، بل لأنّ هناك افتراضًا أن تكوني مجرمة. حَسَب المكان، أو الزمان، أو الهيئة التي يصادف أن تكوني عليها وقتها. أي إنّنا جميعًا متّهمون مفترضون. يكفي أن تتوافر فينا إحدى هذه المصادفات.. وتتطابق مع «أعراض إرهابيّة».

أقول:

- لا أظنّ أنّ أحدًا يحبّ إيذاء الآخر، أو قتله لمتعة القتل. ولكنّ كلّ واحد أصبح يعتقد أنّه إن لم يكن القاتل، فسيكون القتيل. إنّها قضيّة ثقة. لقد فقدنا الثّقة بعضنا ببعض. إنّه زمن الانجراف نحو الشرّ. يجب أن لا ننساق فيه إلى ركوب هذا القطار المجنون. الحياة جميلة يا ناصر، صدّقني.. يكفي أن نضع فيها شيئًا من الحبّ.

يصمت ناصر. ثمّ يحتضنني ويقول:

- أحيانًا أتمنّى أن أشبهك.

- وأنا أتمنّى دائمًا أن أشبهك. لقد باعدتنا الحياة أحيانًا. ولكن لن يفرّقنا شيء. أليس كذلك؟

يجيب:

- لا.. لن يحدث هذا.

يمشي خطوات، ثمّ يعود، وكأنّه تذكّر شيئًا، أو كأنّه قرّر أن يقول لي شيئًا، تردّد في قوله. يهمس:

- حاولي أن تأتي لزيارتنا في البيت خلال اليومين المقبلين. إنّ أمّي ستعود بعد غد من الحجّ. إنّني أنتظر عودتها لأسافر. وأودّ أن أودّعك قبل سفري.

أسأله دهشة:

- تسافر؟ إلى أين؟

- سأقول لك هذا في ما بعد. لا تخبري أحدًا بهذا الأمر.

ما يكاد يختفي حتّى أجلس منهارة عند أقدام ذلك القبر. ويفاجئني البكاء.

أيّ زمن هذا الذي أصبح فيه الإخوة، يلتقون مصادفة في المقابر صباح العيد. فيتشاجرون ويتصالحون على مسمع من الموتى. ثمّ يفترقون، دون أن يدروا متى سيكون لقاؤهم القادم... وفي أيّ عالم!

***

أنا التي ذهبت يومها أبحث عن أجوبة، عدت بأسئلة أكثر، بعد أن قضيت نصف نهاري في مواساة عائلة عمّي أحمد، والنّصف الآخر في مواساة نفسي، عن رجال لا يأتون إلّا ليرحلوا، ولا يسلّمون عليّ إلّا ليودّعوني. ولا يتحدّثون إليّ، إلّا ليضعوا الموت طرفًا ثالثًا بيننا.

أثمّة في هذا البلد، عدوى انتشرت بين الرّجال.. جعلتهم جميعهم يتكلّمون الكلام نفسه، ولا يحلمون سوى بالرّحيل؟

في المساء، جَلستُ لياقةً لأشارك زوجي العشاء. في الواقع، كنت قد قرّرت منذ أيّام أن لا آكل شيئًا من لحم تلك الخرفان، التي ظلّت رؤوسها ترتجف لعدّة أيّام، بسبب ما عانته من دوار البحر، لقضائها شهرًا ونصفًا، محشورة في الطبقات السفليّة لباخرة.

زوجي كان مرهقًا بدوره إلى درجة لم يلحظ معها غياب شهيّتي.

تبادلنا أحاديث عاديّة، عن أشياء عامّة دون تحديد. وما أنهى عشاءه حتّى رأيته يتّجه نحو غرفة النّوم ويخلع ثيابه، وكأنّه يخلع عبئًا كان يحمله طوال النّهار، ويلقي بنفسه على السّرير.

قلت له وأنا أعلّق ثيابه على المشجب:

- كنت أتمنّى لو قضيت هذا اليوم معي.. لا أفهم لماذا لا بدّ أن تقضي كلّ الأيّام في مكتبك.. حتّى الأعياد.

أجابني:

- إذا قضيت معك العيد، فمن يضمن الأمن في مدينة يتجاوز عدد طلاّبها في جامعة واحدة 23 ألف طالب. أمّا مساجدها فلا أحد يعرف عددها.. إنّها تنبت كلّ يوم..

قلت:

- كنت أقصد أنّنا لم نعد نلتقي أبدًا. حتّى العطل والأعياد، أصبحنا نقضيها كلّ على حدة.

أوصلني هذا السياق إلى ناصر. تذكّرته وتذكّرت حديثي معه. احتفظت بمشروع سفره لنفسي. ولكنّني وجدتني دون تفكير أخبر زوجي بلقائي به هذا الصباح في المقبرة، برغم علمي أنّ زوجي يتحاشى الحديث عنه، وكأنّه يبادله مشاعر الكراهية نفسها.

ولكنّه فاجأني هذه المرّة، وهو يقول بشيء من الارتياح:

- حسنٌ أن تكوني قد التقيت به..

ثمّ يضيف:

- كيف وجدته؟

أعجب لسؤاله.. أجيب:

- كالعادة.. ربّما نحف بعض الشّيء، ولكنّه بصحّة جيّدة.

يسألني:

- ألم يخبرك بشيء؟

أصمت. أرتبك. يذهب فكري إلى كلّ الاحتمالات. تراه يعلم بمشروع سفر ناصر؟ أكان هناك من يتنصّت أثناء حديثنا؟ ولكنني لم ألحظ أحدًا. وماذا لو كان يستدرجني ليعرف منّي ما يجهله؟

أجيب:

- لا.. لم يخبرني شيئًا، عدا أنّ أمّي عائدة، بعد غد من الحجّ.. كي أستعدّ لاستقبالها.

يسألني وهو يصلح من جلسته مستندًا إلى السّرير.

- ألم يخبرك أنّه اعْتُقِل؟

أصرخ دهشة:

- اعتقل؟ لماذا؟ ومتى حدث هذا؟!

- أثناء غيابك. لم أشأ أن أخبرك بذلك، حتّى لا أشغل بالك.

أصاب بحالة ذهول.

أهو منخرط في تنظيم خطر؟ هل وجدوا في حوزته وثائق أو أسلحة؟ ولكن من المؤكّد أنّهم لم يعثروا على حجّة كافية لإدانته، وإلّا لما أطلقوا سراحه.

أسأل:

- ماذا فعل؟

يجيب:

- إن كثيراً من الشبهات تدور حوله، لإقامته علاقات مع جهات أصولية..

أجيب بعصبية:

- ولكن.. أن يتعاطف مع هؤلاء، لا يعني أنّه إرهابيّ. لا يمكن لناصر أن يحمل السلاح ليقتل أحداً. أنا أعرف أخي.

يقاطعني بلهجة صارمة:

- إنّ أخاك يتكلّم كثيرًا. ولولا لسانه لوفّر عليّ وعليه كثيرًا من المتاعب. إنّه يعتقد أنّ الاسم الذي يحمله يمنحه حصانة، ويُعطيه حقّ شتم السّلطة وتحريض الآخرين. لقد تدخّلت هذه المرّة لإطلاق سراحه، ولكن لا يمكنني أن أفعل هذا دائمًا. نحن نعيش حالةً من التوتّر الأمنيّ يجب ألاّ يكون فيها استثناءات حتّى لأقرب النّاس إلينا.. يجب أن تشرحي له هذا!!

ماذا أشرح لناصر؟ أنا التي لم أتوقع أن خبر سجنه سيحرّك فيّ كلَّ ذلك الوَحْل.

تركت لزوجي فرصة استعراض قوّته أمامي، وإشعاري بأنّني مدينة له بالكثير.

لم تكن عندي رغبة في الدّخول معه في أيّ جدل، ولا كنت مستعدّة لأنْ أنهي يوم العيد بالتشاجر مع زوجي.. وقد بدأته بالاختلاف مع أخي.

رأيته فجأةً يغرق في نوم عميق. فلم أملك إلّا أن أنزلق جواره. وأحاول بدوري أن أنام، مذهولةً من أمري.

لا أدري كيف مات غضبي.

الآن فقط اكتشفت أنّه مات، وأنّني فقدت ذلك الحريق الجميل، الذي كثيرًا ما أشعل قلمي وأشعلني في وجه الآخرين.

أن لا تكون لك قدرة على الغضب، أو رغبة فيه، يعني أنّك غادرت شبابك لا غير. أو أنّ تلك الحرائق غادرتك خيبةً بعد أخرى. حتّى إنّك لم تعد تملك الحماس للجدل في شيء، ولا حتّى في قضايا كانت تبدو لك في السابق من الأهمّيّة، أو من المثاليّة، بحيث كنت مستعدًّا للموت من أجلها!

كانت عودة أمّي من الحجّ، هي كلّ ما يعنيني الآن. ولا أدري أيّ شعور بالتحديد جعلني أستعجل لقاءها: شوقي إليها؟ أم حاجتي إليها؟ أم رغبتي في لقاء ناصر، ومعرفة ما يخبّئ لي من مفاجآت؟

وأنا التي تعوّدت رؤية أمّي ذاهبة أو عائدة من الحجّ، لم يفاجئني جلوسها في الصالون بزيّها الأبيض، وغطاء رأسها الأبيض نفسه. بقدر ما فاجأني وجودها لمرّة دون حاشيتها من النّساء، اللاّتي يودّعنها ويستقبلنها في كلّ ذهاب وإياب.

ولذا سعدت بالانفراد بها.. وربّما الالتصاق بها، وكأنّني أسرق منها بعض بركاتها، قبل أن تعود امرأة عاديّة.

لا تكاد تراني حتّى تبادرني بالسّؤال:

- هيئتك لا تعجبني.. هل بك شيء؟

أردّ:

- لا.

تواصل:

- لم تستفيدي من سفرك إلى العاصمة.. لقد عدت أكثر شحوبًا.. ربّما البحر لا يناسبك.

أردّ:

- بلى هو يناسبني.. ولكن هذه المدينة هي التي تتعبني.

فتعود إلى حديثها عن الحجّ، وقد اطمأنّ بالها أخيرًا لعدم وجود مشاكل في غيابها.

تحكي عن الحرارة التي لا تطاق هذا العام في مكّة.. وعن الحجيج الّذين ماتوا دعسًا.. وعن الدينار الجزائريّ الّذي انهار.. وعن أسعار الذّهب التي ارتفعت.

أستوقفها:

- «مّا».. هل رفعت لي دعاءً هناك؟

تجيبني متعجّبة:

- طبعًا يا ابنتي.. إنّي أفعل هذا دائمًا..

أقاوم رغبة جارفة في البكاء، وكأنّني كنت أنتظرها لأنهار باكية. ولكنّني لا أفعل؛ أواصل الاستماع إليها تحكي.. وأنا سرًّا أبكي.

أثناء ذلك، تحضر إحدى الجارات، ثمّ نساء أخريات، فأتركها لهنّ، وأذهب نحو ناصر.. كعادتي.

أحبّ ناصر في صمته. في رجولته الموروثة من قامة أبي وملامحه. واليوم بالذّات يبدو لي أكبر من عمره.

أحسّه رجلاً فوق العقد، فوق الشّبهات. إنّه لا يشترك في شيء مع أولئك الذين وجدوا في الأصوليّة حلاً لكلّ عقدهم الرجاليّة، أو مشاكلهم الأرضيّة. ووجدوا في تطرّفهم ردًّا على عجز عاطفيّ.. أو انتقامًا لذاكرة طبقيّة أو تنفيسًا عن عقدة وطنيّة.

لقد اختار هذا الطريق تاركًا كلّ شيء خلفه، بينما لحق به الآخرون، لأنّهم لم يكونوا يملكون شيئًا ليخسروه!

كان بإمكانه الحصول على أيّ بنت، وأيّ وظيفة، وأيّ ثروة، ولم يفعل. ولا أدري أين كان يجد ثروته الداخليّة. ومع أيّ قضيّة تزوّج سرًّا. إلى أيّ بلد كان يهاجر كلّ يوم، وهو جالس يحتسي قهوته بتذمّر صامت، وأمّي تحثّه كلّ مرّة على الكسب، واغتنام الفرص التي تتاح له. وتستفزّه بمقارنة حياته بحياة من هم أدنى منه، ونجحوا في حياتهم؟

نجحوا في الحياة؟ في الواقع لا. هي تقصد من نجحوا في اختصار مشقّة الحياة، ناهبين البلاد حيث وُجدوا، شاهرين غنائمهم دون خجل، رافعين في بضع سنوات فيلّات شاهقة، تقف عند بابها سيّارات فخمة. وتسكنها امرأة تسافر إلى أوروبا في كل المناسبات لتجدّد خزانتها.

لم تكن تعي أنّها كانت تعمّق فيه الشعور بالخيبة، ولا تحثّه سوى على المزايدة عليها.

وكنت أراه يومًا بعد آخر يفقد صوته في الردّ عليها، ويفقد أناقته، وكأنّه أضرب عن الحياة وعن الأناقة، لأنّ الوطن لم يكن في أناقة أحلامه!

أكان يدخل هو أيضًا حزب الصّمت، ويخلع صوته، تمامًا كما خلع آخرون فجأة شعاراتهم، وحلقوا قناعاتهم، خوفًا من سجن يتربّص بالملتحين.

جاء زمن شفرات الحلاقة إذن – أخيرًا أصبحت متوافرة – نزلت الأسواق، مع نزول مفاجئ في القيم، وفي قيمة الإنسان. فهل هذا زمن الوطن التنازليّ؟

نزلت.. ومعها نزلت الشعارات على الجدران، تعلن بدء الزّمن الصّعب. وامتلأت السّجون بالملتحين.. وبأولئك الذين أُخِذوا خطأً بين نارين.. كما في كلّ حرب.

أسأله بنبرة منخفضة:

- أيجب حقًّا أن تسافر يا ناصر؟ وهل فكّرت في ما سيحدث لأمّي في غيابك؟

يجيب:

- إنّي أسافر كي أعود. ولكن إن بقيت فقد تخسرونني. أقول هذا الكلام لك. أمّا أمّي.. فسأغافلها وأمضي بخديعة جميلة نحو قدري. ستتحمّل غيابي أكثر من تحمّلها خبر سجني أو موتي.

- ولكن هل الخيارات محدودة حقًّا إلى هذا الحدّ؟

- طبعًا.. لقد انتهى ذلك الزّمن الوديع في خيباته. جاء زمن السّجون.. والموت المباغت.. والاغتيالات الملفّقة.

أقول:

- لقد أبلغني زوجي أنّك اعتُقلت أثناء غيابي.

يقاطعني:

- وأبلغك أيضًا أنّه تدخّل للإفراج عنّي.

- وهل هذا غير صحيح؟

- نعم.. ولكنّها مراوغة سياسيّة متعدّدة الأهداف. إنّه من جهة يجعلني مدينًا له بهذه الخدمة، ومن ناحية أخرى يثير حولي الشّبهات، ويجعل رفاقي يشكّون في مصداقيّة معاداتي للسّلطة، ما دمت لم أسجن سوى يومين ويبقَوْن هم هناك عدّة أشهر، وربّما سنوات. ثمّ.. إنْ يطلقوا سراحك فهذا لا يعني سوى بدء مشاكلك، خاصّة مذ بدأوا بإطلاق سراح كلّ من يزعجهم، كي يتمكّنوا بعد ذلك من قتله خارج السجن، تحت ستار الموت العشوائي. فماذا بقي لي من اختيار سوى الرّحيل؟

استمعت إليه، كمن لا يصدّق أمرًا لفرط غرابته، أو كمن يرفع الغطاء خطأً أمامك عن صندوق قمامة، دون أن يعتذر لك عن عفونة أحلامك.. التي كنت أودعتها مكانًا «آمنًا» سمّيته الوطن!

فجأة، لم تعد لي من رغبة سوى الهروب به إلى أيّ بلد آخر.. أو أيّ قارّة أو كوكب آخر، ريثما يمرّ قطار الجنون.

أنا التي لم أقتنع يومًا بمنطق رجل يتركني ويسافر. اقتنعت بمنطقه في مغادرة الوطن. ووجدتني ألفّق معه أكاذيب وحججًا، لإقناع أمّي بذلك.

عدت يومها محمّلةً بقُبَل ناصر.. وتعليماته. أمّا أمّي فقد حمّلتني بعض ما أحضرت لي من هدايا، وعلى رأسها «ماء زمزم»، الذي تعوّدت أن تأتيني به في كلّ حجّة، تحسّبًا لذلك اليوم الذي قد أحبل فيه.. وأستنجد به عندما أضع مولودي!

في انتظار ذلك، أنا حبلى بذلك الرّجل، إنّه الشّيء الوحيد الذي يكبر داخلي كلّ يوم. وإذا به يومًا بعد آخر يغطّي على رحيل ناصر، وعلى خيباتي الأخرى. ولا أفهم أن يستطيع هذا الرّجل أن يفعل بي كلّ هذا، وأن يواصل برغم كلّ ما يحدث حولي من مآسٍ، الإقامة داخلي، ومنعي من التركيز على أيّ شيء عداه.

أكثر من كلماته، علقت بي رائحته الممتزجة بعطرٍ ما، وبرائحة تبغٍ ما، وبرائحة عرقٍ ما، لتشكّل كلّها هذا الحضور الذي يوقظ حواسّي، والذي لا اسم له، أو ربّما كان اسمه: هو.

وأذكر أنّ ديدرو الذي وضع سلّمًا شبه أخلاقيّ للحواسّ، وصف النّظر بالأكثر سطحيّة، والسّمع بالحاسّة الأكثر غرورًا، والمذاق بالأكثر تطيّرًا، واللّمس بالأكثر عمقًا. وعندما وصل إلى الشمّ، جعله حاسّة الرّغبة،، أي حاسّة لا يمكن تصنيفها، لأنّها حاسّة يحكمها اللاشعور، لا المنطق.

المخيف مع هذا الرّجل، أنّه جعلني أكتشف حواسّي، أو على الأصحّ، خوفي النّسائيّ من هذه الحواسّ.

بل إنّه وضعني في حالة من فوضى الحواسّ أخاف أن يأتي يوم، لا أستطيع معها أن أصفه، أو أن أتعرّف إليه، بعد أن خرجت معرفتي به عن المنطق.

ولذا قرّرت يومًا التفرّغ لمطالعة ذلك الكتاب الذي أحضرته معي لهنري ميشو، والذي وضع جوار مقاطعه إشارات أو ملاحظات.

وكأنّني وقد فشلت في اكتشاف ذلك الرّجل في الحياة، رحت أحاول اكتشافه خارج سطوة حضوره، بهدوء من يطالع رجلاً في كتاب.

أن تعيش مأخوذًا بلغز شخص غامضٍ حدّ الإغراء، وحدّ الإزعاج أحيانًا، قد تكون فرصتك في كتابة رواية جميلة. هذا إن كنت روائيًّا.

أمّا إن كنت عاشقًا، فسيكون في لغزه عذابك ولعنتك. ذلك أنّ الحّب سيحوّلك رَجُلَ تحرٍّ، حتّى ليكاد يصبح التحرّي مهنتك الأخرى.

ككلّ عاشق، أنت تريد أن تعرف كلّ شيء عنه. تريد معرفة ماضيه وحاضره، وأسماء من أحبّ ومن أحبّوه، عناوين البيوت التي سكنها، والمدن التي زارها، والمهن التي مارسها، والأماكن التي يرتادها.

تطارده بالأسئلة لتعرف برجه، وهواياته، وانتماءاته.. حتّى إنّك قد تعود بكتاب من مكتبته، فقط لمتعة التجسّس على قراءاته!

إنّ في الحبّ كثيرًا من التلصّص والتجسّس والفضول. والأسئلة لا تزيدك إلّا تورّطًا عشقيًّا. وهنا تكمن مصيبة العشّاق!

سؤالي الأوّل كان، ما الذي أوصل هذا الرّجل إلى هنري ميشو؟ ولماذا اختار هذا الكتاب ليسجّل عليه خواطره؟ ولم أجد من جواب سوى كونه كان رسّامًا أيضًا.

وعندها أصبح السّؤال، كيف يمكن أن أفهم رجلاً من خلال شاعر هو نفسه غامض. حتّى إنّه كان شاعر الأسئلة التي لا تفضي سوى إلى أسئلة أخرى. وكلّ حياته كانت مبنيّة على الانتهاكات الدّائمة لوجاهة الحياة الظاهريّة. فقد ظلّ يرفض الجوائز الأدبيّة، ويرفض أن تؤخذ له صورٌ فوتوغرافيّة، ويرفض أن تصدر كتبه في طبعات شعبيّة، بل ظلّ يتمنّى لو أصدر من كلّ كتاب له خمس نسخ فقط. ولم يفارقه طوال حياته إحساس دائمٌ بالعبثيّة، يتّضح منذ الفكرة الأولى:

«في ردهة روحك، ظنًا منك أنّك تجعل من الآخرين خدمًا لك، تكون على الأرجح أنت من يتحوّل بالتدريج خادمًا. خادم من؟ خادم ماذا؟

إذن، فابحث، ابحث».

على هامشها كُتب: «لا تبحث.. ستضع ذكاءك في خدمة الجنون» ثمّ خاطرة أخرى:

«في غياب الشّمس تعلّم أن تنضج في الجليد»

وأضاف باللّون الأزرق أسفلها «أو في جريدة!».

ثمّ:

«إذا كنت الإنسان المقدم على فشل.. فلا تفشل كيفما كان»

وواصل القلم «أمّا إذا كنت مُقدمًا على الموت.. فلا تهتمّ!».

أن يطالع أحد هواجسك في كتاب، تركت عليه بعض آرائك، أو علّمت على بعض جمله، كأن يطالع شخصيّتك في حقيبة يدك، أو يتلصّص عليك من حيث لا تتوقّع.

الأشياء الحميمة، نكتبها ولا نقولها. فالكتابة اعتراف صامت. ولذا أشعر بشيء من الحرج أمام كتاب لم يكن مهيّأً لي.

بل لا أفهم، كيف تجرّأ ذلك الرّجل على إعارتي إيّاه دون تردّد. وإذا بي أقرأ الكتاب قراءتين، في وقت واحد.

أحبّ تلك النصوص التي تكتب بقلمين، والتي تشبه في وقعها تلك الموسيقى التي تعزف على البيانو بأربع أيدٍ، وبتناوب عازفين. كهذه الخاطرة التي تبدأ بعزف منفرد على إيقاع هنري ميشو:

«في استطاعتك أن تكون مطمئنًا. لا يزال فيك بعض نقاء. في حياة واحدة.. لم تستطع أن تدنّس كلّ شيء!».

ويدخل العازف الآخر، ليضيف بنوتة مفاجئة «أحقًّا؟».

أو هذه التي تأتي كما في عنف بيرليوز في سمفونيّته المدمّرة (La symphonie fantastique):

«ما الذي تهدمه عندما تكون هدمت ما أردت هدمه: السدّ المنيع لمعرفتك الخاصّة؟».

وتردّ أصابع واثقة.. بقلم أزرق «بل جدار اسمه الخوف».

ثم ينغلق البيانو. ويواصل القلم الأزرق بصمت، وضع سطر تحت أبيات وخواطر استوقفته.

«لا تتعجّل أخطاءك. لا تستخفّ بها وتعمل على إصلاحها.. إذ ما الذي تضعه مكانها؟».

أو

«لم ألبث أن انتبهت
أنّني لم أكن النمل فحسب
وإنّما كنت أيضًا طريقه»

أو

«النّوم في النهاية، هو أكثر خيباتك ثباتًا» وجوارها سؤال بالقلم بصيغة خيبة أكبر، تأتي كما لو أنّها الجملة الأولى في السمفونيَّة الخامسة لبيتهوفن: «والحبّ إذن؟».

ويصمتُ الأزرق.

قضيت أيّامًا في العودة إلى «أعمدة الزّاوية» من باب الفضول في البدء، ثمّ مأخوذة بتطابق هذين الرّجلين في كثير من الأشياء. كحبّهما للرّسم، وحبّهما للّون الأسود الذي كان غالبًا ما لا يرسم هنري ميشو إلّا به، أو عليه، لوحاته. إضافة إلى كراهيتهما المشتركة للأسماء وللأضواء، وهاجس الموت الذي يسكنهما معًا.

اكتشافي الآخر كان، أن هذا الرّجل يعمل في جريدة، وأنّ في حياته خيبة عاطفيّة كبرى، وأنّه يملك أسلوبًا على قدر كبير من السخرية، التي تخفي مرارة وذكاءً حادّين. وهو تمامًا.. النّوع الذي أعشقه من الرّجال.

ألأنّني كنت مسكونة بهاجس ناصر، وجدتني أيضًا أطالعه، وأعود إليه من بين فكرتين؟

ثمّة كتب تضعك أمام اكتشافات مذهلة. تكتشف فيها نفسك، ومساحات منك لم تكن تعرفها.

وأخرى شخصًا آخر، لم تكن تتوقّعه. بل إنّها قد تفضي بك من شخص إلى آخر. وها أنا أمام ناصر. حتّى بدا لي أنّ بعض الخواطر هو قائلها. كذلك البيت:

«لا اسم لي
اسمي تبذير للأسماء»

وهل كان ناصر عبد المولى إلّا تبذيرًا لحلمين ولاسمين: اسم جمال عبد النّاصر، واسم الطّاهر عبد المولى؟

كيف يمكن أن تولد أثناء حرب التحرير الجزائريّة، بتوقيت التواريخ الناصريّة دون أن تشعر في ما بعد، بأنّ سلسلة من المصادفات التاريخيّة، ستغيّر حتمًا تاريخ حياتك.

قبل أيّ خطاب سياسيّ، تفتّح وعي ناصر على اسمه، الذي كان نصفه منذورًا للقومية، والنّصف الآخر للذّاكرة الوطنيّة.

قبل أن يكبر، بالقدر الذي يسمح له بمتابعة الأخبار، أو بمطالعة جريدة، فتح عينيه على غياب والـده، وعلى الحضور الدّائم لعبد النّاصر، مبتسمًا ومحيّيًا في صورته الشّهيرة. ليس فقط لعدم وجود جهاز للتلفزيون في بيتنا في تلك الأيّام، ولكن لأنّها الصورة الوحيدة التي كانت في غربتنا، تزيّن غرفة متواضعة للاستقبال.

وأذكر تمامًا أنّ تلك الصّورة وصلتنا إلى منفانا بتونس، عن طريق صديق لوالدي كان يدعى سي عبد الحميد، وكان يتردّد علينا أثناء وجود والدي في الجبهة، محمّلاً بالهدايا وبمبلغ من المال، لا أدري إن كان منه أم بتكليف من الجبهة.

ذات مرّة زارنا، وراح يلاعب ناصر كعادته، ثمّ سأله «ماذا تريد أن أحضر لك؟» وإذا بناصر، ولم يتجاوز الرّابعة من عمره، يجيبه وكأنّه يطلب لعبة «جيب لي عبد النّاصر». وتروي أمّي أنّ سي عبد الحميد ظلّ مذهولاً للحظات قبل أن يجيبه بمنطق الأطفال «سآتي به في المرّة المقبلة».

ولأنّـه كـان يـتـردّد عـلى الـقـاهـرة لإجـراء بـعـض الـمـشـاورات السياسيّة، وكان أيضًا مسؤولاً عن متابعة شؤون الطّلبة الجزائريّين هناك، الذين كان من بينهم طالب لم يكن يدعى بعد هواري بومدين، فقد أحضر لنا مرّة صورة كبيرة لعبد النّاصر، مع جملة من الهدايا التذكاريّة.

منذ ذلك الحين، أصبح بإمكاننا في بعض الأمسيات أن نستمع من تونس إلى «صوت العرب من القاهرة» وهو يبثّ خطابات لجمال عبد النّاصر، وأناشيد عربيّة ملتهبة، ما زلت أحفظ بعضها، كما يحفظ الأطفال في ذلك العمر أناشيد تعلّموها في روضة، وعلقت بأذهانهم إلى الأبد، ثمّ ننام سعداء، دون حاجة إلى التلفزيون الذي لم نكن قد شاهدناه في حياتنا بعد.

لقد كنّا نتفرّج على العالم من شاشة جداريّة، مثبّتة عليها صورة عبد النّاصر، قبل أن يأتي يوم تجاور فيه صورة أبي على الجدار صورة عبد النّاصر، بحجم أصغر، ولكن بالحجم الكبير ذاته الذي نقلتها به الصّحافة وهي تعلن في صيف 1960 على صفحاتها الأولى، مقتل أحد

قادة الثّورة على أيدي المظلّيّين الفرنسيّين، بعد معركة ضارية في مدينة باتنة.

أذكر أنّني احتفظت أيّامًا بتلك الجريدة، كنت خلالها أفتحها بين الحين والآخر على الصّفحة الأولى، وأقضي وقتًا طويلاً في تأمّل ملامح أبي، كما توقّف عندها الزّمن إلى الأبد، قبل أن أفاجئ نفسي يومًا أقتطعها بمقصّ، وأقنع أمّي بوضعها هي، لا أيّ صورة أخرى في إطار، لتصبح هي الصّورة الثانية في بيتنا.

ربّما ولدت ولديّ يومها تلك الهواية السرّيّة، التي لم تأخذ بُعدها الموجع في حياتي، إلّا بعد أكثر من عشرين سنة، والتي استيقظت فجأة داخلي على أيّام الانتفاضة الفلسطينيّة، عندما بدأت أقضي وقتًا طويلاً في تأمّل صور الشّهداء، تلك التي درجوا على أخذها فرادى أو مجموعات للذكرى قبل أيّ عمليّة انتحاريّة، والتي كانت تنشرها الجرائد في اليوم التالي لتعلن استشهادهم. وكنت أنا أحتفظ بتلك الصفحة من الجريدة.. عمليّةً بعد أخرى. ثمّ لكثرتها، قرّرت أن أجمعها في كيس وأضعها بعيدًا عن متناول يدي.. ومتناول نظري، كي أرتاح.

وكنت قد نسيت أمر تينك الصورتين، اللّتين بعد انتقالنا من تونس إلى الجزائر، لم تعودا جزءًا من ديكور غرفة استقبالنا، التي أصبحت أكثر فخامة من أن تزيّنها صورتان في تلك البساطة، قبل أن أعثر عليهما مصادفة، منذ سنة تقريبًا، في غرفة صغيرة فوق سطح بيتنا، حيث تعوّدت أمّي أن تخبّئ أشياء تحتفظ بها، منظّمة ومرتّبة و«مدفونة» في حقائب وصناديق حديديّة، من ذلك النّوع الذي اندثر، مذ أصبح النّاس يسافرون على متن الطائرة، وأظن أنّ أمّي استعملتها لنقل حاجياتنا من تونس إلى الجزائر سنة 1962 غداة استقلال الجزائر.

أذكر أنّني عثرت على تينك الصورتين بفرح كبير، فقد أيقظتا فيّ شيئًا ما، أو زمنًا ما، لفرط بعده، ولفرط صغري، بدا لي كأنّه لم يكن.

كانتا ضمن أشياء أخرى تحتفظ أمّي بها هكذا، لكونها أهمّ من أن تُرمى، وأقلّ أهميّة من أن تشغل مكانًا في بيتنا.

تردّدت يومها في تركهما لغبار النسيان، وكأنّني لم أصادفهما. ثمّ تردّدت في أن آخذ واحدةً دون الأخرى. فقد كانتا ذاكرة لزمن واحد. حتّى إنّه لم يكن بإمكان ذاكرتي البصريّة أن تفصل إحداهما عن الأخرى. ولذا قرّرت أن آخذهما معًا إلى بيتي، حيث أصبح لهما مكان ثابت في مكتبي، أمام احتجاج أمّي ودهشة زوجي.

لم أشعر برغبة في تقديم أيّ شروح لأحد. فقد كانت تلك الذاكرة تخصّني وحدي، وربّما أنا وناصر لا غير.

ولكن ناصر أيضًا فاجأني بتعامله الصّامت مع تينك الصّورتين، وكأنّه لم يكن ثالثهما.

ولم أشأ أن أستدرجه إلى اعترافات طفوليّة قد يكون ألغاها منطق الرّجولة.

تأملت فقط صمته أمامهما، واستنتجت أنّه ربّما نسي ولعه الطّفوليّ بأحدهما، وولع الآخر الأبويّ به، وأنّه تركهما لي، ليصبحا قضيّتي وحدي.

ولكن هاجسي الأوّل ظلّ هو. فهو رحل منذ أكثر من شهر، وأمّي تطاردني بأسئلةٍ عنه، لا أجد لها جوابًا.

- لماذا ذهب إلى ألمانيا؟ النّاس يذهبون عادة إلى فرنسا.. أنا لم أسمع بأحد سافر إلى ألمانيا..

ولا أدري ماذا أقول لها. أنا نفسي لم أعرف بوجهته إلّا منذ أسبوع.

كان ذلك عندما حدّثني على الهاتف. وكنت أزور أمّي مصادفة. سألته إذا كان كلّ شيء كما يريد. أجاب: «الحمد لله» سألته إذا كان

له عنوان أو رقم هاتف نطلبه عليه فردّ أنّه سيتّصل بنا كلّما استطاع ذلك. فهمت أنّه لا يريد أن يقول شيئًا على الهاتف. ثمّ سألني إن كانت أمّي تقيم معي منذ سفره. أجبته أنّها تصرّ على البقاء في بيتها. قال «لا تتركيها كثيرًا بمفردها إذن..»، ثمّ أضاف للتأكيد «أرجوك..».

أمّي رفضت منذ البدء، فكرة الانتقال للعيش معي في انتظار عودة ناصر. فهي ترفض ذلّ الإقامة عند صهرها، وخاصّة أنّها تمتلك شقّة جميلة، وأنّها متعلّقة بكل أشيائها الصّغيرة.

ولكنّها، منذ ذلك الحين، أصبحت تزداد تعلّقًا بي، ولا تكفّ عن زيارتي، أو طلبي هاتفيًّا، واستشارتي في كلّ شيء، ومرافقتي إلى كلّ مكان، حتّى بدأت أشعر من فرط حاجتها إلي بأنّني أصبحت أنا أمّها.

وكنت أتفهّم حاجتها الدّائمة إلى حناني. فهي التي ترمّلت في سنّ العشرين، وتيتّمت قبل ذلك في طفولتها، لا تفهم أن تطاردها الحياة حتّى ذرّيّتها، وأن يكون قدرها أن تعيش بين ابنة عاقر.. وابن غائب.

وهكذا أصبحت أستمع برحابة صدر، إلى تذمّرها، وشكواها، وثرثرة أمومتها. ولا أملك إلّا أن أستسلم مكرهة لكلّ نزواتها.

حتّى إنّني قبلت أن أرافقها بعد ظهر اليوم إلى «الحمّام التّركيّ» برغم أنّني لم أكن أشاركها يومًا حماستها لطقوس النّظافة الأسبوعيّة، في هذا الحمّام الجماعيّ.

في الواقع كنت أتفهّم منطقها. الحمّام هو المكان الذي يمكن أن تلتقي فيه بكلّ نساء المدينة. ومثلهنّ يمكنها أن تثرثر وتحكي ما جدّ في حياتها، وتباهي بمشترياتها الجديدة، وصيغتها، وثيابها التي لم يرها رجل.

تمامًا كما كانت في زمنٍ مضى تستعرض أواني الحمّام الفاخرة، من طاسة فضّيّة، ومشط من العاج والفضّة بأسنان دقيقة، ومناشف فاخرة مطرّزة، و«صابون ريحة» مستورد، وعطور، ومستحضرات لإزالة

الشعر أو صبغه، وكثير من التفاصيل النسائيّة التي تعوّدت أن أراها في طفولتي مجموعة في سطل فاخر من الفضّة المنقوشة، موجود دائمًا في ركن من الخزانة، جاهز للاستعراض الأسبوعيّ.

بعد عشرين سنة، لم تتغيّر الأشياء كثيرًا، صحيح أن السطل فرغ من محتوياته، وانتقل الآن من خزانة أمّي إلى الصّالون، ليتحوّل وعاءً فاخرًا يحتوي نبتة خضراء تزيّن قاعة الجلوس. ولكنّ عقل أمّي لم يفرغ تمامًا من محتوياته.. ولا من عقليّته الأولى. لقد تأقلم فقط مع لوازم العصر. ولم يعد هناك من ضرورة الآن لتلك الحقيبة المبطّنة والمغلّفة من الدّاخل بالساتان السماويّ، الّتي كثيرًا ما احتكّ قماشها بأثواب أمّي الحميمة، وتمتّع بها أكثر ممّا تمتّع بملمسها رجل.

وأذكر أنّني، في طفولتي، كثيرًا ما كنت أفتح تلك الحقيقة خلسةً، كما نفتح صندوق عجائب، وأجلس على طرف السّرير، أحلم بذلك العالم النّسائيّ الذي لم أكن أعرفه بعد.

أتفرّج على أشياء أمّي الصّغيرة.. أحلم أن يكون لي يومًا جسد يشبه جسدها تمامًا، أملأ به كلّ تلك الأثواب الحميمة.

أحلم.. أحلم. ثمّ أغلق على جسد أمّي في حقيبة. أعيد الحقيبة إلى الخزانة. وأغادر مسرعة تلك الغرفة قبل أن تفاجئني أمّي الأخرى، تلك التي لا جسد لها.

هي ذي أمّي «الحاجّة» بجسدها الذي تغيّر منذ ذلك الحين، تسبقني كما في طفولتي، فألحق بها من قاعة إلى أخرى داخل الحمّام دون جدل.

في تلك القاعات المتفاوتة التدفئة، والتي تزداد حرارتها كلما اتّجهت نحو الأبعد، تصرّ أمّي على القاعة الثالثة، الأشدّ حرارة. ولا أجادلها، رغم كراهيتي لهذه القاعة بالذّات.

ألحق بها. أمشي رويـدًا رويـدًا على بلاط مائيّ، جاهز للتزلّج والتهشّم.

أذكر أنّني شاهدت يومًا امرأة، تقع هنا أمامي.. وهي ممسكة برضيع، فيفلت من يدها، ويسقط ليموت بعد ساعات في مستشفى.

أدخل قاعة، يتصاعد البخار فيها من البرك الجداريّة، ويعلو صراخ طفل هنا.. وضحكات نساء هناك.

أمام أوّل بركة، أجلس أرضًا، دون سؤال، أو بالأحرى بسؤال واحد:

لماذا منذ طفولتي الأولى، كنت أكره الجلوس في هذه القاعات العارية إلّا من البخار والماء، والتي لا تؤثّثها سوى أجساد نساء عاريات؟

تُرى احترامًا للأنوثة، التي كنت أتوقّعها أجمل من أجساد لم تعد لها من حدود، ولا تضاريس «طبيعيّة»؟

أم لأنّني منذ البدء، خلقت لأكون كائنًا من ورق وحبر، تلغيه هذه الكميّات الهائلة من الماء والبخار؟

تجلس أمّي في جواري. تضع أشياءها. أمّا أنا فلا أشياء لي، سوى ما تركته في الخارج من أثواب أحضرتها إكرامًا لها.. فيما لو التقينا بمن يعرفني.

تزعجني هذه الفكرة. فألفّ حول جسدي تلك الفوطة من جديد، وأعيد ربطها حول صدري تلقائيًّا.

ولكنّ صوت أمّي يباغتني، يعيد كلمات أعرفها تمامًا، لفرط ما سمعتها في هذا الحمّام نفسه، مذ أصبحت صبيّة تستحي من أنوثتها، وتختبئ داخل الفوطة بإصرار من يبعد عنه تهمة.

هنا أنت تتعلّمين من عيون الآخرين، كيف تنكرين جسدك، وتضطهدين رغباتك، وتتبرّئين من أنوثتك. فقد علّموك أن ليس الجنس وحده عيبًا، بل الأنوثة أيضًا.. وكلّ ما يشي بها ولو صمتًا.

تصرخ أمّي بي كعادتها «انزعي عنّا هذه الفوطة!» تقودني كلماتها إلى أسئلة جديدة.

تراها تظنّ جسدي أحد أملاكها الخاصّة، لأنّها أنجبتني؛ ومن حقّها إذن أن تستعرضه أيضًا على النّاس، كأحد إنجازاتها، واجدةً فيه عزاءً وتعويضًا عمّا آل إليه جسدها هي؟

فجأةً، وجدتني أعي أحد أسباب علاقتي المعقّدة البعيدة بهذا المكان.

ففي هذه المدينة التي ليس فيها أيّ مكان لما هو حميميّ وخاصّ، الحمّام هو المكان الذي تُنتهك فيه حرمة الجسد وحياؤه. تُسلّط عليه الأضواء، والنّظرات الفضوليّة للنّساء. تتتالى عليه الأيدي حكًّا ودلكًا وتشطيفًا، ساكبة عليه كمّيّات هائلة من الماء، وكأنّها تريد أن تطهّره من أنوثته.

فهل الأنوثة نجاسة؟ أم هل لهؤلاء النّساء اللاّتي يُولدن ويمتن غالبًا، دون أن يتعرّين تمامًا أمام رجل، علاقة شبقيّة ما بهذه الكمّيّات الهائلة من الماء، التي يسكبنها على أجسادهنّ سطلاً بعد آخر، ساعات بأكملها دون توقّف، بلذّة غامضة ما، وبانشغال تامّ بتفاصيلهنّ النسائيّة، وكأنّهنّ جئن هنا، ليكنّ على موعد مع أجسادهنّ لا غير؟ أم أنّ جميع النّساء، هنّ على اختلاف أجناسهنّ وأعمارهنّ، حفيدات «كليوبترا»، تلك الأنثى التي حكمت بلدًا في عظمة مصر، دون أن تغادر حمّامها تمامًا!

... وأنهنّ يعتقدن، عن صواب أو عن سذاجة، أنّهنّ بعد كلّ حمّام يعدن إلى بُيُوتهنّ ملكات، على عرش ليس سوى فراش الزّوجيّة، عرش سيحملن تاجه لبضع لحظات – في العتمة – ويعدن بعدها لحياتهنّ العاديّة.

العتمة..!

أكتشف الآن إحدى نعم العتمة. وأنا أتفرّج على أجساد مشوّهة الأنوثة، مترهّلة البطون، متدلّية الصّدور. وأفهم أن يكون الله، بحكمته تعالى، قد خلق العتمة – أيضًا – ليمنح كلّ مخلوقاته حقّ ممارسة الحبّ في الظلام.

وإلّا.. فمَنْ من الرّجال، مهما جمحت به رغبته الجنسيّة.. أو حالته المتقدّمة من السّكر، سيقدر على مضاجعة نساء على هذا الشّكل.. في عزّ النّهار؟

أحتفظ بتلك التعليقات لنفسي، تمامًا كما أحتفظ بتلك الفوطة حول جسدي، وكأنّني أرفض أن أختلط أو أُحْسب على هذا الرّهط من النّساء، اللاّتي تجلس كلّ واحدة منهنّ الآن في جوار بركة ماء، وحولها سيول سوداء، أو بلون الحنّاء، حسب الصّبغة التي وضعتها على شعرها، والتي تقوم الآن بغسلها، محوّلة هي وغيرها بلاط الحمّام، إلى «دانوب» متعدّد الألوان.

وفجأةً، تدخل الحمّام ثلاث نساء، متوسّطات العمر، متوسّطات الجمال، ولكن بإغراء وبمظهر «مميّز». فقد دخلن عاريات تمامًا. شاهراتٍ أنوثَتهنّ في وجه الجميع، بينما العادة هنا أن تدخل جميع النّساء بالفوطة، ولا يخلعنها إلّا وهنّ جالسات.

وفي لحظة، التفتت نحوهنّ الأعناق، وطاردتهنّ نظرات فضوليّة وأخرى شزرة من كلّ صوب.

أفهم من مسبّات أمّي ونعوتها لهنّ، أنّهنّ مومسات. مومسات؟ وهل ما زال في هذه المدينة مكان لمهنة كهذه..؟ عدا أرصفة بعض الشوارع القليلة الحركة، حيث يحدث لبعض البائسات أن يقفن.

تنقسم تلقائيًّا، قاعة الحمّام، إلى شطرين، النّساء «الشّريفات» من جهة، والنّساء «المشبوهات» في الطّرف الآخر.

الطرف الأوّل يلاحق الطّرف الثاني بالتعليقات.. والغمزات.. ونظرات الازدراء، التي مصدرها إحساس مفاجئ بفائض عفّة وشرف، بينما يتجاهل الثاني تمامًا وجود الطّرف الأوّل. وتتصرّف النّساء الثلاث، وكأنّهنّ بمفردهنّ، فيضحكن بصوت عالٍ، ويتغاسلن.. ويتغازلن استفزازًا للأخريات.

وجدت لذّة في وجودي الشاذّ بين طرفين، دون أن أنحاز أخلاقيًّا لأحدهما دون الآخر.

وربّما كنت سرًّا أتسلّى بكتابة بعض التعليقات في ذهني. هنا، وسط البخار والماء والشّهوة.. والنفاق النّسائيّ. فقد كنت على مسافة وسطيّة من العفّة.. والخطيئة. هناك حيث يقف الكاتب.. وحيث يقف أيّ إنسان طبيعيّ.

فأنا أدري أنّ كلّ إنسان عفيف، يحمل داخله قدرًا كافيًا من القذارة، قد تطفو يومًا، فتغرق حسناته، تمامًا كما أنّ في أعماق كلّ إنسان سيّئ، شعلة صغيرة للخير، ستضيء داخله يومًا، في اللّحظة التي يتوقّعها الأقلّ.

وأدري قبل كلّ هذا، أنّ بإمكان أيّ امرأة أن تغدو قدّيسة أو عاهرة في أيّ لحظة. لقد خلقت بالنّصفين معًا. ولكنّها كلّما انحازت إلى أحد نصفيها، تمادت في السخريّة والتشهير بالنّصف الآخر.

تهجم أمّي على ذراعيّ، وتبدأ بدلكهما وحكّهما بعدما نفد صبرها، رافضة أن تسلّمني إلى «طيّابة».

تواصل متحدّثة إليّ شتم أولئك «الفاجرات». تقول إنّ العائلات الكبيرة، تعوّدت أن تستأجر الحمّام وتحجزه مرّة في الأسبوع، لتدعو القريبات والصديقات على حسابها.

كلّ هذا، حتّى تضمن عدم اختلاطها بالغرباء، وبهذه النّماذج التي هجمت على قسنطينة فانتهكت حرمتها، وأهانت أهلها.

لا أجيب. أتظاهر بالاستماع فقط.

فقد كنت مشغولة عنها، بمقولة لساشا غيتري: «ليس هناك من نساء غير شريفات.. وأخريات شريفات. ثمّة فقط، نساء غير شريفات.. وأخريات قبيحات!».

يومها غادرت الحمّام، دون أن يغادرني ساشا غيتري تمامًا، حتى إنّني عدت إلى البيت عصرًا تحت المطر، وأنا أستعيد إحدى مقولاته السّاخرة: «لا تمارس الحبّ مساء السّبت.. إذ ما الذي تفعله لو أمطرت السّماء صباح الأحد؟».

وهي غمزة ساخرة، عن الأزواج الذين يمارسون الحبّ عن ضجر جسديّ مساء السّبت، ثمّ لا يدرون بعدها، ماذا يفعلون بأنفسهم طوال الغد، عندما يبقون في البيت.. في يوم ممطر!

ورغم أنّه كان يوم سبت ممطرًا، فقد قرّرت أن أخالف ذلك المساء نصيحة ساشا غيتري، لكون السّبت ليس نهاية أسبوع عندنا بل بدايته. وبالتالي لن يكون زوجي هنا في الغد ليقاسمني ضجري، ولكوني عائدة من حمّام نسائيّ أشعل شهوتي، وبي رغبة في أن أهدي أنوثتي إلى رجل.

طبعًا.. لم أكن أدري أنّه يكفي أن أنوي الحب، كي تنقلب البلاد رأسًا على عقب. ولا توقّعت أنّ التاريخ سيهدي إلى الجزائر يومها إحدى مفاجآته، ولا أنّ الرئيس الشاذلي بن جديد، سيختار ذلك السّبت بالذّات، ليعلن في نشرة الثّامنة مساءً من ليلة 11 يناير 1992 استقالته، وحلّه البرلمان.. ومن ثمة دخول البلاد في متاهة دستوريّة.

لم أعتب على الشّاذلي بن جديد إهداره ليلتها رغبتي.

فقد أهدر قبلها سنوات بأكملها من رغبات شعب.

قطعًا

وحده الزّمن سيدلّك على الصّواب، عندما يفقد الآخرون صوابهم.

أمّا التّاريخ.. فلا تتوقّع في هذه الحالات أن يقول كلمته على عجل.

هو أيضًا ينتظر.

ثمانية وعشرون عامًا من الانتظار. وطائرة تحطّ على مطار. ورجل تجاوز الثانية والسّبعين من عمره، ينزل. يمشي على سجّاد أحمر، مذهولاً من أمره.

أكان بين الوطن والمنفى مسافة ساعة فقط؟ لماذا.. كان يلزمه إذن، ثمانية وعشرون عامًا ليقطعها؟!

رجل نحيف، ومستقيم، وفارع كما هو الحقّ، احدودب ظهره قليلاً، وخشنت يداه كثيرًا، وبانت عظام وجهه وعظام أصابعه.

قبل قليل.

قبل التّاريخ بقليل. كان اسمه محمد بوضياف. وكان يسكن في مدينة صغيرة بالمغرب. يدير بيديه اللّتين اخشوشنتا مصنعًا بسيطًا للآجُرّ. ويعيش بعيدًا عن كلّ عمل سياسيّ، سوى ذكريات ثورة تنكّرت له، وأخبار وطن حذف حكّامه اسمه حتّى من كتب التّاريخ المدرسيّة، كزعيم أشعل ذات نوفمبر سنة 1954 الشرارة الأولى للثّورة التحريريّة.

اللّحظة لم يعد له اسم.

مذ خطا على تراب الوطن، أصبح اسمه هو «التّاريخ».

أليس التّاريخ «هو ما يمنع المستقبل من أن يكون أيّ شيء»؟

الآن.. لم يعد له من عمر.

لقد أصبح له أخيرًا عمر أحلامه، تلك التي جاءت متأخّرة بجيلين وأكثر.

الآن.. في هذا العمر، هو يتعلّم المشي من جديد على تراب وطن، لم يمش عليه يومًا بحرّيّة ولا بأمان. فقد طاردته فرنسا فوقه أرضًا وجوًّا. ولم تجد من سبيل لإلقاء القبض عليه هو ورفاقه سوى خطف طائرتهم سنة 1956، وهي تعبر أجواء البحر الأبيض المتوسّط، في رحلة تقلّهم من المغرب نحو تونس، فحوّلت وجهتها نحو فرنسا، واقتادت بوضياف مع رفاقه الأربعة: أحمد بن بلّة وآيت أحمد ومحمد خير ورابح بطاطا، موثّقي الأيدي نحو معتقلاتها، أمام اندهاش العالم الذي لم يكن قد سمع بعد ببدعة خطف الطّائرات، وأمام غضب الشارع العربيّ وتظاهراته، الذي كان عبد النّاصر في السّنة نفسها قد ألهبه خطابات حماسيّة، وملأه عنفوانًا وغرورًا قوميًّا.

حتّى إنّ إذاعة صوت العرب من القاهرة لم يكن يلزمها أكثر من أيّام، لتخرج إلى العالم العربي بألحانٍ حماسيّة تطالب بإطلاق سراح الزّعماء الخمسة، أناشيد تلقّفتها أفواه أطفالنا، وحناجر رجالنا، وزغاريد نسائنا، فردّدنا معها:

«بسم الأحرار الخمسة حنردّ الثّار يا فرنسا..»

كنّا نبكي.

ووحده التّاريخ كان يضحك. فهو وحده كان يدري ما لم يكن يتوقّعه أحد.

فما كادت الجزائر تنال استقلالها، ويصبح «الزّعماء الخمسة» أحرارًا، حتّى أرسل بن بلّة وقد أصبح رئيسًا، من يقبض على رفيق نضاله محمد بوضياف، في حزيران 1963، وهو يغادر بيته. واقتيد بوضياف من مكان إلى مكان، حتّى انتهى به المطاف في معتقلات ضائعة في غياهب الصّحراء، حيث خبر رجل الثّورة الجزائريّة الأوّل، قبل غيره، مهانة أن يكون لك وطن، أقسى عليك من أعدائك.

وهو ما اكتشفه بعده بسنتين، بن بلّة نفسه، عندما جاءه بومدين ذات حزيران (أيضًا) من سنة 1965 فأزاحه عن السّلطة ورمى به في السّجن، ليخرج منه بعد خمسة عشر عامًا عجوزًا.

أما بوضياف الذي لم يطالب يومًا بالسّلطة، وإنّما رفض منذ البدء، أن يكون قد كافح ليحرّر وطنًا من الاستعمار، كي يسلّمه لدكتاتوريّة الحزب الواحد، فقد تساوى عنده الحاكمان.

يوم اختفى، لم يوجد من بين رفاقه أحد ليسأل أين ذهبوا به! كانوا مشغولين عنه باقتسام الوليمة.

فمضى بذلك القدر الهائل من الغياب، كما عاد بهذا القدر الهائل من الحضور.

تذكّروه، هكذا فجأة، بعد ثلاثين عامًا، وقد شبعوا وانتفخوا، وملأوا جيوبهم وأفرغوا جيوب الجزائر، وانسحبوا، تاركين لنا وطنًا مرهونًا لدى البنك الدوليّ – مع كثير من التمنّي – لعدّة أجيال فقط.

فقد كان الوحيد الذي ما زال على ذلك القدر من النّحافة.. والنزاهة.. ولم يجلس يومًا إلى طاولة الصّفقات المشبوهة للسّلطة.

كان لا بدّ من اسمه ليعيد الثّقة إلى شعب لم يعد يثق بشيء، ولا بأحد. وقد تناوب عليه حكمًا بعد آخر، علي باب والأربعون حراميًّا.

جاؤوا به. قالوا له الكلمات التي لم تصمد أمامها شيخوخته «الجزائر في حاجة إليك.. أنت الرّجل الذي سينقذها».

فقام العجوز. غسل يديه من طين الآجرّ، وذاكرته من الحقد. فقد آمن دائمًا بأنّه لا يمكن أن تبني شيئًا بالكراهية. وكان له قدرة مذهلة على الغفران، فاحتضن من نفوه ومضى نحو «وطنه».

فمنذ الأزل، لم يحدث أن نادته الجزائر ولم يستجب لندائها.

ها هوذا..

يرتدي بذلة لم يتوقّع أنّه سيرتديها لمناسبة كهذه.

يتعلّم المشي أمامنا. يتعلّم الابتسام لنا. يرفع يده اليمنى ليحيّينا بخجل، كمن يعتذر عن يدٍ لم تحمل يومًا سوى السّلاح.. والآجرّ، ولم تكن مهيّأة لمثل هذا الدّور.

ها هوذا.. بوضياف.

يأتينا مشيًا على الأقدام، مشيًا على الأحلام. فتخرج لاستقباله الأعلام الوطنيّة، وجيل لم يسمع باسمه قبل اليوم. ولكنّه يرى في قامته، تاريخ الجزائر في عظمتها الخرافيّة.

ها هوذا..

ليست أقدامه التي كانت تبوس تراب الوطن مع كلّ خطوة، إنّما تراب الجزائر، هو الذي كان يحتفي بخطاه، ويقبّل حذاءه.

فلا تملك القلوب إلّا أن تهتف: أيّها التّاريخ توقّف.. لقد جاءنا رجل من رجالك.

كان يوم 14 يناير 92 يومًا استثنائيًّا، حتّى في طقسه. فقد توقّفت فيه الأمطار التي هطلت قبل ذلك بغزارة، وجاء يوم مشمس. وكأنّ الطبيعة تطابقت مع مشاعر الجزائريّين، أو كأنّها أرادت أن تتواطأ مع التّاريخ، وتهدي إلى بوضياف يومه الأجمل.

طوال الظهيرة، تعلّقت عيون الجزائر بشاشة التلفزيون؛ الكلّ يريد أن يرى ويسمع هذا الرجل الذي دخل حزب الصّمت، منذ ثلاثين سنة. ماذا تراه سيقول؟

الكلّ يريد أن يقبّل، ولو بعينيه، هذا الذي يناديه رفاقه «سي الطيّب الوطنيّ» والذي تناديه قلوبنا اليوم «أبي».

فمنذ موت بومدين ونحن يتامى. نعاني إفلاسًا عاطفيًّا، يفوق إفلاس اقتصادنا، وعجزًا وطنيًّا في المحبّة، يفوق عجز ميزانيّتنا.

نحن نبحث عن رجل، له قامة عبد النّاصر، وكلمات بومدين، ونزاهة بوضياف؛ رجل في بساطة أهلنا، يمرّر يده على رؤوسنا، يربّت أكتافنا، يقول لنا أشياء بسيطة نصدّقها. يعدنا بأحلام بسيطة ندري أنّه سيحقّقها، يبكي أمامنا على كلّ من ماتوا، دون أن يحقّق في انتماءاتهم. يعتذر للأحياء عن موتاهم.. وللموتى عن اغتيال أحلامهم.

رجل منذ نزوله من الطّائرة يعلن الحرب على من سطوا على مستقبلنا، وبنوا وجاهتهم.. بإذلال وطن.

يقول «الجزائر قبل كلّ شيء» فيوقظ فينا الكبرياء.

وتصبح كلماته البسيطة شعارنا.

قطعًا.. منذ الأزل، كنّا ننتظر بوضياف، دون أن ندري. ولكن بوضياف، ماذا تراه كان ينتظر؟ هو الذي قال يومها لزوجته «كلّ هذه الحفاوة لن تمنعهم من اغتيالي.. فلا ثقة لي بهؤلاء».

وعندما سألته إن كان جاء إذن بنيّة الانتحار. أجابها كمن لا مفرّ له من قدر «إنّه الواجب.. كلّ أملي أن يمهلوني بعض الوقت».

***

في اليوم التالي استيقظت المدينة بمزاج جاهز للجدل. واستيقظتُ بمزاج جاهز للكتابة، وكأنّني لم أجد من طريقة للاحتفاء بعودة

بوضياف، سوى العودة إلى ذلك الدّفتر.

فتحته حيث توقّف بي الحبّ، وتوقّف بي الحبر، منذ أربعة أشهر، عند قبلة.

كانت نيّتي أن أكتب شيئًا عن الحاضر، أن أصف اندهاشي الجميل أمام بوضياف.

ولكن كانت عواطفي تلوي عنق قلمي نحو الماضي، وتوقظ داخلي رجلاً آخر، رجلاً لا أكاد أفتح هذا الدّفتر حتّى يحضر.

رجل قال لي «تمنّيت أن أموت وأنا أقبّلك. إذا كانت كلّ القبل تموت، فالأجمل أن نموت أثناء قبلة».

ورحل.

من وقتها، وأنا أغذّي الذاكرة بكلماته المحمومة، كي لا تنطفئ في انتظاره نيران الجسد.

أهي الرّغبة؟ أم حاجة إلى الكتابة؟ أم.. قدر يجعل دائمًا كلّ قصّة فرديّة، موازية لقصّة جماعيّة، لا ندري أيّهما تكتب الأخرى؟

وإلّا فما تفسير تلك المفاجأة التي كانت تنتظرني بعد ثلاثة أسابيع من عودة بوضياف؟

وإذا بي، أنا التي لم يفارقني هاجس اللّقاء به، في كلّ مكان ذهبت إليه أو مررت به، أعثر عليه حيث لم أتوقّعه، في بيتي، على صفحات جريدة مهملة.. ملقاة عند أقدام مكتب زوجي!

أحبّ تلك الهدايا التي تقدّمها لك الحياة، خارج المناسبات، فتقلب بمصادفة حياتك، حتّى تلك التي كهذه يرمي لك بها القدر أرضًا. فتنحني لالتقاطها ممنونًا، لأنّك تعثّرت دون قصد.. بالحبّ!

وماذا لو تعثّرت بشيء آخر؟ فلم يحدث للحبّ أن كان مجاورًا للسياسة إلى هذا الحدّ.

***

في صورة تذكاريّة تجمع بوضياف مع أعضاء من «التجمّع الوطني» أراه، ولا أكاد أصدّق عيني.

يتسمّر نظري عند وجهه بالذّات: هذه الملامح أعرفها تمامًا، وهذه النّظرة الغائبة، إنّها نفسها التي استوقفتني يوم خلع ذلك الرّجل نظارته السّوداء في موعدنا الأخير، ليقبّلني. وهذا الشّعر.. هذا الفم.. هذا الكلّ.. أعرفه. إنّه.. «هو»!

أعيد قراءة ذلك المقال المرافق للصّورة بعجل، ثمّ بتأنٍّ، كي أجد تفسيرًا لوجود هذا الرّجل هنا.

أفهم أنّ بوضياف قرّر إنشاء المجلس الوطنيّ الاستشاريّ، وهو تجمّع يضمّ عددًا كبيرًا من شرائح المجتمع الجزائريّ، معظمهم من المثقّفين والسياسيّين الجزائريّين المعروفين بنزاهتهم، وغيرتهم الوطنيّة. وغير المحسوبين على أيّ نظام سابق، كي يساعدوه في إخراج الجزائر من مأزقها السياسيّ والتشريعيّ.

أواصل قراءة المقال في الصّفحة الثالثة، التي تملأها عدّة صور، مرفقة ببطاقة تعريف بعض الأعضاء. فأعجب لنسبة الكتّاب والمثقّفين، الذي اختيروا ليكونوا أعضاءً في هذا المجلس. حتّى إنّ أحد الذين سيتناوبون على رئاسته، لَن يكون سوى الكاتب عبد الحميد بن هدوقة. وإنّ من أعضائه كثيرًا من المثقفات والأساتذة الجامعيّين والصحافيّين، في بلد لم يُسأل فيه المثقّفون ولا النّساء.. يومًا عن رأيهم.

أطالع كلّ الأسماء.. وكلّ المهن. ولا أعثر على أيّ رسّام بين كلّ هؤلاء، حتّى أكاد أقتنع بأنّ بي هوسًا، وأنّني أصبحت أرى صورته في

كلّ مكان، خاصّة أنّني أدري بوجوده في باريس، وتبدو لي مشاركته في تجمّع كهذا أمرًا مستبعدًا، إلّا إذا كان قد عاد من السّفر..

ثمّ تخطر في ذهني فكرة، وأجدها قادرة على أن تحسم شكوكي، فأتّجه نحو الهاتف وأطلب تلك الأرقام التي ما زالت يدي تحفظها عن ظهر قلب، أو قلبي عن ظهر يد.

كانت السّاعة التّاسعة صباحًا. لم أتساءل حتّى إذا كان الوقت مناسبًا، أو إذا كان ذلك الرّجل نفسه هو الذي سيردّ على الهاتف، بل إذا كانت تلك الأرقام التي كنت أطلبها بيد مرتبكة، وقلب يتضاعف نبضه.. صحيحة حقًّا.

فجأة أصبحت على عجل. لا وقت لي حتّى للتحقّق من صحّتها.

أريد أن أسمعه، أو أسمع على الأقلّ ذلك الهاتف وهو يرنّ في بيت عرفت فيه الحبّ، فيوقظ أثاثه، ويتحرّش بذاكرته.

ولكن في الدقّة الثانية رُفعت السمّاعة، وكاد قلبي معها يتوقّف عن النبض.

أوشك أن أقول شيئًا، ثمّ أنتظر أن يردّ أحد قبل أن أنطق.

بعد شيء من الصّمت، يأتي ذلك الصّوت الذي لم أعد أنتظره لفرط ما انتظرته.

تراه عرفني من أنفاسي كي يسأل دون مقدّمات:

- كيف أنت؟

أكاد لا أصدّق ما يحدث لي. أردّ:

- أأنت هنا؟

ثمّ أواصل بالاندهاش نفسه:

- كيف عرفتني؟

يجيب بسخريته المحبّبة:

- من صمتك.. الصّمت كلمة السرّ بيننا.

ولا أجد شيئًا أردّ به سوى كلمات محمومة.. أردّدها كيفما اتّفق كمن يهذي:

- اشتقتك.. كيف تخلّيت عنّي وسلّمتني إلى هذه المدينة المجنونة.. أريد أن أراك.. كيف أراك؟ أجبني. أتدري أنّ الحياة لا تساوي شيئًا دونك.. ماذا فعلت بي لأحبّك إلى هذا الحدّ؟

ولا يجيب بشيء، وكأنّ كلماتي لم تصله. يسألني فقط:

- من أين تتكلّمين؟

أجيب:

- من قسنطينة..

يواصل:

- من أيّ مكان بالذّات؟

أجيب:

- من البيت.

يرد:

- اطلبيني من مكان آخر.

أسأله:

- لماذا؟

لا يردّ.

أسأله:

- متى؟

يجيب:

- متى تشائين.. أنا باقٍ هذا الصّباح في البيت.

ويضع السمّاعة.

حدث كلّ هذا في دقائق. ولم يكن يلزمني أكثر من هذه الدّقائق لأعود تلك المرأة الأخرى التي كنتها قبل أشهر.

ها أنا أدخل الدوّامة نفسها من الفرح والخوف والترقّب والتفاؤل.. والتساؤل.

لماذا يعود هذا الرّجل دائمًا عندما أكفّ عن انتظاره؟ لماذا يأتي دائمًا بتوقيت الأحداث السياسيّة الكبرى؟ لماذا لم يعطني إشعارًا بوجوده، ما دام قد عاد من فرنسا؟ ولماذا يسألني من أيّ مكان بالتحديد أتحدّث إليه؟ ولماذا.. كما عَبْرَ نهر، يأخذني إليه دائمًا تيّار الرّغبة الجارف. يدحرجني من شلّالات شاهقة للجنون.. يمضي بي من شهقة إلى أخرى.. يجذبني عشقه حيث لا أدري.

جميل ما يحدث لي هذا الصّباح.

كأن تستيقظ من نوم شتويّ، تزيل ستائر نافذتك بكسل، وفضول من يريد أن يعرف ماذا حدث في العالم أثناء نومه. وإذا بالحبّ، يطالع جريدة على كرسيّ في حديقة بيته.. وينتظره!

بينك وبينه، لم يكن سوى زجاج النّافذة المبلّل.. وفصل.

وحيثما كنت، فستستيقظ حتمًا، على حبّ لا علاقة له بالفصول.

المطر لن يمنعني من مغادرة البيت، فلي هذا الصّباح نشرتي الجوّيّة الخاصّة. وهكذا في أقلّ من نصف ساعة، كنت قد ارتديت ثيابي.. وتهيّأت للخروج.

أمّي التي لم تتعوّد زياراتي الصباحيّة، فاجأها حضوري في ساعة قلّما أكون قد غادرت فيها السّرير.

ولكنّها راحت تستفيد من وجودي الذي لم تجد له من مبرّر عدا ضجري، واشتياقي إليها، كي تحجزني أمام فنجان قهوة، وتبدأ بسرد همومها ومتاعبها الصحّيّة.

استمعت إليها بما أوتيت من صبر، وبما أوتيت من ذكاء أيضًا.

فقد وجدت لمتاعبها حلاً فوريًّا على قياسي: أن نسافر معًا إلى العاصمة للاستجمام!

طبعًا، قبلت أمّي فكرتي بحماسة. فإضافةً إلى كلّ الأقارب والأصدقاء الذين بإمكانها زيارتهم هناك.. سيكون بإمكانها أن تحجزني معها في بيت واحد لعدّة أيّام. وهذا في حدّ ذاته، تسمّيه أمّي «تغيير جوّ»!

كان لهذا المشروع الذي ارتجلته توًّا مفعولٌ منشّط على أمّي، التي ذهبت نحو المطبخ، تعدّ غداءً يتناسب مع مفاجأة زيارتي.. ومفاجأة سفرنا.

أمّا أنا.. فاتّجهت نحو الهاتف بالتوتّر والفرحة نفسيهما.. لأطلب ذلك الرّقم.

وبالهدوء نفسه، عاد ذلك الصّوت نفسه يسأل:

- كيف أنتِ؟

أجبته كمن يحلم:

- الآن فقط بإمكاني أن أقول إنّني جيّدة.

- وكيف كنت من قبل؟

- كنت أعيش فراغًا في كلّ شيء.

- احذري الفراغ.. إنّه يصنع الرداءة.

- ولكنّه زمن رديء على كلّ حال.

- قد يصبح أجمل.. يكفي أن نثق بذلك.

- أنت نفسك سبق أن قلت إنّك لم تعد تثق بشيء.. أتذكر؟ قلت هذا في ذلك اليوم الذي التقينا فيه عند بائع الجرائد.

- أذكر.. ولكنّني أثق برجل. ولأنّه عاد، عادت ثقتي بالقدر.

أسأل:

- أعدت من أجله أم..؟

أصمت وكأنّني أمنحه فرصة اعتراف عاطفيّ ما.

ولكنّه يجيب متجاهلاً إيحائي:

- أجل.. عدت من أجله.

- وأنا..؟

يصمت قليلاً وكأنّه لم يتوقّع سؤالي ثمّ يقول:

- أنتِ..؟

ويغرق في صمت آخر.

أواصل:

- في ذلك اليوم الذي التقينا فيه عند بائع الجرائد. أتذكر؟ نصحتني أن لا أطالع الجرائد. ومنذ ذلك اليوم.. لم أطالع جريدة. ولو لم أتصفّح جريدة هذا الصّباح مصادفة، لما عرفت بوجودك هنا. أيُعقل أن تعود دون أن تعطيني علمًا بذلك؟

- ولكنّني فعلت.. أتعتقدين أنّك عثرت مصادفة على تلك الجريدة؟ لا شيء يحدث مصادفة حقًّا. ثمّة أشياء لفرط ما نريدها بإصرار وقوّة تحدث. حتّى يبدو لنا في ما بعد كأنّنا خطّطنا لها بطريقة أو بأخرى.

- ولكنّك تبدو فاتر العواطف.. غير مشتاق!

ردّ بنبرة ساخرة:

- بلى. أنا مشتاق وعندي لوعة.. ولكن.

- ولكن ماذا؟

- ولكن هاتفك في البيت مراقب.. وربّما هذا أيضًا. تحاشَيْ طلبي من البيت. أفضّل أن تأتي إلى العاصمة. سيكون ذلك أفضل.

أجبته بثقة امرأة:

- سآتي..

ثمّ أضفت قبل أن ينقطع الخطّ.

- حتمًا.

***

النّساء أيضًا كالشّعوب؛ إذا هنّ أردن الحياة فلا بدّ أن يستجيب القدر، حتّى إن كان الذي يتحكّم في أقدارهنّ ضابطاً كبيراً، أو دكتاتوراً صغيراً في هيئة زوج.

حتّى الآن، لا أدري كيف استطعت إقناع زوجي بفكرة سفري إلى العاصمة للاستجمام على شاطئ البحر، في عزّ الشّتاء!

وكيف لم يجد في سفر كهذا شبهةً ما.

أتذكّر تلك المقولة السّاخرة «ثمّة نوعان من الأغبياء: أولئك الّذين يشكّون في كلّ شيء، وأولئك الذين لا يشكّون في شيء!».

أمّا زوجي الذي يملك من التذاكي المهنيّ ما يجعله دائمًا على حذر، فقد بدأ حياته الزوجيّة معي، كأيّ عسكريّ، بالتجسّس والتحرّي والاشتباه في كلّ شيء.

ثمّ أمام غياب الأدلّة، أعطاني من الحرّيّة ما فاجأني، أو ربّما بقدر ما يلزمه من الوقت كي ينصرف عنّي إلى مهامّه، واثقًا من سطوة نجومه الكثيرة.. عليّ.

وهذه المرّة أيضًا، من الأرجح أنّه مشغول عنّي بالمستجدّات السياسيّة، ولا وقت له للتجسّس على مشاغلي النسائيّة، التي حتّى الآن، لم يكن فيها ما يستحقّ الإخفاء أو الحذر.

مشكلتي الآن مع «الآخرين»، أولئك الذين عوض التنصّت إلى الإرهابيّين.. يتنصّتون إلى هواتف العشّاق!

ساعة في طائرة، لا أكثر، وإذا بي أبتعد عن قيودي بمئات الكيلومترات، وأعود إلى ذلك البيت نفسه الذي جئته منذ أربعة أشهر مع فريدة.

بيت سمّيته بيت الحلم، فهنا كلّ شيء يصبح ممكنًا كما في الأحلام.

ما كدت أصل، وأضع شيئًا من الترتيب حولي حتّى أسرعت إلى الهاتف، وجاء ذلك الصوت بحرارة هذه المرّة يؤكّد لي أنّني لا أحلم.

- أخيرًا أنتِ.. لو تدرين كم افتقدتك.. سأراك غدًا.. أليس كذلك؟

كلمات، وسؤال لا أكثر، ويصبح العالم أجمل، وتصبح الأسئلة أكبر. ولكن لا وقت لي للإجابة عنها؛ مأخوذة أنا بهذه الحالة العشقيّة.. مأخوذة حدّ الأرق.

مقولة لبودلير منعتني من النوم.

«كلّ إنسان جدير بهذا الاسم، تجثم في صدره أفعى صفراء، تقول (لا) كلّما قال (أريد)».

قضيت ليلى في محاولة قتل تلك الأفعى.

اكتشفت قبل الفجر بقليل أنّ «لا» أفعى بسبعة رؤوس، وأنّك كلّما قتلتها، ظهرت لك «لا» أخرى، شاهرة في وجهك – لأسباب أخرى – أكثر من حرف نهي وتحذير.

وبرغم ذلك، غفوت وأنا أقرض تفّاحة الشهوة، على مرأى من رؤوسها.

لي موعد مع «نعم». وكلّ شيء داخلي يعيش على مزاج «نعم».

صباح «نعم» أيها العالم. صباح «نعم» أيها الحب.

يا كلّ الأشياء التي تصادفني، والتي أصبح اسمها «نعم».

يا كلّ الكون الذي يستيقظ جميلاً على غير عادته: من نقل إليك خبر «نعم»؟

أيَّتها الأغاني التي يردّدها المذياع هذا الصباح.. وكأنه يدري ما حلّ بي. أيتها الطرقات المشجّرة التي تمتد أشجارها حتى قلبي، أيَّتها

الطاولات التي تنتظر على رصيف شتويّ عشّاقها، أيَّتها الأسّرة غير المرتّبة، التي تنتظر في مدن «نعم» متعتها.

أيُّها الليل الذي مساؤه «ربّما»، صباحك «نعم». فكم كان مساؤك «لا» يا أيُّها المساء!

في اليوم التالي استيقظت من ليل تقاسمته مع بحر شتويّ هائج، وبدأته بصباح مفخّخ بأسئلة أمّي ومشاريعها.

ولكنّني نجحت في إحباط كلّ برامجها المشتركة بكذبة، وذهبت نحو مشروعي الأجمل.

انطلقت بي السيّارة ظهرًا، سالكة طريق الحبّ نفسه، الذي بدا لي أطول رغم سرعة السّائق، ورغم خلوّ الطُّرقات هذه المرّة، من حواجز التّفتيش.

شعرت بالاطمئنان، وأنا أرى الشّوارع قد عادت إلى حياتها الطبيعيّة، وفرغت من المتظاهرين، والملتحين، واختفت منها اللاّفتات، والهتافات.

ولذا، نزلت عند ساحة الأمير عبد القادر. وواصلت طريقي مشيًا على الأقدام.

رقم.. رقمان. بناية.. بنايتان. وطوابق أربعة أصعدها بسرعة سارقة، وبلهفة عاشقة.

شوق يركض بي.. قلب تسرع دقّاته، وباب ينفتح من دقّة واحدة، وينغلق خلفي.

باب يفصلني عن مدينة «لا» ويدخلني عالم «نعم».

رجل لا اسم له ينتظرني. يتأمّلني. يضمّني. وقبلة خلف باب مغلق توًّا على فرحتي تسمّرني بين عالمين.

يسألني وهو يراني ألتقط أنفاسي:

- هل وجدت صعوبة في الوصول إليّ هذه المرّة؟

وأجيب:

- الأصعب كلّ مرّة أن أجتاز هذا الباب..

ثمّ أواصل بعد شيء من الصّمت:

- دخولاً.. وخروجًا!

يردّ بشيء من السخرية:

- ابقي هنا إذن!

أرتمي متعبة على الأريكة. أقول:

- احجزني رهينة عندك.. أيمكنك هذا؟

يجيب ساخرًا:

- كلّنا رهائن.

- رهائن من؟

أتوقّع أن يقول «رهائن الحبّ».. ولكنّه يقول:

- رهائن الوطن..

أردّ بشيء من العصبيّة:

- أرجوك.. دعني من السياسة. أنا لست هنا لأحدّثك عن الوطن. أنت لا تعي كم أنا أجازف للوصول إليك.. فقط لأعيش لحظة حبّ.

- ولكن ليس ثمّة من حبّ خارج السياسة. ألم تفهمي هذا بعد؟

أصمت لأنّني لم أفهم. ولا أريد أن أفهم. لماذا تصبح السياسة طرفًا ثالثًا في كلّ علاقة؟

لماذا تنام في سرير الأزواج، وفي سرير العشّاق؟

لماذا تتناول معنا فطور الصّباح.. وكلّ وجبات النّهار، وترافقنا إلى زيارة الأحياء والأموات من أهلنا؟

لماذا تسبقنا إلى مدن الحلم، وحال وصولنا، تجلس معنا على الأريكة. ولماذا تبعث بقريب إلى الغربة، وتعود متى شاءت بمن نحبّ؟

أقول:

- ربّما كنت على حقّ.. في النّهاية السياسة هي التي عادت بك.

ثمّ أواصل:

- لحسن حظّ الحبّ.

- وماذا لو كان العكس؟

- لا أصدّق أن تكون قد عدت من أجلي..

- أنا لم أقل إنّني عدت من أجلك.. لنقل إنّني عدت كي نواصل كتابة الرّواية معًا.. أليس هذا الذي يعنيك؟

- ربّما.. ولكن لا أفهم أن يعنيك أنت إلى هذا الحدّ.

يضحك:

- طبعًا يعنيني.. لأنّني لا أريد أن أخلف نهايتي، أريد لنا نهاية جميلة.

- حقًّا؟

- طبعًا.. مهمّة هي النّهايات، في الكتب كما في الحياة.

أقاطعه:

- أتدري ما يعنيني الآن بالتحديد؟ يعنيني أن أعرف من تكون، ولا شيء غير هذا. منذ ذلك اليوم وأنا أشتري كلّ الجرائد، أتفحّص كلّ الصّور، أطالع كلّ المقابلات السياسيّة التي يُدلي بها أعضاء المجلس الوطنيّ. أعرف حياة الجميع. أقرأ تصريحاتهم جميعًا عن كلّ شيء، ولا أقرأ شيئًا لك.. لماذا؟

يردّ ساخرًا:

- لهم نياشين الكلام.. ولي بريق الصّمت.

- ولكن مع أيّ جهة أنت؟ إلى أيّ حزب تنتمي؟

يردّ:

- السؤال الحقيقيّ، هو عَمَّ أنت منشقّ، وليس إلى أيّ حزب تنتمي.

لا أملك إلّا أن أتّبع منطقه في قلب الأسئلة. أسأل:

- وعمَّ أنت منشقّ؟

يصمت وكأنّ السّؤال فاجأه. ثمّ يجيب:

- لي أكثر من جواب عن سؤال كهذا. لنقل إنّني منشقّ عن أحلامي. أنا الشّاهد الأخير يا سيّدتي على الأفول العربيّ. قضيت عمري على شرفة الخيبة، أتفرّج على غروب أحلامي وطنًا.. وطنًا، بما في ذلك وطني. أفهمت لماذا كان يجب أن لا أخلف نهايتي في هذه القصّة؟ تسألينني عن سرّ صمتي، أنا رجل كنت قبل مجيء بوضياف فارغًا بلا أحلام. كلّ أحلامي كانت خلفي.

- وأنا؟

- أنتِ؟

- أين تضعني في كلّ هذا؟

- أضعك تمامًا حيث أنتِ الآن.

- أي..؟

- أي على ورق. أحلامي معك، كمشاريعك معي، لا تتجاوز مساحة صفحة، حتّى عندما تكون هذه الصّفحة في حجم سرير. إنّه قدرنا.

هذا الرّجل يتقن الكلام، إلى درجة يمكنه معها أن يمرّ بمحاذاة كلّ الأسئلة، دون أن يعطيك جوابًا، أو هو يعطيك جوابًا عن سؤال لم تتوقّع أن يجيبك عنه اليوم بالذّات، وأنت تطرح عليه سؤالاً آخر.

وهكذا ها هو يجيبني عن سؤال كان يشغلني في البدء، بل كان سببًا لبدء هذه القصّة. يوم كان همّي أن أعرف لماذا دخل هذا الرّجل دير الصّمت، واختصر اللّغة حتّى لم تعد تتجاوز بضع كلمات تُراوح بين «حتمًا» و«قطعًا» و«طبعًا» و«دومًا» وكأنّ كلّ الحياة يمكن أن تُختصر بها.

لماذا حوّل العالم كلماتٍ قاطعةً، والحبّ كلماتٍ متقاطعةً، يصعب على أيّ امرأة أن تجاريه فيها أو تهزمه؟

وأنا التي دخلت معه هذه المبارزة اللّغويّة، ككاتبة تحترف الكلمات، وترفض أن يهزمها «بطل» في عقر دارها، وفي كتاب هي صاحبته، ها أنا أُهزم أمامه شوطًا بعد آخر، وأتورّط معه سؤالاً بعد آخر، بعدما أصبح كلّ سؤال يوصلني إلى أسئلة أخرى.

ومنذ البدء كنت أدري تمامًا أن الأسئلة تورُّطٌ عشقيّ. ولكن.. لم أكن أعرف أنّه، مع هذا الرّجل بالذّات، تصبح الأجوبة أيضًا انبهارًا لا يقلّ تورّطًا. أحبّ أجوبته، وأعترف بأنّني كثيرًا ما لا أفهم ما يعنيه بالتحديد. كثيرًا ما يبدو لي وكأنّه يحدّث امرأة غيري عن رجل آخر. ولكنّني أحبّ كلّ ما يقول، ربّما لأنّني مأخوذة بغموضه.

أقول وأنا أعبث بيده:

- أحبّك.. حرّرني قليلاً من عبوديّتك.

يحتضنني، ويسحبني نحوه قائلاً:

- الحبّ أن تسمحي لمن يحبّك بأن يجتاحك ويهزمك، ويسطو على كلّ شيء هو أنت. لا بأس أن تنهزمي قليلاً.. الحبّ حالة ضعف وليس حالة قوّة.

- ولكن..

- ولكن.. لأنّك لم تعي هذا، أنت تكرّرين خطأً سبق أن ارتكبته في كتاب سابق.

أريد أن أسأله متى حدث هذا، وفي أيّ كتاب، ولكن شفتيه تسرقان أسئلتي وتذهبان بي في قبلة مفاجئة.. كأجوبته، فأستسلم لاجتياح شفتيه لي. وكأنّني أريد أن أثبت له، مع كل مساحة تسقط تحت سطوة رجولته، كم أنا أحبّه.

في الواقع، لم أكن أملك القوّة، ولا الرّغبة في مقاومته. كنت أجد متعتي في اندهاشي به، وهو يضع مفاتيحه في الأقفال السرّيّة لجسدي.

في المتعة كلمة سرّ، وشيفرة جسديّة، تجعل من شخصٍ عبدًا لآخر دون علمه. وهذا الرّجل الذي لم يستعمل معي سوى شفتيه، مَنْ دلّه على متعتي، كي يسلك ممرّات سرّيّة للرّغبة، لم تعبرها شفتا رجل قبله؟

ثمّ فجأة وضع قبلتين متلاحقتين على فمي، كما يضع نقاط انقطاع بعد جملة مفتوحة، ونهض ليبحث عن علبة سجائر.

اغتنمت فرصة انشغاله، فاتّجهت نحو الحمّام كي أجدّد هيئتي.

تأمّلت دون اهتمام تفاصيل أشيائه الرّجاليّة، التي استوقفني منها على رفّ المغسلة، زجاجتا عطر من النّوع نفسه، إحداهما مفتوحة، والأخرى ما زالت مغلّفة بورقها الشفّاف.

سحبت تلك المفتوحة. ورحت أتأمّلها بفضول من وقع على سرّ.

تذكّرت كلّ تلك المرّات التي كنت سأسأله فيها «ما اسم عطرك يا سيّدي؟».

تذكّرت أيضًا أنّ قصّتي مع هذا الرّجل، وُلدت بسبب كلمة وعطر، وربّما بسبب هذا العطر وحده، الذي لولاه لما استدللت عليه.

كنت لا أزال ممسكة بتلك القارورة، عندما عبر الممرّ، متّجهًا نحو المطبخ.

سألته مازحة، وأنا أجرّب العطر على كفّي:

- ألأنّني أبديت إعجابي بعطرك، أصبحت تشتري منه قارورتين دفعة واحدة؟

ردّ ضاحكًا:

- لا.. لقد أحضرت معي هاتين القارورتين من فرنسا. كلّما سافرت أحضرت واحدة لي، وأخرى لصديقي عبد الحقّ. في الحقيقة، هو الذي جعلني أكتشفه. إنّه لا يستعمل غيره.

كنت على وشك أن أغادر الحمّام عندما عاد وكأنّه تذكّر شيئًا. ثمّ قال وهو يمدّني بتلك القارورة المغلقة:

- أعتذر، لأنّني لم أحضر لك شيئًا معي. لقد عدت على عجل. هل تسمحين لي بأن أهدي إليك هذا العطر؟ يقال إنّ المرأة تحبّ استعمال عطر الرّجل الذي تحبه.. ضعيه كلّما اشتقتِ إليّ.

قلت وأنا أتسلَّم منه تلك القارورة:

- لم أكن أعرف هذا.. تبدو لي الفكرة جميلة. ولكن أخاف أن تلزمني قارورة كلّ أسبوع إذا كان الأمر يتعلّق بالشّوق!

ثمّ أضفت مستدركة:

- وصديقك؟

أجاب:

- لا تهتمّي.. سأتدبّر أمره.

سعدت بتلك الهديّة. شعرت بأنّني أطوّق هذا الرّجل موعدًا بعد آخر. أتسلّل إلى عالمه الحميميّ من حيث لا يتوقّع، وأسطو على كلّ ما قد يدلّني عليه.

عدت إلى قاعة الجلوس. كان يدخّن بهدوء على الأريكة المقابلة لي، وكأنّه قرّر أن يتأمّلني، أو يتأمّل ما فعله بي في عمر قبلة.

أخفيت تلك القارورة في حقيبة يدي، بفرحة تشبه تلك التي أحسست بها يوم أخذت منه كتاب هنري ميشو.. عساني أكتشف أخيرًا من يكون.

وجدتني أقول له دون تفكير وأنا أعيد الحقيبة إلى مكانها:

- أتدري ما هو أجمل شيء يمكن أن تهديَهُ إليَّ؟

ردّ وهو يواصل تدخين سيجارته، واضعًا قدميه على طرف
الطاولة:

- ما هو..؟

قلت:

- الحقيقة! أيمكنك أن تهدي إليَّ الحقيقة؟ من حقّي أن أعرف
من تكون.

ردّ ساخرًا:

- أجِّلي خيبتك قليلاً!

واصلت بإصرار:

- ما اسمك؟ هل صعبٌ إلى هذا الحدّ أن تبوح لي باسمك؟

ردّ ضاحكًا:

- لا.. ولكن أيّ الاسمين يعنيك؟

قلت:

- وهل لك اسمان..؟ لماذا؟

ردّ:

- لأنّنا نعيش في عصر، حتّى الدّول والأنظمة والأحزاب، غيّرت
فيه أسماءها في ظرف سنوات قليلة، وبجرّة قلم، أي بما يعادل لحظة
من عمر التّاريخ. في روسيا وحدها ثمانٍ وعشرون مدينة غيّرت
أسماءها، بما فيها لينينغراد. ولماذا لا نستطيع، نحن الناس البسطاء،
أن نفعل ذلك عندما نغيّر معتقداتنا... أو عندما يطرأ على حياتنا ما
يغيّر مجراها؟

أتدرين.. تعجبني حكمة الصينيين، وذلك التقليد الجميل،
الذي يتّبعونه في اختيار اسم جديد لهم، في آخر حياتهم. كأنّهم، وقد
خبروا الحياة، أصبح بإمكانهم أن يختاروا اسمًا يناسبهم لحياة أخرى.
في النّهاية، إنّ الأسماء التي تشبهنا تهبنا إيّاها حياتنا. أمّا تلك التي

نأتي بها الحياة، فكثيرًا ما تجور علينا. لنقل إنّني أعجبت بهذه الفكرة، وقرّرت أن أكون رجلاً باسمين.

جوابه كالعادة، لا يحمل أيّ جواب، بل قدرة مدهشة على تحاشي الأسئلة.

ولكنّني لا أستسلم، بل أطارده بإصرار.

- أعطني أيّ اسم شئت. أريد اسمًا أناديك به.

يجيب بنبرة عاديّة:

- اسمي خالد بن طوبال.

أردّد مذهولة:

- خالد بن طوبال؟ ولكن..

يقاطعني:

- أدري.. إنّه اسم بطل في روايتك.. أعرف هذا ولكنّه أيضًا اسمي.. أجلس على طرف الأريكة. أتفرّج على رجل أتعرّف إليه، وأستعيد آخر، عرفته يومًا في كتاب سابق. كان أيضًا رسّامًا من قسنطينة. رجل أعرف كلّ شيء عنه، كما لو كان أنا، ولم تفصلني عنه سوى الرّجولة، وجسد شوّهت الحرب ذراعه اليسرى.

أيُعقل أن يكون هو؟ أتأمّله دون أن أصدّق هذا. أتوقّع أن يقول شيئًا. ولكنّه لا يفعل. يواصل تدخين سيجارته بالهدوء نفسه.

في لحظة ما أشعر بأنّني أقترب من الحقيقة، ولا يفصلني عنها سوى سؤال واحد: «هل خالد بن طوبال هو اسمه الأوّل أم اسمه الثاني؟».

والجواب عن هذا السّؤال سيكون مخيفًا وحاسمًا، لأنّه سيقلب كلّ مقاييس هذه العلاقة، ومعها هذه القصّة. ولذا تماديًا في الغموض والمراوغة.. لا أتوقّع أن يجيبني عنه بسهولة.

أسأله:

- هل هذا هو الاسم الذي يناديك به أصدقاؤك وزملاؤك في الشّغل؟

يردّ:

- طبعًا.. وهو أيضًا الاسم الذي أوقّع به مقالاتي.

ثمّ أمام دهشتي، يمدّني بجريدة على مقربة منه، ويدلّني على مقال سياسيّ يحمل توقيع خالد بن طوبال.

آخذ منه الجريدة غير مصدّقة لما أرى.

طبعًا، كنت قد توقّعت من مطالعتي لكتاب هنري ميشو أن يكون صحافيًّا. وأذكر تمامًا، ذلك البيت لهنري ميشو:

- «في انتظار الشّمس، تعلّم أن تنضج في الجليد»

الذي أضاف أسفله، بقلم أزرق «أو في جريدة»!.

ولكنّني لم أتوقّف طويلاً عند البيت الآخر:

«ليس لي اسم

اسمي تبذيرٌ للأسماء»

الذي وضع تحته سطرين، وكأنّه البيت الذي يشبهه الأكثر.

بقيت ممسكة بالجريدة، بينما واصل هو تدخين سيجارته متجاهلاً نظراتي. وربّما تماديًا في التجاهل، شغّل جهاز التلفزيون. وها هوذا يغرق في متابعة تحقيق إخباري حتّى يكاد ينسى وجودي معه.

كان التلفزيون يعرض تغطية مباشرة للجولة التي يقوم بها بوضياف في الوطن، لشرح مبادئ التجمّع الوطني. كان بوضياف يخطب ملوّحًا بيده:

«إنّ في هذا البلد مافيا ومسؤولين استحوذوا على أموال ليست لهم. أعدكم بإعلان حرب حقيقيّة على هؤلاء. إنّ العدالة ستدرس كلّ الملفّات. وستقوم بدورها. وإنّني أطلب من المواطنين أن يساعدوا العدالة في ذلك.. أن يكتبوا إليها.. ويزوّدوها بكلّ ما لديهم من معلومات..

لن يكون هناك بعد الآن من أحد فوق العدالة، العدالة ستطول الجميع. فمن حقّ الشعب أن يعرف الحقيقة. من حقّه أن يعرف أين ذهبت أموال هذا الوطن..».

كان لكلمات بوضياف المرتجلة، في ذلك النّقل المباشر، والتي ألهبت الحضور هتافات وزغاريد، ما جعل مزاج جلستنا يتغيّر بعض الشّيء، قبل أن يكسر ذلك الرّجل الصّمت بيننا.. ويتوجّه نحوي معلّقًا:

- لن يتركوه ينجز ما جاء من أجله.. أنا واثق من هذا..

لا أدري بالتحديد ماذا كان يعني. فقد كان ذهني ما يزال مشتّتًا، ولكنّني سألته بنيّة مدّ الحديث:

- لماذا؟

أجاب بلهجة تهكّميّة:

- لماذا؟ لأنّهم لم يأتوا به ليفتح الملفّات الملغومة، بل واجهة يواصلون خلفها حكم الوطن ونهبه. ولذا يقول المقرّبون منه، إنّه يغلق على نفسه ساعات طويلة في النّهار واللّيل. إنّه يبحث عن الحقيقة التي يريد أن يهديها إلى الشّعب بعد ثلاثة أشهر.. بمناسبة عيد الاستقلال.

ثمّ يواصل بعد شيء من الصّمت:

- تبحثين عن الحقيقة؟ الكلّ يبحث عن الحقيقة.. ولكنّ الكلّ يخافها. أتدرين لماذا؟

أتمتم:

- لماذا؟

يطفئ سيجارته في المنفضة ببطء، وكأنّه يسحقها. ثمّ يقف فجأة، ويشرع في فكّ أزرار قميصه الواحد تلو الآخر بيد واحدة.

أتذكّر أنّني لم أره يومًا يستعمل معي إلّا يده اليمنى. يذهلني هذا الاكتشاف المتأخّر، الذي يعيدني إلى ذلك البطل في روايتي.

وقبل أن أتمادى في تفكيري، أراه يلقي بقميصه على الأريكة المجاورة، ويواجهني بصدره العاري قائلاً، وكأنّه يواصل الحديث عن أمر آخر:

- لأنّ الحقيقة تعبّر عن نفسها دائمًا بشكل رديء!

ثمّ يتابع بعد شيء من الصّمت:

- وأحيانًا بشكل قاتل، حتّى عندما لا تتعدّى جريمتها قتل أوهامنا. أنتبه فجأة لذراعه اليسرى، التي تبدو مصابة بشلل يمنعها من الحركة، بينما تظهر أعلاها بعض التشويهات، وكأنّ عمليّة جراحيّة أجريت لها في موضعين أو ثلاثة، دون أيّ مراعاة جماليّة.

تنتابني قشعريرة، وحالة من الذّعر، ليس مصدرها ما أرى، بل خوفي من أن أكون قد بدأت أجنّ، ولم أعد أعرف الفاصل بين الكتابة والحياة.

... أو كأنّني حلمت يومًا بأنّ ما يحدث لي سيحدث، وها هوذا يحدث فعلاً، وإذا بي أمام رجل خلقته، وشوّهته بنفسي.

كنت أعي أنّه يختبرني، ويتابع وقع المفاجأة عليّ بحساسيّة مفرطة، فتداركت ارتباكي وقلت بنبرة صادقة:

- لا يعنيني ما تعتقده اللّحظة. ولكن ثق أنّني أحبّك كما أنت. وإلّا لما كنت خلقت رجلاً يشبهك، تمامًا لأعيش معه سنوات في كتاب.

ردّ ساخرًا:

- لقد مارست دائمًا بجدارة صلاحيّات الحبّ في التّدمير!

قلت:

- بل مارست صلاحيّات الكاتب في التخيّل ليس أكثر.

ردّ:

- كفّي عن التخيّل.. كلّ الذي أجهدت نفسك في خلقه.. قد سبقتك الحياة إليه، الإنجاز الوحيد بالنّسبة إلى كاتب، هو ما يتركه في كتابه من بياض.

كلّ صفحة بيضاء في كتاب، هي مساحة مسروقة من الحياة، لأنّها تصلح بداية لقصّة أخرى أو كتاب آخر. ومن هذا البياض جئتك.. لا ممّا تتوقّعينه أدبًا.

قلت متحاشيةً الدخول معه في جدل:

- لا يعنيني أن أعرف من أين جئتني.. كلّ ما أدريه أنّني أريدك.

ردّ ساخرًا:

- حقًّا.. توقّعت أنّك تريدين الحقيقة!

أجبته بشيء من العصبيّة:

- أيّ اعتراف تريد منّي بالتحديد؟

ردّ بالسخرية نفسها:

- أنا لا أريد منك أيّ اعتراف؛ يعنيني فقط أن تكوني صريحة مع نفسك، وتعترفي ولو لها، بأنّ ما يحدث بيننا كرجل وامرأة يعنيك بالدّرجة الأولى، وأنّ هذه القصّة من دونه لا تستحقّ مشقّة الكتابة.

- ثمّ؟

- ثمّ لا شيء.. عدا كونك تمرّين بمحاذاة هذه الحقيقة الكبرى، وتنشغلين بالبحث عن حقيقة أخرى، أقلّ أهمّيّة، تدور كلّها حول سؤال واحد «من أكون؟».

السّؤال الأهمّ في اعتقادي هو «لماذا أنتِ هنا؟».

حشرني في المربّع الأخير للاعتراف. ولم أجد ما أجيب به سوى:

- أنا هنا.. لأنّ واجبي ككاتبة هو البحث عن الحقيقة.. وكامرأة.. من الطّبيعي أن أبحث عن الحبّ. ولكنّني معك لم أعد أحسن التمييز بينهما.

ردّ بنبرة أستاذ:

- سأدلّك على طريقة، تتعرّفين بها عليهما دون خطأ. فالحقيقة تعبّر دائمًا عن نفسها بشكل بشع، والحبّ يبدو دائمًا أجمل ممّا هو!

كان يتحدّث إليّ، وهو يرتدي من جديد قميصه، ويده اليمنى تحاول بصعوبة إدخال تلك الأزرار.

وبدل أن أساعده على تزريرها، امتدّت يدي تخلع عنه القميص. وراحت شفتاي تتدحرجان على مساحة صدره، ثمّ تنزلقان نحو ذراعه الثّابتة مكانها، فتكسوانها قبلاً، بشراسة العشق الذي هو وحده قادر على جعل أيّ حقيقة.. جميلة في بشاعتها!

***

عندما غادرته، انتابتني أحاسيس متناقضة تراوح بين المتعة، والخيبة، والاندهاش الجميل والمؤلم في الوقت نفسه.

أن تذهب إلى موعد حبّ، وإذا بك مع شخص خارج توًّا من كتابك، يحمل الاسم نفسه، والتّشويه الجسدي، نفسه لأحد أبطالك، وأن تبقى برغم ذلك على اشتهائك نفسه له، لا بدّ أن يترك في نفسك كثيرًا من فوضى المشاعر.. وفوضى الأسئلة، خاصّة عندما ترى اسمه، كما اخترعته أنت، وأجهدت نفسك للعثور عليه، قد غادر كتابك، وأصبح مكتوبًا، أسفل مقال صحافيّ على جريدة، كاسم لرجل لا علاقة له بك، لولا تلك الخصوصيّة الثانية التي تذهلك: كيف يمكن أن يكون معطوب الذّراع أيضًا.. كبطلك؟

ما يدهشني هو كون هذا الرّجل، يواصل معي قصّة بدأت في رواية سابقة، وكأنّه يعيد إصدارها في طبعة واقعيّة، من نسخة واحدة.

حتّى إنّه يوم قبّلني لأوّل مرّة، أمام مكتبته، قال «نحن نواصل قبلة.. بدأناها في الصّفحة 172 في كلّ كتاب. وعثرت على تلك القبلة، مطوّلة، مفصّلة، مرتجلة، كما حدثت ذات يوم بين ذلك الرّسّام، وتلك الكاتبة».

ثمّ عندما استعرت منه كتاب هنري ميشو، قال إنّه يخشى أن يكون يكرّر معي حماقة حدثت في كتاب سابق، ملمّحًا إلى حبّ البطلة في تلك القصّة لصديق البطل.. بسبب كتاب.

أمّا أنا، فانتبهت أنّني كنت أكرّر في الحياة تصرّفات تلك البطلة بعد قبلة، وأستعير كتابًا.

كلّ شيء كان يعيدنا منذ البدء، إلى تلك القصّة، بما في ذلك المدينة التي جمعتنا.

بل حتّى في حديثه عن الجسور.. وعن قسنطينة، ثمّة رجوع ما، أو تراجع متعمّد، عن كلّ ما قاله ذلك الرسّام في تلك الرّواية. وكأنّ المسافة الزمنيّة قد جعلته يراجع آراءه، ويصحّحها، عن خيبة وتطرّف عشقيّ.

وبرغم كلّ هذا، يبقى الأمر مربكًا. فأنا لا أريد أن أصدّق أنّ ذلك الرّجل الذي ما انفكّ منذ ستّة أشهر يقلب حياتي رأسًا على عقب، هو خالد بن طوبال، ذلك الكائن الحبريّ الذي خلقته منذ عدّة سنوات، ثمّ نسيته داخل كتاب، ألقيت به إلى جوف مطبعة كما نلقي بجثّة إلى البحر، بعد أن نثقلها بالصّخور، حتّى لا تعود إلى السّطح، ولكنّه عاد.

هذا الكائن أعرفه عن ظهر قلب. فقد عشت معه أربعمئة صفحة وما يقارب أربع سنوات، ثمّ افترقنا. انتهى عمره مع آخر سطر. وبدأ عمري دونه ذلك الحين.

ولكن مَن منّا كان يبحث عن الآخر، خلال كلّ ذلك الوقت؟ ومَن منّا كان الأحوج إلى الآخر؟

أذكر مقولة لروائيّ سئل «لماذا تكتب؟» فأجاب ساخرًا «لأنّ أبطالي في حاجة إليّ.. إنّهم لا يملكون غيري على وجه الأرض!»».

طبعًا كان يراوغ، ويقدّم اعترافًا بيُتمه دونهم. فكلّ روائي هو في النّهاية يتيم.. ومخلوق عجيب، تخلّى عن أهله، ليخلق لنفسه

عائلة وهميّة، وأصدقاء، وأحبّة، وكائنات حبريّة، يعيش بينها، مشغولاً بهمومها، محكومًا بمزاجها، حتّى لكأنّه لا يملك على وجه الأرض غيرها!

فـأين العجب في أن يصبح هذا الرّجل كلّ عائلتي، ويشغل مكان زوجي، وأخي، وأمّي.. وكلّ من يحيطون بي؟!

في الواقع، كان عجبي الوحيد أن أتعلّق بهذا الرّجل بالذّات، من بين كلّ من خلقت من أبطال، وإِنْ يقع بيغماليون في حبّ تمثال خلقه بيده، وكان آية في الكمال، فهذا الأمر يبدو منطقيًّا، كما جاء في الأسطورة. أمّا أن يحبّ نحّات التّمثال الذي أخفق في خلقه، ويحبّ روائي البطل الذي شوّهه بنفسه.. فهنا تكمن الدّهشة.

ذلك المساء.. توقّعت أن يكون في جلوسي إلى أمّي الحلّ الأمثل للهروب من نفسي: فقد كنت أهملتها بعض الشّيء، بعد أن أغريتها بالاتّصال ببعض معارفها في العاصمة.. وأعـددت لها برنامجًا على قياس حرّيتي.

كانت سعيدة، أو ربّما بدت لي كذلك، وهي تحدّثني عن قريبة بعيدة، تعقد قران ابنها في نهاية الأسبوع، وتدعونا لحضور احتفال الزّواج. ولم يعد صعبًا أن أتوقّع برنامجها للأيّام المقبلة.

أمّي تعيش دائمًا بين عرسين، أو حجّتين، أو نذرين. وحيثما حلّت، تعثر على من يوشك أن يزوّج قريبًا، أو من له قريب عائد توًّا من العمرة أو الحجّ، أو «شيخ».. يدعوها لـ«وعدة» أو لـ«زردة»!

وبرغم هذا، لم تكن سعيدة تمامًا. كان ينقص سعادتها شيء اسمه «ناصر».

قبل اليوم كانت تتمنّى أن تزوّجه، ويمتلئ البيت بكنّة تتحكّم فيها، وبأحفاد تربّيهم وتتسلّى بهم.

أمّا الآن وقد رحل ناصر، فقد أصبح كلّ زواج يعيدها إليه، بل أصبحت لا تريد أكثر من عودته، ليقاسمها ما بقي من العمر.

وأكثر ما كان يؤلمها في سفر ناصر أنّها لم تكن مهيّأة له. فلا شيء في طبع ناصر ولا في نمط حياته، كان يوحي بأنّه قد يأخذ قرارًا مفاجئًا وحاسمًا كهذا.

منذ سافر ناصر، من ثلاثة أشهر، وأنا أحاول أن أجيب أمّي عن السّؤال نفسه الذي أخفى عليها دائمًا نصف حقيقته.

هي تسأل:

- لماذا سافر أخوك يا ابنتي؟ أخبريني؛ أنت يقول لك كلّ شيء.

وأنا أجيب:

- لقد سافر لأنّه غير مرتاح في هذا البلد.. يريد أن يجرّب حظّه في الخارج مثله مثل الآخرين.. ولكنّه سيعود.. لقد وعدني بذلك.

- ولكن متى؟ بعد أسابيع؟ بعد أشهر؟ بعد سنوات؟

ولا أملك إلّا أن أجيبها:

- عندما تهدأ الأوضاع قليلاً.. وتتحسّن الحالة..

فتردّ:

- أيّ أوضاع؟ وأيّ حالة هذه التي ستتحسّن؟ ألم تسمعي بما حدث منذ يومين في البليدة..؟ لقد روت لنا امرأة اليوم أنّهم...

وأقاطعها:

- لا أريد أن أعرف.. لا تقصّي عليّ أيّ شيء، أرجوك..

لم أكن أريد أن تُفسد عليّ أمّي ليلتي بأخبار الموت، كما تعوّدت أن تفعل ليلاً، بين حين وآخر، عندما كانت تطلبني هاتفيًا عن ضجر، أو عن خوف، ولا تجد ما تقصّه عليّ إلّا قصصًا لم أشاهد مثلها حتّى في أفلام الرّعب.

وكانت قد شاعت فجأة بدعة تشويه الجثث، والتمثيل بها، كي لا ترتاح نفوس أصحابها، ولا تدخل الجنّة، وكي يعتبر بها «الكفّار» أو أولئك الذين يعملون في خدمة «الدّولة الكافرة».

وهي صفة لا تعني غالبًا، سوى رجال الأمن، وبعض البائسين من شرطة السّير، الذين انقرضوا في بضعة أشهر رميًا بالرّصاص، وذبحًا ومطاردة حتّى المقابر، حيث اغتيل العديد منهم وهم يشيّعون رفيقًا إلى مثواه الأخير.

أمّا أولئك «الأذكياء» الذين جاؤوا لزيارة موتاهم بعد يومين أو أكثر، فقد فوجئوا بمن ينتظرهم ليلاً ونهارًا خلف القبور، وذهبت بهم المفاجأة في مقبرة، فكلّ القبور هنا مفتوحة تنتظر تهمة لتنغلق على أحد.

فماذا يمكن لأمّي أن تضيف إلى مسلسل الرّعب الذي أتابعه مذهولة كلّ يوم، مثل كلّ سكّان هذا البلد؟

فجأة، سألتني أمّي وقد عادت إلى هاجسها الأهمّ:

- هل ترك لك ناصر عنوانًا في الرّسالة التي بعث بها مع ذلك الصّديق؟

قلت:

- أجل.

قالت:

- اكتبي إليه إذن..

قلت:

- سأفعل حال عودتي إلى قسنطينة. فقد سألني عن أمور لا بدّ أن أراجعها هناك.

في الواقع، لم يكن قد سألني سوى عن أخباري وأخبار أمّي. ولكنّني كنت فقط أريد إرجاء هذه الرّسالة إلى ما بعد. فقد كان ذهني مشغولاً بأمر واحد: ذلك الرّجل، تمامًا كانشغال أمّي بأمر واحد هو

ناصر، ناصر الذي أصبح يذكّرها فجأة بأبي الذي غاب هكذا منذ أكثر من ثلاثين سنة، مع ثلّة من الرّجال كي يخطّطوا لما سيسمّى في ما بعد «ثورة نوفمبر».

ربّما منذ ذلك الحين، أصبحت أمّي تخاف الرّجال الذين يرحلون هكذا فجأة، دون أن يتركوا عنوانًا لغيابهم، ولا تاريخًا لعودتهم؛ فقد لا يعودون، أو قد يعودون عندما لا ننتظرهم، لفرط ما انتظرناهم. في ذلك اليوم الذي لا نصدّق ذلك الصّوت الصّغير الذي يردّد على مقربة منّا، أنّهم سيأتون، اليوم.. وربّما الآن. ثمّ فجأة تحدث المعجزة، وتدقّ يد عجلى الجرس. وينفتح الباب، على رجل متعب، مغبرّ الثّياب، يرفعنا كدمية نحوه، يضمّ جسدنا الصّغير إلى صدره. يقبّلنا.. يقبّلنا.. ولا ندري لصغر سنّنا، أكانَ لحظتها يبتسم أم يبكي.

.. كتلك الحادثة المذهلة التي تحكيها أمّي، والتي حدثت يوم كنت طفلة في الخامسة من عمري، وكنّا في شهر رمضان، وكانت أمّي تعدّ «البريك» للإفطار، فرحت ألاحقها طالبة منها أن تعدّ واحدة لأبي، لأنّه يحبّه، وكانت تجيبني أنّه غائب، ولا يمكنه أن يحضر، وأجيبها بعناد الأولاد «بلى سيحضر.. أعدّي له واحدة!».

وما كدنا نجلس حول طاولة الإفطار، حتّى دقّ الباب، وجاء أبي قادمًا من الجبهة، بعد غياب سنة تمامًا. فقد كانت زيارته الأخيرة تعود إلى رمضان الفائت. لحظتها أجهشت جدّتي بالبكاء وهي تردّد «لقد قالت لنا حياة إنّك ستأتي.. ولم نصدّق!».

ولذا أتوقّع أن تطاردني أمّي بعد الآن بالسّؤال «متى يعود ناصر؟» وهي تحسَب أنّني ما زلت أملك تلك الحاسّة السّادسة أو ذلك الحدس الذي يملكه الأطفال دون غيرهم، والذي يدلّهم على ما يجهله الكبار.

طبعًا، فقدتُ ذلك الحدس منذ زمن بعيد، من جملة ما فقدت من أشياء جميلة، تركتها خلفي، كلّما تقدّم بي العمر.

ولو كنت لا أزال أملكه، لوجدت الجواب عن أسئلة كثيرة
أخرى، كان أحدها في الماضي «متى يعود ذلك الرّجل؟» وأصبح الآن
«من يكون؟» و«متى أراه؟» وأين هي ذاهبة بي هذه القصّة الغريبة؟

ما كدت أتذكّره حتّى انتابتني رغبة جارفة في الحديث إليه،
وحاجة عجلى إلى سماع صوته، فانتظرت أن تنام أمّي وذهبت لأطلبه.
ولكن طوال ربع ساعة، كان خطّ هاتفه مشغولاً دون توقّف. وهو
ما فاجأني وأزعجني، كأنّني لم أتوقّع أن يكون في حياة هذا الرّجل
شخص آخر، قد يتحدّث إليه ليلاً.

ثمّ دقّ الهاتف أخيرًا، وجاء صوته:

- كيف أنتِ؟

- بي شوق إليك. رأيت أن أطلبك وكان خطّك مشغولاً طول الوقت.

- كنت في حديث مع قسنطينة.

- أما زال أهلك هناك؟

- لا.. كنت أتحدّث مع صديقي عبد الحقّ.

تتحدّث إلى صديق؟ في هذه السّاعة المتأخّرة من اللّيل!

ردّ كمن ينفي شبهة:

- إنّه رجل الوقت ليلاً.

- ماذا تقصد؟

- إنّه صحافيّ يعمل ليلاً في الجريدة.

- وهل ثمّة من جديد؟

بدا لي كأنّه كاد يقول شيئًا. ولكنّه بعد شيء من الصّمت، أجاب
كأنّه يخفي أمرًا:

- لا.. لا شيء.

ثمّ.. بصوت غائب:

- وأنتِ؟

- أنا.. كنت أريد أن أسمعك.

صمت قليلاً. ثمّ قال:

- وأنا أريدك.

فاجأتني مباشرته. سألته متعجّبة:

- حقًّا؟ لماذا إذن استمتّ البارحة في الدّفاع عن جماليّة الحرمان؟

أجاب:

- يحدث أن نقول كلامًا.. ليس تمامًا ما كنّا نريد قوله.

- وما الذي تريد قوله حقًّا؟

- اللّيلة.. لا شيء. إنّي ثمل بالأضداد. لا تتوقّعي منّي كلامًا منطقيًّا.

- أمّا أنا.. فلي كلام كثير إليك. ولكن أصبحت أتحاشى المكاشفة. قد خوّفتني بالهاتف؛ ربّما كانوا يتنصّتون إلينا الآن.

ردّ ساخرًا:

- لا تهتمّي.. ما فائدة السرّ إذا لم يسمع به الآخرون!

صحت:

- هل جننت؟

- لا.. ولكن ألا تحبّين جماليّة الفضيحة في الحبّ؟

فاجأني استهتاره.. قلت:

- ولكنّني متزوّجة..

ردّ قائلاً:

- أدري.. ولهذا أنا في كلّ لحظة أتزوّجك وأقتلك.

- لماذا؟

- كي أشرّع حبّك.. أريدك حلالي كي أمارس معك كلّ الحرام.

- وهل أنت في حاجة إلى كلّ هذا كي تحبّ امرأة؟
- طبعًا.. لقد حدث أن كنت رجلاً بكثير من المبادئ.. وقتها كنتِ أشهى ما أرفض.
- ثمّ؟
- ثمّ لا شيء. الآن أريدك دون أسئلة. لم يبق من الوقت الكثير.
يصمت قليلاً ثمّ يواصل:
- تعالي غدًا. أريد أن أسرّب إليك جنوني.
أسأله:
- وهل تعدني لو جئت أن تخبرني من تكون؟
يردّ:
- لا أعدك بشيء عدا المتعة.. وستأتين.
- لماذا أنت واثق إلى هذا الحدّ بقدومي؟
- لأنّ ثمّة من يحوم حولي.. وقد يسرقني منك. ألا تشعرين بالغيرة من كائن قد يستحوذ عليّ إلى الأبد؟
أسأله غير مصدّقة:
- هل ستتزوّج؟
يردّ بحزن مستتر:
- بإمكانك أن تسمّي هذا زواجًا.. مع اختلاف في بعض التفاصيل. إنّه الارتباط الأبديّ الوحيد الذي لا ننجو منه ولا نختاره.
لا أفهم ما يقوله. أستنتج أنّه يمازحني، كي يحثّني على المجيء.
أقول:
- سأجيء.. وبرغم هذا احذر غيرتي. أنا امرأة من برج الحمل. إنّه برج يشكّل أكبر نسبة من مرتكبي الجرائم العشقيّة. وسآتيك بتحقيق يؤكّد قولي..
يضحك.. يقول:

- تعالي.. قد أكون أنا من سيقتلك..!

لماذا يصرّ هذا الرّجل على إضرام النّار في جسدي وفي دفاتري؟

وما الذي غيّر قناعاته، هو الذي كان يقف دائمًا على حافة الحرام، مكتفيًا بقبلة؟ وهل حقًّا ثمّة امرأة تحوم حوله؟ من تراها تكون؟ وكيف حدث هذا.. وأنا أتحدّث إليه يوميًّا؟

حاولت أن أنام، وأنا أبحث عن أجوبة عن هذه الأسئلة، ثمّ تذكّرت قوله «انتهى زمن الأسئلة» فأخفيت علامات استفهامي تحت الوسادة.

ورحت أحلم بالموعد المقبل.

***

كان في انشغال أمّي بذلك العرس هديّة نزلت عليّ من السّماء. فأمام معرفتها بمزاجي المضادّ للأفراح، وبعد اليأس من مرافقتي لها، ذهبت لحضوره بمفردها، وتركتني أستعدّ لتلك الأفراح السرّيّة التي كانت وحدها تعنيني.

كان الوقت ظهرًا عندما وصلت إلى ذلك البيت.

فتح لي ذلك الرّجل الباب، بمزاج بحريّ. فقد بدا لي غامضًا، وغير متوقّع، كما هو البحر.

قبّلني دون أن يقول شيئًا.

فجلست على الأريكة المقابلة له، أتأمّله.

قلت:

- فيك شيء من البحر.

قال:

- أكان لقبلتي مذاقه المالح؟

قلت:

- لا.. بل كان لها هدوؤه الكاذب.

لم يجب.

كان الصّمت يجعلنا أكثر فصاحة. ذبذبات الرّغبة التي تعبرنا صمتًا تضعنا دائمًا في كلّ موعد في منطقة حزام الزلازل.

الشّهوة حالة ترقّب صامت للجسد. ولذا كنّا نحبّ صمتنا المفاجئ هذا، ونخافه.

كان أذان الظهر يأتي من مئذنة بعيدة، بدا لي كأنّه يستمع إليه باهتمام خاص، فلم أجرؤ على التحدّث إليه.

ما كاد ينتهي حتّى وقفت. رأيته مشغولاً عنّي بتدخين سيجارة. قلت وأنا أهمّ بالتوجّه نحو المطبخ:

- أيمكن أن أحضر ماءً؟ إنّني عطشى.

ولكنّه لم يجب.

امتدّت يده تستوقفني، وتجذبني نحوه. ثمّ سألني فجأة:

- أما زلت تحبّين زوربا؟

فاجأني سؤاله. بدا لي شبيهًا بتهمة حبّي لرجل آخر.

قلت:

- ربّما.

أجاب:

- بل تحبّينه. ما زال بك افتتان بكلّ ما هو رائع ومهلك، وبتلك الخسارات الموجعة التي تقلب المنطق.

قلت:

- أجل.

قال:

- تعالي إذن.. عندي لك ما يناسب مزاجك من متعة.

كان في نبرته شيء من الحزن السّاحر الذي لم أفهمه.

كنت سأسأله ماذا كان يعني. ولكن، كان قد سحبني من يدي،
وذهب بي نحو أسئلة أخرى.

في غرفة مجاورة، يؤثّثها سرير شاسع، وتفترش الجرائد
والكتب الملقاة أرضًا، زاوية من سجّادها المتواضع، تركني واقفة
للحظات، واتّجه نحو جهاز على مقربة من السرير وراح لدقائق
يبحث بين الأشرطة عن شيء ما، قبل أن يضع شريطًا لديميس
روسوس ويعود.

قلت وقد أربكني وجودي في غرفة نومه:

- يبدو أنك تحبّ الموسيقى.

أجاب وهو يسدل بإحكام ستار النافذة الوحيدة:

- إن الموسيقى تجعلنا تعساء بشكل أفضل... ألا تعرفين هذه
المقولة؟

قلت:

- لا.

قال:

- إنها لرولان بارت.

ثمّ واصل:

- وهذا الشريط هل تعرفينه؟

قلت:

- أنا أعرف معظم أغاني ديميس روسـوس... وأحبّ كلّ ما
يغنيه.. ولكن لا أدري أيّ شريط هو هذا..

أجاب:

- أنا أيضًا لا أدري.. فقد وجدته هنا مع أشرطة أخرى.. ولكن
على أحد وجهيه أغنية ستحبّينها حتمًا.

لم أسأله أيّ أغنية يعني. فقد شعرت فجأة أنّنا كنّا نستنجد بالموسيقى في محاولة لإنقاذ ما قد يلحق بنا من دمار إثر متعة قد تفضي بنا إلى حزن، لأكثر من سبب.

غير أنّ رغبة مخيفة في صمتها، وحواسّ في حالة تأهّب، كانت تجعلنا دون مناعة عاطفية، أمام صوت يونانيّ يغنّي بالإنكليزيّة، ببحّة الألم، خيباته العاطفيّة.

كنّا على مشارف قبلة، عندما جاءت تلك الموسيقى نفسها، مباغتة لنا، زاحفة نحونا، متباطئة، كسلى، ثمّ متقاربة الإيقاع، بمزاجيّة الرغبات الطاعنة تناقضًا.

كخطى راقص على أرصفة الشغف، تحت مطر المساء، كانت الأقدام الحافية تنقل لنا إيقاعها العشقيّ منتعلة خفّة شهوتنا.

في حضرة زوربا.. خلع البحر نظارته السّوداء وقميصًا أسود، وجلس يتأمّلني.

رجل نصفه حبر، ونصفه بحر، يجرّدني من أسئلتي، بين مدّ وجزر، يسحبني نحو قدري.

رجل نصفه حياء.. ونصفه إغراء، يجتاحني بحمّى من القبل.

بـذراع واحدة يضمّني. يلغي يـديّ ويكتبني. يتأمّلني وسط ارتباكي. يقول:

- إنّها أوّل مرّة أطلّ فيها من نافذة الصّفحة لأتفرّج على جسدك.. دعيني أراك أخيرًا.

أحاول أن أحتمي بلحاف الكلمات، يطمئنني:

- لا تحتمي بشيء. أنا أنظر إليك في عتمة الحبر، وحده قنديل الشّهوة يضيء جسدك الآن. لقد عاش حبّنا دائمًا في عتمة الحواس.

أودّ أن أسأله:

- لماذا أنت حزين إلى هذا الحدّ؟

ولكن زوبعة بحريّة ذهبت بأسئلتي، وبعثرتني رغوة.. على سرير الشّهوة.

كان البحر يتقدّم، يكتسح كلّ شيء في طريقه. يضع أعلام رجولته، على كلّ مكان يمرّ به.

مع كلّ منطقة يعلنها منطقة محتلّة وأعلنها منطقة محرّرة، كنت أكتشف فداحة خسائري قبله.

كمن يتململ داخل قفص الجسد، انتفض واقفًا. كان يريد أن يغادر ذاته ويتّحد بي.

أسأله:

- ماذا أنت فاعل بي؟

يجيب:

-«لا تملك الأشجار إلّا
أن تمارس الحبّ واقفة
تعالي للوقوف معي
أريد أن أشيّع فيك صديقي
إلى مثواه الخير»

- ماذا تقول؟

يجيب وهو يحاول الإمساك بي:

- إنّي أضمر لك قصيدة.

فجأة، تصبح كلماته كأطراف أصابعه، أعواد كبريت تشعل كلّ شيء يمرّ به. ولا أفهم ماذا يعني، ولا.. لماذا يريد لنا حريقًا كبيرًا ومخيفًا إلى هذا الحدّ؟

رجولته تباغتني، فأنتفض بين ذراعيه كسمكة، ثمّ أدخل طقوس الاستسلام التّدريجي.

فجأة يستوقفني:

- هل تحبّينني؟

كانت ذراعه الوحيدة تنقل إليّ عدوى شراسته العشقيّة، في محاكاة جسديّة ملتبسة، فأجبته مذعورة:

- طبعًا أحبّك.. لم يحدث للحبّ أن أوصلني إلى الخطيئة قبلك.

ولكنّه أجاب بحسرة ساخرة:

«حتّى متى سأبقى خطيئتك الأولى

لك متّسع لأكثر من بداية

وقصيرة كلّ النّهايات

إنّني أنتهي الآن فيك..

فمن يعطي للعمر عمرًا

يصلح لأكثر من بداية؟»

كان لصوته مذاق متأخّر للبكاء.

كدت أسأله «أيحدث للبحر أن يبكي؟». ولكنّه اختفى.

تنتهي العاصفة.

يتركني البحر جثّة حبّ على شاطئ الذّهول. يلقي على جسدي نظرة خاطفة.

قبلة.. قبلتان

موجة.. موجتان

وينسحب البحر سرًّا.. مع الدّمعة القادمة.

البحر أيضًا يرحل على رؤوس الأصابع، بعد أن يكون قد أتى صاخبًا.. هائجًا، على عجل. أيحدث له أيضًا، أن يمارس الحبّ عن ألم؟ انسحب البحر إذن. غادر جسدي بين قصيدتين ودمعتين، وبقي الملح.

وبقيت هنا.. إسفنجة بحريّة.

لحظتها، كان زوربا، بوعي الخذلان المبكر، يواصل الرقص حافيًا على شاطئ الفاجعة، فاردًا ذراعيه إلى أقصاهما كنبيّ مصلوب، يقفز على مقربة منّي، على وقع الطعنات المتلاحقة، بشراسة وجع يجعلك مازوشيًّا حدّ النشوة، فرُحت أواصل الرقص معه، منتفضةً كسمكة خارجةٍ توًّا من سطوة البحر.

عندما تنتهي العاصفة.. يشعل البحر سيجارة. يدخّن متّكئًا على الأسئلة.

ثمّ عندما يعثر على الأجوبة، يكون قد أصبح رجلاً من جديد.

دومًا، بعد الحبّ، تعود أسئلة ذكوريّة أبديّة، يصوغها الرّجال حسب ذكائهم، ليطمئنّوا إلى دوام رجولتهم:

- لقد خفت عليك دائمًا من لحظة كهذه؛ على سرير الواقع تصبح المشاعر أقلّ جمالاً!

أطمئنه:

- جميل ما حدث بيننا. ولا أريد أن أعرف، إذا كان كذلك حقًّا، أم أنّ الحبّ جعله يبدو أجمل ممّا هو.

أحاول أن أتحاشى الانتباه لذراعه وأنا أحدّثه. ولكن كنت في انشغالي عنها أتأمّله.

في الواقع، مشكلة الرّوائي أنّه لا يستطيع إلّا أن يراقب كلّ شيء، حتّى أولئك الذين يقاسمونه سريره.

سألني وهو يصلح من جلسته:

- ما الذي تريدين رؤيته؟

فاجأتني نبرته السّاخرة. قلت وكأنّني أبرّر ذنبًا:

- أريد أن أطالع التّاريخ السرّيّ لجسدك، كي أعرف إن كنت حقًّا خالد بن طوبال. أنت تتصرّف مثله في كلّ شيء. عجيب كم تشبهه! أرحني.. قل لي من تكون.

أجاب ساخرًا:

- رجالك جميعًا يتشابهون.

ثمّ أضاف بعد شيء من الصّمت:

- ولكنّني لست هو.

لفظ هذه الكلمات الأخيرة بهدوء. بالوقع نفسه الذي يقول به بقيّة الكلام، وكأنّه لم يلفظ شيئًا يغيّر مجرى قصّتنا.

قلت:

- ولماذا أخفيت عنّي الحقيقة كلّ هذا الوقت؟

أجاب:

- ليس هناك من حقيقة واحدة. الحقيقة ليست نقطة ثابتة. إنّها تتغيّر فينا.. وتتغيّر معنا. ولذا لم يكن ممكنًا لي أن أدلّك إلّا على ما ليس الحقيقة.

وأضاف:

أتذكرين.. كنت تقولين «أحبّ جسدك» وكنت أجيب «إنّ جسدًا قد يخفي جسدًا آخر» ولا تصدّقين. وكنت تقولين «أحبّ الرّجال في الأربعين» وأصحّح؛ أقول «لست الرّجل الذين تتوهّمين» ولا تصدّقين.

بل تماديًا في الخطأ، وقعت في حبّ يديّ. وكنت تطاردينني عنهما بالأسئلة. تقولين «أحبّ يديك.. ما عمرهما؟» وأجيب «لقد أحببت دائمًا عُقَدي..» ولا تفهمين. ولا أملك الآن سوى هذا الجسد، لأردّ به على كلّ أسئلتك.

أجيب:

- ولكن لم يكن من داعٍ للمراوغة. فأنا أحبّه كما هو..

يبتسم.. يقول:

- أنت تتوهّمين.

ثمّ يواصل:

- الحقيقة الوحيدة هي أنّك كنت جاهزة للحبّ. وكان يمكن أن آتيك متنكّرًا في أيّ شخص، وفي أيّ زيّ، أن أقول كلامًا كنت تنتظرينه، أو لا أقول شيئًا. كنت ستحبّينني.

تابع قائلاً:

- ذلك أنّ الحبّ يتأقلم مع كلّ الحالات، وله هذه القدرة الخارقة على إضفاء جماليّة حتّى على الأشخاص العاديّين. والدّليل أنّك عندما ستكتشفين من أكون، ستجدين أيضًا في تفاصيل قصّتنا ما يذهلك، ويقنعك بأنّك تحبّينني أنا... وليس ذاك الذي كنت تتوقّعين!

- ولكنّك أريتني جريدة عليها اسم خالد بن طوبال.

- تلك حقيقة أخرى. إنّه اسمي. أو إذا شئت إنّه الاسم الذي اخترته لأنّه يشبهني. ولأنّه مذ وصلتني تهديدات بالقتل، كان لا بدّ أن أختار اسمًا جديدًا أوقّع به مقالاتي. ولا أشعر بأنّني سرقت هذا الاسم من أحد. كلّ كلمة وقّعتها في تلك الجريدة، كنت أشعر بأنّه كان بإمكان ذلك الرّجل الخارج من كتاب أن يقولها.. لو أنّه نطق.

يذهلني كلامه. ألأنّنا كنّا نعيش وضعًا روائيًّا، كلّ ما ينتج عنه أصبح روائيًّا أيضًا؟

سألته:

- ما عدا هذا.. من أنت؟

ضحك.. أجاب:

- أنا قارئ جيّد..

- لا أفهم.

- لنقل إنّني قرأتك جيّدًا، قرأتك دائمًا، وإنّني أعرف عنك ما يكفي لإدهاشك. أنا ذاكرة أخرى لك.. أعرف عنك ما نسيت..

- ولكن في الحياة.. من أنت؟

- في الحياة.. أعمل صحافيًّا. ولن تصدّقيني لو قلت لك إنّني منذ ثلاث سنوات كان هاجسي أن أتعرّف إليك، بحجّة إجراء حوار للجريدة.

أضاف قائلاً بعد شيء من الصمت:

في الواقع، كنت أريد أن أطرح عليك أسئلة، لم تكن تعني غيري. فقد صادف صدور كتابك مع تلك الحادثة التي شلّت فيها ذراعي، وهو ما جعلني أقضي فترة النّقاهة في قراءتك. أذكر أنّ صديقي عبد الحقّ جاءني بكتابك إلى المستشفى. وقال لي وهو يمدّني به: «جئتك بكتاب سيعجبك..» تصوّري: خفتُه قبل أن أقرأه.. ثمّ خفته لفرط ما قرأته. أذهلني أن أعثر على بطل يشبهني إلى هذا الحدّ. كان بيني وبينه مدينة مشتركة، واهتمامات وخيبات مشتركة، وعاهة وذوق مشتركان. ووحدك كنت الشّيء الذي لم يكن مشتركًا بيننا، فقد كنت حبيبته وحده.

وتابع:

يوم التقيت بك، أصبح عندي يقين بأنّ حياتي ستطابق بطريقة أو بأخرى، قصّتك معه، حتّى إنّني خفتك. وكثيرًا ما راودتني رغبة في عدم الاتصال بك. لو تدرين كم أحببتك.. وكم حقدت عليك بسبب كتاب!

- ثمّ؟

- ثمّ لا شيء.. أعتقد أنّك كنت تكتبين لقلب الأشياء، عندما اخترت بطلاً فاقد الذّراع. ولكن تظلّ الحياة أكثر غرائبيّة من القصص التي نبتكرها. أيّ فخّ كبير هي الحياة!

تصوّري.. كنت أريد منك أجوبة لا أكثر. ولكنّ الحياة كانت تعدّ لي دورًا معاكسًا. لقد جئتك في زمن الأسئلة. انقضى هذا الكتاب، وأنا

أردّ على أسئلتك. أعترف بأنّه دور أجمل ممّا توقّعت. ولكنّني لم أسع إليه. اكتفيت بمجاراة قدري، ومجموعة المصادفات التي واكبته.

- وأثناء ذلك، كنت تقودني إلى تيه النصّ، والمتاهات السرّيّة للعواطف.. وكمائن المواعيد.

- بل كنت أقودك إلى العشق. إنّ أجمل حبّ هو الذي نعثر عليه أثناء بحثنا عن شيء آخر. أدري.. كنت تبحثين عن رجل، خارج من كتبك، خلقته أنت، على قياسك. ولكن أليس أجمل أن أكون أنا الرّجل الداخل إلى هذا الكتاب.. ولست الخارج منه؟

- ألهذا جئت اليوم؟ ألكي يمكنك أن تدّعي بعد الآن، أنّك كسرت ذلك الوهم الجميل، وحصلت على تلك المرأة التي لم تمتلك منها سوى كتب.. وأسئلة لا جواب لها.

- طبعًا لا. وأنت تعرفين تمامًا أنّ هذا ليس صحيحًا. فأنا أملك من الكلام ما يمكّنني من إقناعك بما أشاء، ولكنّني كنت أحرص على أن لا أكسر أيّ شيء فيك، ولا أيّ شيء بيننا. لقد اعتقدت دائمًا أنّ الاشتهاء هو وحده حالة الامتلاك، أمّا المتعة فهي بداية الفقدان.

- وما الذي أوصلنا إلى هذا السّرير إذن؟

- أوصلنا إليه الموت.

- ألا ترى في قولك إهانة للحبّ؟

- بل ردّ اعتبار له، لا تظنّي أنّ من السّهل أن نأتي المتعة عن ألم، أو نأتي الجنس بذريعة موت الرّفاق. يلزمنا كثير من الحبّ لنثأر به من الموت.

- ولكن.. مَنْ مات من معارفك كي يداهمك كلّ هذا الحزن؟

يستنجد بسيجارة ثمّ يجيب:

- مات سعيد مقبل.. ألم تسمعي بموته البارحة؟

قلت كمن يعتذر:

- أنا لم أشاهد التلفزيون منذ أيّام.. ولا قرأت الجرائد.

ثمّ واصلت:

- هل كان صديقًا مقرّبًا إليك؟

أجاب:

- لا. أنا لم أَلْتَقِ به أبدًا. أصبح صديقي البارحة. فقد رفعه القتلة برصاصتين إلى مرتبة صديق. تصوّري.. لي تسعة وعشرون صديقًا، لم ألتق بمعظمهم، إلّا على الصّفحات الأولى للجرائد بمناسبة نعيهم. ولكنّه كان صديقًا مقرّبًا من عبد الحقّ، فقد كان يعمل معه في الجريدة قبل أن يتركها عبد الحقّ ويسافر إلى قسنطينة. ولقد اتّصلت به منذ مدّة، لأعرض عليه الكتابة في الجريدة نفسها.. وكان مفترضًا أن نلتقي هذه الأيّام.

أسأله:

- وكيف قتلوه؟

يجيب:

- كان يتناول غداءه برفقة زميلة له في مطعم صغير في جوار الجريدة. عندما اقترب منه شخص، توهّم منه أنّه يريد محادثته. ولكنّه أخرج مسدّسًا، وأطلق النّار عليه ومضى بهدوء. تصوّري.. كان اسم المطعم «الرّحمة»!

- ولكن.. كيف لم يأخذ حذره؟

- طبعًا كان على حذر. مذ حاولوا اغتياله منذ شهرين وفشلوا، وهو يغيّر عناوين نومه، ومواعيد قدومه إلى المكتب، والطّرق التي يسلكها في العودة، والأماكن التي يرتادها. ولم يغيّر كلّ هذا شيئًا من قدره. لقد وصف كلّ هذا الرعب اليوميّ الذي يعيشه الصحافيّ في الجزائر هذه الأيام في نصّ جميل ومؤثّر قبل أسبوعين من اغتياله، وأعـادت الجرائد نشره اليوم في صفحاتها الأولـى وهي تنعاه. ألم تقرئيه؟ لقد تناقلته معظم وكالات الأنباء.

قلت بنبرة خافتة:

- لا.

فمضى، ثمّ عاد بجريدة أعطاني إيّاها قائلاً:

- اقرئيه إذن.. وستبكين صديقًا.

وما كدت أتوقّف عند عنوان المقال «هذا السّارق الذي..»

حتّى أخذ منّي الجريدة وراح يقرأ:

«هذا السّارق الذي يتسلّل في اللّيل بمحاذاة الجدران، عائدًا إلى بيته. إنّه هو.

هذا الأب الذي يوصي أولاده، بأن لا يفضحوا في الخارج المهنة التي يتعاطاها. إنّه هو.

هذا المواطن السيّئ، الذي يجرّ أذياله في قاعات المحاكم، منتظرًا دوره للمثول أمام القاضي. إنّه هو.

هذا الفرد الذي يساق خلال مداهمة لحيٍّ، والذي يدفع به كعب بندقيّة إلى قاع شاحنة. إنّه هو.

هو الذي يغادر منزله كلّ صباح، غير واثق بأنّه سيصل إلى مقرّ عمله.

وهو الذي يغادر عمله مساءً، غير متأكّد من أنّه سيصل إلى بيته.

هذا المشرّد الذي لم يعد يعرف عند من يقضي ليلته. إنّه هو.

إنّه هو الذي، يتعرّض للتّهديد في سرّيّة إدارة رسميّة.

الشّاهد، الذي ينبغي عليه أن يبتلع كلّ ما يعرف.

هذا المواطن الأعزل.

هذا الرّجل الذي أمنيته أن لا يموت مذبوحًا. إنّه هو.

هذه الجثّة التي يخيطون عليها رأسًا مقطوعًا. إنّه هو.

هو الذي لا يعرف ماذا يفعل بيديه، سوى كتاباته الصغيرة.

هو الذي يتمسّك بالأمل، ضدّ كلّ شيء؛ ألا تنبت الورود فوق أكوام القاذورات؟

هو الذي كل هذا. وليس سوى صحافيٍّ».

ألقى بالجريدة على الطّاولة المجاورة، ثمّ واصل:

– كيف أحمل حداد رجل كان في السّابعة والخمسين من عمره، يواجه الموت بكلّ هذا العناد، ويصدر الجريدة بعد الأخرى، في زمن لم يبق فيه أحد ليغامر بوضع توقيعه أسفل مقال؟ ويسمّي زاويته «مسمار جحا» معلنًا أنّه باقٍ هنا بنيّة إزعاج الجميع، ساخرًا من السّلطة والإرهابيين على حدّ سواء.

سحب نفسًا من سيجارته، وواصل بنبرة محبطة:

– لا أفهم، كيف يمكن لوطن أن يغتال واحدًا من أبنائه، على هذا القدر من الشّجاعة؟ إنّ في الأوطان عادة شيئًا من الأمومة التي تجعلها تخاصمك، دون أن تعاديك، إلا عندنا، فبإمكان الوطن أن يغتالك، دون أن يكون قد خاصمك! حتّى أصبحنا حسب قول عبد الحقّ.. نمارس كلّ شيء في حياتنا اليوميّة.. وكأنّنا نمارس كلّ مرّة للمرّة الأخيرة. فلا أحد يدري متى وبأيّ تهمة سينزل عليه سخط الوطن.

سألني فجأةً:

– أتدرين لماذا طلبت منك الحضور اليوم؟

وقبل أن أجيب واصل:

– لأنّني خفت أن أموت، دون أن أعيش هذه اللّحظة!

قاطعته بشيء من العتاب:

– ما هذا الذي تقوله؟ نحن لسنا هنا لنتحدّث عن الموت.

ردّ بسخرية:

- طبعًا، نحن هنا لنلعب معه، لنتحايل عليه. ولكنّه موجود في جدول تفكيرنا الباطنيّ. المتعة أيضًا.. كما عشناها منذ قليل، بتلك الشّراسة وبذلك العنف، وكأنّنا على أهبة افتراس جسديّ متبادل، ليست سوى حالة تطبيع مع الموت لا أكثر. في زمن النهايات المباغتة والموت الاستعجاليّ، والحروب البشعة الصغيرة التي لا اسم لها، والتي قد تموت فيها دون أن تكون معنيًّا بها، الجنس هو كلّ ما نملك لننسى أنفسنا.

- والكتابة؟

- الكتابة؟ إنّها وهمنا الكبير بأنّ الآخرين لن ينسونا!

- أتقول لي هذا لتجعلني أعدل عنها؟

- بل لأجعلك تعدلين عن الحلم، والأوهام الكبيرة. هذا الذي مات، صديقي الذي يوارونه في هذه اللّحظة تحت التّراب، الآن بتوقيت صلاة العصر، يسلّمونه للديدان، كان يؤمن أيضًا بجدوى الكتابة، وبأنّ عموده اليوميّ ضروريّ لتغيير المجتمع، وأنّ القارئ لا يمكن أن يبدأ صباحه دون تعليقاته السّاخرة، ونكاته اللاّذعة. الآن، لم يعد بإمكانه أن يُضحك أو يتحدّى أحدًا. لقد ضحك عليه الموت وتحدّاه. هو الذي كان يتوهّم أنّه يغيّر العالم كلّ يوم ببضعة أسطر. ها هي الحياة تستمرّ بعده، والجريدة تواصل الصدور دونه، والناس الذين مات من أجلهم، سينسون مكانه في تلك الصّفحة، حيث أقام لعدّة سنوات، ففي الصحافة كثير من نكران الجميل.

كلامه وضعني في حالة من الإحباط المفاجئ. أفقدني رغبتي في الجدل، أو حتّى في الحبّ.

«أكلّ هذا.. من أجل هذا؟»

كلّ هذه المجازفة، وهذه المخاطر، وهذا الترقّب، وهذا التحايل، كي أخلو برجل يحدّثني عن الموت؟

قلت:

- كان من الأفضل لو كنت كائنًا حبريًّا، وبطلاً وهميًّا في قصّة؛ هؤلاء على الأقلّ لا يُغتالون، ولا يموتون، ولا نخاف عليهم من شيء. لماذا جئت إذا كنت رجلاً حقيقيًّا؟

ردّ وهو يسحبني نحوه:

- جئت لأسرّب إليك الرّغبة. جئت لإمتاعك، وإمتاع نفسي بك. هؤلاء لا يمكنهم أن يفعلوا هذا.. أليس كذلك؟

وراحت شفتاه تقبّلانني من جديد، باللّهفة نفسها، وكأنّنا التقينا توًّا، أو كأنّه انتبه فجأة لوجودي معه، برغم تلك الجثّة الموجودة بيننا.

كان يحلو لي أن أتابع تقلّبات مزاجه العشقيّ.

أحاول أن أفهم ما الذي أثاره فجأة من جديد، ليجتاحني بكلّ هذا النّهم الجسديّ.

أتأمّله في انشغاله بي، لم يكن جسده هو ما كنت أحبّ، بقدر ما أحبّ كرم رجولته، وأخلاق جسده.

كان لجسده ذلك الحضور السّخيّ، الذي يعطي ويعطي كما هو الحبّ، كأنّه يعوّض عن نقصانه بالعطاء، ثمّ يأخذ ويأخذ كما هي اللّهفة.

وكانت له تلك الرّجولة التي تحسن التواضع أمام الأنوثة، وكأنّها مدينة لها بكلّ شيء.

فجأة ضمّني إليه وقال:

- سأعترف لك بشيء.. لا تضحكي منه!

وقبل أن أجيب واصل:

- حدث أن غرت من زياد. تصوّري لم أغر من زوجك يومًا.. وغرت من كائن حبريّ، تقاسم معي بطولة ذلك الكتاب. ما زلت أشعر بأنّه وجد حقًّا في حياتك، وأنّه سبقني إلى جسدك.

أضحك.. أقول:

- أيّها المجنون.. هذا الرّجل لم يوجد قط. لقد أوجدته، لأنّني أحبّ قصص الحبّ الثلاثيّة الأطراف. وأجد في قصص الحبّ الثنائيّة، كثيرًا من البساطة والسّذاجة التي لا تليق برواية. ولذا كان يلزمني رجل يعيش بمحاذاة تلك القصّة، قبل أن يصبح هو بطلها، لأنّ هذا هو منطق الحبّ في الحياة، نحن نخطئ دائمًا برقم.

- وبرغم هذا أحسده. كنت أريد لي قدرًا مطابقًا لقدره. حتّى إنّني أحفظ أشعاره. ما زلت أحلم بحبّ كبير.. بقضيّة كبرى، وبموت جميل.

- ولكن انتهى زمن الموت الجميل. لم يعد بإمكان أحد الآن حتّى في رواية، أن يموت في معركة كبيرة. لقد أفلست جميع قضايانا، ولذا أحببت أن يموت زياد أثناء الاحتياج الإسرائيلي لبيروت. تصوّر، هو الذي كان يحلم بالعودة إلى غزة. لو عاش، لدخل اليوم مباشرةً إلى سجونها، أو انتهى به الأمر شرطيًا فيها، يسجن ويعذّب فلسطينيين آخرين بتهمة المسّ بأمن إسرائيل. كم من الأوهام ماتت معه. فبعده، لم يعد ثمّة شيء اسمه فلسطين.. سعيدة أنا من أجل الذين سيأتّون بعدنا: لقد وفرنا عليهم أعمارًا لن ينفقوها في أوهامنا.

يصلح من جلسته. يترك رأسي على كتفه، ويشعل سيجارة. يباشر بتدخينها في بطء قائلاً:

- دعينا من فلسطين.. أجيبيني: هل أنت سعيدة معي؟

يفاجئني سؤاله. لا أدري كيف أردّ عليه، أقول:

- حين نكون تعساء ندرك تعاستنا. ولكن عندما نكون سعداء، لا نعي ذلك إلّا في ما بعد. إنّ السّعادة اكتشاف متأخّر.

يردّ ساخرًا:

- أيجب أن أنتظر الكتاب القادم، كي أعرف إن كنت سعيدة معي؟

أردّ ضاحكة:

- طبعًا لا.. بإمكاني أن أجيبك الآن. ولكن في الواقع تعلّمت أن أخاف السّعادة. ما اكتشفتها مرّة إلّا فقدتها.

يجيب:

- ولذا عليك أن تعيشيها كلحظة مهدّدة. أن تعي أن اللّذّة نهب، والفرح نهب، والحبّ.. وكلّ الأشياء الجميلة، لا يمكن إلا أن تكون مسروقة من الحياة، أو من الآخرين. فالمرء لا يبلغ المتعة إلّا سارقًا، في انتظار أن يأتي الموت، ويجرّده من كلّ ما سطا عليه.

أقول:

- أنت تذكّرني بفيلم «حلقة الشعراء الذين اختفوا». أتذكر ذلك المشهد الأوّل، عندما تحلّق الطّلبة حول الأستاذ، ليتأمّلوا الصّور المعلّقة على جدران الصفّ، لطلبة سبقوهم منذ أجيال إلى ذلك المعهد. عندما كان الأستاذ يردّد «تأمّلوا هيئاتهم وشبابهم الذي يشبه شبابكم اليوم. إنّهم يقولون لكم.. استفيدوا من اليوم الحاضر.. لتكن حياتكم مذهلة.. خارقة للعادة.. فذات يوم لن تكونوا شيئًا..».

يعلّق دون اهتمام:

- أنا لم أشاهد هذا الفيلم.. ولكن أتوقّع أن يكون المشهد جميلاً..

أسأله دهشة:

- أحقًّا.. أنت لم تشاهد هذا الفيلم؟

يجيب متعجّبًا من نبرتي:

- أكان يجب أن أراه؟

ولا أجد شيئًا أبرّر به اندهاشي أمام هذا الاكتشاف سوى كلمات مرتبكة:

- توقّعت أن تكون شاهدته.. فقد حصل على عدّة جوائز..

وأعود إلى صمتي. أستعيد قصّتنا منذ البدء. أحاول أن أفهم: إن لم نكن التقينا في ذلك العرض، فمَن ذا الرّجل الذي يا تُرى جلس إلى جواري في ذلك اليوم.. بالعطر نفسه.. والصّمت نفسه؟

كانت الأسئلة تذهب بي في كلّ صوب. عندما قطع تفكيري قائلاً كمن يعتذر:

- حدّثني عبد الحقّ عن هذا الفيلم. وعرض عليّ أثناء زيارتي لقسنطينة أن أرافقه إلى مشاهدته. كان يريد أن يكتب عنه مقالاً للجريدة. ولكنّني شُغلت ذلك اليوم بأمور أخرى، فذهب لمشاهدته بمفرده. من المؤكّد أنّه لا يزال يُعرض في قاعات بالعاصمة. سأحاول أن أحضره هنا، حتّى يصبح بإمكاني أن أتحدّث معكما عنه، بدل الاستماع إلى كلّ واحد منكما وهو يروي مشهدًا من الفيلم.

ثمّ يواصل وهو يمرّر يده على شعري:

- أيسعدك أن أراه؟

أجبته وأنا أضع قبلة على خدّه:

- حتمًا.

بدا لي فجأة أنّني أستعمل معه لغة «عبد الحقّ». فلم أضف شيئًا إلى ما قلته.

بعد قليل، كنت أغادره. كان هو يعود إلى حداده. وأنا أعود

– حتمًا – إلى أسئلتي!

* * *

ما كدت أخلو بنفسي ذلك المساء، حتّى فتحت ذلك الدفتر الأسود، متصفّحةً قصّتي مع ذلك الرّجل، كما كتبتها يومًا بعد آخر، على ذلك الدّفتر.

رحت أستعيد بداياتها، أتوقّف عند منعطفاتها، عساني أفهم، كيف ولدت هذه القصّة، ومن أين جاءني هذا الرّجل؟

كيف تمكّن خلال ثمانية أشهر، من أن يتهرّب من كلّ أسئلتي، وينجو من كلّ مقالبي، ويعيش داخل هذا الدّفتر، متنكّرًا في رجل آخر، ثمّ يفاجئني بالحقيقة عندما يشاء هو.

ولكن أيّ حقيقة؟ أتلك التي باح لي بها؟ أم الأخرى التي لا يعرفها هو نفسه، والتي أوصلني إليها دون أن يدري، مؤكّدًا كلامًا سابقًا له: «ليس ثمّة من حقيقة واحدة. الحقيقة ليست نقطة ثابتة. إنّها تتغيّر فينا وتتغيّر معنا. ولذا، لم يكن ممكنًا لي أن أدلّك إلّا على ما ليس الحقيقة».

حبّه أيضًا أصبح وسط التساؤلات، حقيقة متحرّكة. في الواقع، كان لنا زمن سرّي وذاكرة مشتركة، لشيء شبيه بالحبّ، عشناه معًا، حتّى قبل أن نلتقي.

هو قال «أجمل حبّ هو الذي يأتيك أثناء بحثك عن شيء آخر» وأنا صدّقته، ونسيت من انبهاري به عن أيّ شيء بالتحديد كنت أبحث، يوم صادفته.

ها هوذا اليوم، في دوره الأخير، يصبح قارئي.

فكيف يمكن لقارئ أن يفعل بكاتبٍ كلّ هذا!؟

يربكني تدخّل البعد اللّاعقلانيّ في السلوكات والقرارات الإنسانيّة، وتذهلني الحياة السرّيّة للمشاعر.

أذكر أنّني، قرأت يومًا بحثًا نفسيًّا، يقول إنّ وقوعنا في الحبّ، لا علاقة له بمن نحبّ، بل لتصادف مروره في حياتنا بفترة نكون فيها دون مناعة عاطفيّة، لأنّنا خارجون توًّا من وعكة عشقيّة، «فنلتقط حبًّا»، كما نلتقط «رشحًا» بين فصلين!

واستنتجت يومها أنّ الحبّ عارض مرضيّ.

ثمّ قرأت بعد ذلك مقالاً طبّيًّا عن «كيمياء الحبّ» جاء فيه أنّنا نرتكب أكبر حماقاتنا في الصّيف لأنّ الشّمس تغيّر مزاجنا. ولها تأثيرات غريبة في تصرّفاتنا: فأشعّتها تخترق بشرتنا وكرياتنا الدمويّة.. فتعبث بجهازنا العصبيّ، وتحوّلنا أناسًا غريبين بإمكانهم فعل أيّ شيء.

وقلت.. الحبّ إذن حالة موسميّة.

وقرأت أيضًا.. أن الكتابة تغيّر علاقتنا بالأشياء، وتجعلنا نرتكب خطايا، دون شعور بالذّنب، لأنّ تداخل الحياة والأدب يجعلك تتوهّم أحيانًا أنّك تواصل في الحياة، نصًّا بدأت كتابته في كتاب، وأنّ شهوة الكتابة ولعبتها تغريك بأن تعيش الأشياء، لا لمتعتها بل لمتعة كتابتها.

واستنتجت أنّ مشكلة الكاتب أنّه لا يقاوم أحيانًا شهوة الخروج عن النصّ، والتورّط الأدبيّ مع الحياة، حتّى في سرير.

وهكذا بعد شيء من التفكير، توصّلت إلى كون ما حدث لي لا علاقة له بالمنطق، بل بتصادف عدّة شروط لامنطقيّة.

فقد دخل هذا الرّجل حياتي ذات صيف، مستفيدًا من فقداني أيَّ مناعة عاطفيّة، وانشغالي بين فصلين، بكتابة قصّة حبّ وهميّة. وحبّه ليس إلّا تصادف اجتماع عدّة ظروف استثنائيّة.

في الواقع، من كثرة ما قرأت، اكتشفت أنّ مصيبتي هي في كوني لست أمّيّة. فكم من الأشياء قد تحدث لنا بسبب ما نقرأ..

ذلك أنّ ثمّة قراءات تفعل بنا فعل الكتابة، وتوصلنا إلى حيث لا نتوقّع.

أذكر مقابلة صحافيّة للكاتب الأرجنتيني بورخيس سأله فيها الصحافيّ «ماذا كنت تعني عندما سئلت مرّة عن حياتك» فقلت «حدثت لي أشياء قليلة.. ولكنّني قرأت كثيرًا»، فأجاب «كنت أقصد لأنّني قرأت كثيرًا.. حدثت لي أشياء كثيرة».

وأنا التي كنت أحلم بكتابة كتاب واحد، يمكنني بعده أن أموت «كاتبةً»، كتاب يتدخّل في حياة القارئ، حدّ منعه من النّوم، وجعلِه يعيد النّظر في حياته، ها أنا وُفِّقتُ على الأقلّ، مع قارئ واحد. من اندهاشه بكتاب، تطابق مع بطلي حدّ إدهاشي، وقلب حياته وحياتي.. رأسًا على عقب!

وهكذا أصبحت خلاصتي في النّهاية، أنّ على الكاتب أن يفكّر كثيرًا قبل أن يكتب قصّة.

ففي أيّ لحظة، قد تأخذ الحياة قصّته مأخذ الجدّ، وتعاقبه بها، أو تعاقب ذلك المسكين الذي وقع تحت سطوة الكلمات، ولم يعد يدري وهو يقرأها، أين يقع الخطّ الفاصل بين الوهم والحياة.

عندما كتب غوته كتابه «آلام فرتر» ليصوّر فيه قصّة حبّ يائس، أصبح ألوف من شباب أروبا يرتدون ثيابًا مثل بطله فرتر، ويتصرّفون مثله في المجالس، ويحملون تحت إبطهم مثلما كان يفعل، ديوان هوميروس. وكثير منهم أقدموا على الانتحار مثله، حتّى وجّه إليه النقّاد اللّوم لأنّه زيّن لهم الانتحار.

والواقع أنّ غوته لم يزيّن لهم الموت، بل زيّن لهم الحياة بين دفّتي كتاب، في تلك المساحة المخصّصة للحلم والوجاهة، التي اسمها «الأدب».

وإذا كان من المعقول أن تحبّ كاتبًا، حتّى تتوهّم أنّك بطل من أبطاله، فأين العجب في أن يحبّ كاتب بطلاً من أبطاله، حتّى يتوهّم بدوره، أنّه موجود في الحياة، وأنّه حتمًا سيلتقي به يومًا في مقهًى.. ويتبادلان كثيرًا من الأخبار، والذكريات!

***

عودة أمّي، أعادت إلى حياتي وجهها الطبيعيّ، وأخرجتني لوقت من

أسئلتي الدّائمة. فقد جاءت ومعها أخبار عن عرس أتوقّع أن تحدّثني عنه كثيرًا في المستقبل. فهي تؤكّد أنّ شروط الانفجار جاهزة بين الزوجتين، الأولى والجديدة.

أتسلّى بالاستماع إليها، وأنا أعرف مسبّقًا المنحى الذي سيأخذه حديثها. فهي على يقين ثابت من أنّ ضرّتي هي سبب عقمي، وبعض ما حلّ بي، وهو ما لا أصدّقه.

طبعًا، لم يكن سهلاً أن أتقبّل فكرة مقاسمة رجل مع امرأة أخرى، بل كان بإمكاني أن أشترط طلاقه منها. فقد كان يريدني وقتها، إلى درجة الرّضوخ لكلّ مطالبي. ولكنّني كنت أشفق على تلك المرأة، التي تكبرني بخمس عشرة سنة، والتي شاركت زوجي عشرين سنة من حياته، وأعطته ثلاثة أولاد قبل أن يصبح ضابطًا، على قدر من الأهميّة، بحيث كان لا بدّ، ككلّ المسؤولين من حوله، من أن يعيد النّظر في حياته الزّوجيّة.

أعتقد، أنّ استسلامها منذ البدء للأمر الواقع، هو الذي جرّدني من أسلحتي. لا أعتقد أنّها كانت من الطّيبة إلى درجة التحمّس لهذا الزواج، ولكنّها لم تكن شرّيرة، ولا حاولت يومًا أن تكيد لي.

ثمّ مع الوقت وُلد بيننا شيء من التّواطؤ النّسائيّ الصّامت، بعدما أدركت كلّ واحدة منّا، أنّها لا يمكن أن تلغي الأخرى، أو تنفرد بامتلاك ذلك الرّجل.

كثيرًا ما سألت نفسي إن كنت أغار من هذه المرأة، التي من الأرجح أن يكون زوجي الآن في بيتها، يقاسمها سريرًا، لا يشغله إلّا نادرًا، وغالبًا أثناء غيابي.

والمدهش أنّ الجواب يأتي دائمًا بالنّفي. وبرغم ذلك لم يتقبّل جسدي تمامًا فكرة وجودها، بل إنّه لم يتقبّل هذا، منذ اللّيلة الأولى.

وأذكر أنّه طوال ليلة زفافي، لم تفارقني فكرة وجودها، ولا مشهد حضورها الصّامت، في تلك السّهرة مراعاةً لزوجي، الذي كان يريد أن يثبت للحضور مباركتها لهذا الزّواج.

ربّما لذلك السّبب، صنع جسدي يومها، حاجزًا لم يستطع زوجي تخطّيه، رغم ما أوتي من إمكانيّات فحوليّة.

ورغم اشتهائي له، شيء فيّ كان لا يطاوعني، ويرفض الاستسلام له، وخاصّة أنّ مقاطعة ناصر لكلّ احتفالات الزّواج، قد وضعتني في حالة نفسيّة سيّئة.

تراودني كلّ هذه الأفكار، وأمّي تنقل لي «وقائع» هذا الزفاف الذي لم تسفر ليلته عن نتائج ترضي كبرياء العريس الممتلئ فحولةً ذكوريّةً، وهو ما جعل النّساء كعادتهنّ يجتهدن في تفسير الأمر.

أمّا الخبر الأهمّ، فكان بالنّسبة إليَّ شعور أمّي المفاجئ بالضّجر، ورغبتها في العودة إلى قسنطينة في أقرب وقت.

خبر تلقّيته بمذاق سابق للحزن، أسرعت بإخفائه عنها.

فقد تعلّمت أن أخفي عنها حزني وفرحي، حتّى لا أجد نفسي مُجبرةً على شرح الأوّل، أو على تبرير الأخير، فلم تكن لنا يومًا المقاييس نفسها للسّعادة.

السّعادة، ذلك العصفور المعلّق دومًا على شجرة الترقّب، أو على شجرة الذكرى. ها هو على وشك أن يفلت منّي الآن أيضًا. ولأنّني أدركت ذلك، بدأت أعيش ذلك الحبّ، بشراسة الفقدان.

كالذين يعيشون عمرًا مهدّدًا، علّمني الموت من حولي أن أعيش خوف اللّحظة الهاربة، أن أحبّ هذا الرّجل كلّ لحظة.. وكأنّني سأفقده في أيّ لحظة، أن أشتهيه، وكأنّه سيكون لغيري، أن أنتظره.. دون أن أصدّق أنّه سيأتي. ثمّ يأتي.. وكأنّه لن يعود، أن أبحث لنا عن فرحة أكثر شساعة من موعد، عن فراق، أجمل من أن يكون وداعًا.

غير أنّه كان يبدو فجأة غير مبالٍ بمداهمة الحياة لنا، بل إنّه
كان يملك من ترف الوقت، ما جعله يصرّ على أن لا يكون موعدنا
الأخير في بيته، بل في مطعم بحريّ على بعد نصف ساعة سيرًا على
الأقدام من بيتي.

وعبثًا حاولت إقناعه بأنّنا قد لا نلتقي قبل زمن طويل، وأنّ هذا
المكان لا يصلح لوداعٍ، ولا لموعد أخير. ولكنّه كان يجيب: «سيكون
لنا هناك موعد أجمل».

***

التقينا.

في مقهى ارتجله الحبّ لنا، كان هنا. هو والبحر.. وطاولة
صيف مسائيّة..

هو وأنا.. وتنهّدات الأمواج بيننا.

قلت عاتبة:

- كان بإمكاننا أن نلتقي عندك. لماذا أصررت على تبذير ثروة
الحلم أمامي؟

أجاب دون أن يتوقّف عن التدخين:

- تبذير الحياة.. هو أيضًا جزء من الحياة.

- ولكنّني أريدك.. وقد لا نلتقي قبل زمن طويل.

وضع بيننا كعادته منفضة الصّمت، وأعقاب جمل لم تكتمل،
ثمّ قال:

- لفرط ما أردتك أفهم معنى أن تريديني. ولكن لا بدّ أن نتعوّد
الحرمان، حتّى عندما نكون معًا.

- ولكن لماذا؟

- لأنّ قدرنا أن لا نكون معًا دائمًا.

- لماذا أهديت إليَّ إذن كلّ تلك المتعة.. إذا كنت تُعدّني لكلّ هذا الألم؟

- أنا أُعدّك لمتعة أجمل. قبلك لم يكن الحرمان جميلاً، لأنّه لكي يكون كذلك، لا بدّ أن نريده، أن يكون تواطؤًا سرّيًّا بين اثنين. وقتها فقط يغيّر اسمه، تصبح له تسمية أجمل.

يسألني بعد شيء من الصّمت:

- أتعرفين ما اسمه؟

أقول دون تفكير:

- لا.

يجيب:

- يصبح اسمه الوفاء!

تترك الحروف خلفها ذيلاً من الدخان الذي ينفثه بكسل نحوي.

أجيب:

- أنا أفهم تمامًا ما تقول. ولكن، ألا تعتقد أنّك تزايد على القدر، وتعاقبنا أكثر ممّا عاقبتنا الحياة؟

يردّ:

- ما أعتقده هو أنّك كنت دائمًا الطفلة المدلّلة للحبّ. أتوقّع أن يكون قد منحك دائمًا ما أردته دون جهد. ثمّة أناس لهم تلك القدرة الخرافية على المشي فوق قلوب الآخرين، دون شعور بالذنب.

أتمتم:

- ألهذا..؟

يقاطعني:

- لا.. ليس لهذا أعاقبك اليوم بالحرمان. وإلّا أكُنْ أعاقب نفسي بك. ولكن جميل أن يروّضك رجل، لم يفهم قبلك في الخيول..

وقبل أن أنطق يقول:

- أتدرين.. مع الخيول الوحشيّة، الأصعب دائمًا هو لحظة الاقتراب منها. أمّا ترويضها بعد ذلك فهو قضيّة وقت. ولهذا أوجد رعاة البقر لعبة الروديو، التي يتنافسون فيها على عدد الدّقائق التي يبقون فيها على ظهر حصان وحشي، قبل أن يرمي بهم أرضًا، لتتهشّم عظامهم عند أقدامه. ففي دقائق قد يربحون حصانًا، كما قد يخسرون حياتهم في دقائق.

ثمّ واصل وهو ينفض دخانه ببطء في المنفضة، دون أن تغادرني نظراته:

ولذا، عكس ما تتوقّعين، لم أربحك في موعدنا الأخير، بل في موعدنا الأوّل، في تلك الدّقائق القليلة التي سألتك فيها في مقهى «الموعد»، إن كنت تسمحين لي بالجلوس، وكنتِ على وشك أن تقولي «لا». ولكنّك قلت «طبعًا». ولم أكن أملك بعد ذلك سوى حبل الكلمات لأطوّقك به، وأوقف جموحك الفطريّ. يومها فقط.. جرّبت رعب الاقتراب من فرس.

- ثمّ..؟

- ثمّ ها نحن معًا، أمام امتحاننا الأصعب. عكس موعدنا الأوّل، لسنا نحن الذين نختبر بعضنا بعضًا اليوم، أو نقيس استعدادنا للصّمود في وجه الحبّ، أو قدرتنا على الإيقاع بغيرنا. وإنّما الحياة هي التي تختبرنا معًا، وتختبر الحبّ بنا. ولكي ننجح علينا أحيانًا أن نتساوى بالعشّاق المفلسين، أن نتخلّى عن ترف تملّكنا لمفاتيح شقّة، ونعيد للحبّ جماليّته.. واستحالته الأولى.

- جميل ما تقوله.. لولا أنّك تجرّب فينا نظريّات في الحبّ، لا يمكن أن تنطبق على واقعنا. أنت تنسى وضعي الاجتماعي.. وتنسى أنّني موجودة معك هنا خلسة.. ومجازفة.

- لم أنس هذا. ولكن أنت نفسك قلت إنّك لا تعيشين حبّنا بخجل، وإنّك تكرهين العلاقات المستترة التي تعيش في ظلّ الشّوارع

الخلفيّة. فامنحي حبّنا شرعيّة الضّوء، وشيئًا من الكرامة التي تخرجنا من صنف السرّاقين.

- وماذا لو رآنا أحد معًا؟ كيف أدافع عن تهمة معرفتي بك.. أو وجودي معك هنا؟

يقاطعني:

- تدافعين عن هذه التّهمة! أيّ تهمة؟ وأمام من؟ أمام زوجك، وهو أحد المتّهمين في هذا البلد؟! أكثر ما أعجب له، أن يكون الحبّ هو الفعل الذي يحرص النّاس على إخفائه الأكثر، والتّهمة التي يتبرّأون منها بإصرار. ما عدا هذا.. بإمكانك أن تكون مجرمًا وسارقًا وكاذبًا وخائنًا وناهبًا لأموال الوطن.. وتفرد ما سطوت عليه أمام النّاس دون خجل، وتواصل حياتك بينهم محترمًا. أليس هذا الأمر مدهشًا؟

يضيف متذمّرًا:

بين الذين أهدروا ماضينا، والذين يصرّون على إهدار مستقبلنا، بين الذين أفرغوا أرصدتنا، وأولئك الذين سطوا على أحلامنا، نظلّ نحن أثرياء الحبّ أشرف من غيرنا.

يواصل وهو ينفض سيجارته بشيء من العصبيّة:

- مذ شلّت ذراعي، تعلّمت شيئًا: الأجدر أن يُعرّف الإنسان بما فقَد، لا بما يملك. فنحن دائمًا نتيجة ما فقدناه. ولكن لا أحد يسألك عن الذي فقدته؛ هم يسألونك فقط عمّا تملك وأنتِ نفسك، لم تسأليني يومًا كيف فقدت ذراعي، ومتى شُلّت.. وكيف؟ ألا يعنيك أن تعرفي هذا؟

أقول معتذرة، وقد باغتني بسؤال لم أجرؤ على طرحه:

- توقّعت أن يكون في الأمر إزعاج لك.

يقول بسخرية المرارة:

- ولِمَ يخجلني أمر لست فاعله؟ أتعرفين قصّة بيكاسو، عندما رسم لوحته الشهيرة «غرنيكا»، مصوّرًا فيها خراب تلك المدينة على

أيدي الفاشيّين، فجاء منهم من يسأله «أنت الذي فعلت هذا؟» فردّ عليهم بجوابه الشهير «لا.. بل أنتم». لو سألتني لأجبتك مثله: «لست أنا.. بل هم».

لم أفهم من كان يقصد بالتحديد. سألته:

- ومتى حدث هذا..؟

أجاب وهو يسحب سيجارة جديدة، ويشعلها ببطء من يشعل فتيلة الذكريات:

- حدث ذلك أثناء أحداث أكتوبر 1988. كنت وقتها أعمل مصوّرًا صحافيًا. فذهبت لألتقط صورًا لتلك التظاهرات التي اجتاحت فيها الحشود الشّوارع دون سابق قرار. وكان شيئًا مذهلاً ذلك الذي شاهدته: سيّارات مسرعة.. وجوه مرعبة وأخرى مرعوبة، رصاص طائش وصدور تتلقى قدرها بغتة. مدينة تحكمها الدبّابات. كلّ شيء قائم فيها قد أصبح أرضًا، حتّى أعمدة الكهرباء.

كان العسكر يضعون حاجزًا بشريًّا أمام آلاف الشبّان الذين راحوا يكسّرون في طريقهم كلّ شيء يرمز إلى الدّولة، ويوجّهون رصاصهم تارة في الهواء، وتارة وسط النّاس لإخافتهم دون جدوى، بينما احتلّ جنودٌ سطوح المباني الرسميّة. أذكر أنّني حاولت أن ألتقط صورة لعسكريّ، وهو يقف على مبنى مقرّ الحزب، موجّهًا رشّاشه نحو الشّارع، وخلفه علم الجزائر. عندما انطلق رصاص من ذلك المبنى، واخترق ذراعي اليسرى. ولم أدرِ إن كان العسكري قد اشتبه في أمري عندما رفعت آلة تصويري، وتوقّع أنّني أرفع سلاحًا، أم تلقّيت رصاصًا طائشًا كان موجّهًا إلى أيّ شخص.

ثمّ واصل بنبرة غائبة:

- تصوّري، تلك اللّحظة التي نزلت كي أصوّرها، وتختزنها آلة تصويري، اختزنها جسدي إلى الأبد. وأصبحت ذاكرة جسد، أتقاسمها مع مئات الجرحى والقتلى الذين سقطوا في تلك الأحداث.

مرّة أخرى، فاجأني هذا الرّجل بقصّة لم يكن مقرّرًا أن يقصّها عليّ اليوم بالذّات، في هذا المكان، وهذا الظّرف بالذّات.

وكعادته، أجابني عن السّؤال، الذي عدلت عن طرحه، لفرط ما طاردتني علامات استفهامه.

تأمّلته، وهو يفكّ آخر زرّ في هذا المعطف الكثير الأزرار. ويحلُّ آخر لغز في تلك الفوازير التي شغلتني عدّة أشهر، وكأنّه بلغ حالة تعب من المراوغة، وقرّر أن يهدي إليّ أخيرًا.. الحقيقة.

بدا لي في عنفوانه، أجمل من وهمي به.

قلت:

- أتدري.. أنّ الحقيقة تزيدك إغراءً!

أجاب:

- تمنّيت أن تزيدني احترامًا. فلا أعتقد أنّ بإمكاننا أن نحبّ أو نشتهي شخصًا فقد احترامنا. ولذا حرصت على أن لا أصغر في عينيك بسبب عاهتي.. والأجمل أن أكبر في عينيك بها.

قلت:

- لم ألتق قبلك برجل ثمل كبرياء إلى هذا الحدّ..

أجاب:

- هل أفهم أنّك تحبّينني؟

كدت أقول «طبعًا» ولكنّني قلت:

- حتمًا..

واصل:

- أتأذنين لي بأن أسألك إن كنت تحبّين زوجك؟

أجبت:

- حدث أن أحببته.

- وهل أنت سعيدة معه؟

- لا أدري.. أحيانًا أكتشف تعاستي.. ثمّ أعود فأنسى.

- ولماذا بقيت معه إذن؟

- لأنّه زوجي.. لأنّني وحيدة.. ولأنّني متعبة ولا قدرة لي على اتّخاذ أيّ قرار.

- ولكنّك حرّة في تغيير مجرى حياتك والانفصال عنه.

- أظنّه أندريه جيد الذي قال «من السهل أن تعرف كيف تتحرّر ولكن من الصّعب أن تكون حرًّا». قد أنجح في أن أتحرّر من هذا الرّجل. رغم أنّني لا أتوقّع أن يكون هذا أمرًا سهلاً. ولكن الأصعب ستكون حرّيّتي بعده. فحياة امرأة مطلّقة في بلد كهذا، هي عبوديّة أكبر. إنّها تتحرّر من رجل، كي يصبح كلّ النّاس أوصياء عليها.

أصمتُ فجأةً ثمّ أسأله:

- لو انفصلت عنه.. فهل تتزوّجني؟

يجيب بنبرة المفاجأة:

- أتزوّجك؟ أنت تمزحين؟

- ألا يسعدك أن أكون امرأتك؟

- طبعًا.. ولكن...

- ولكن ماذا؟

- أنا لا أملك شيئًا يا سيّدتي. لا شيء ممّا تعوّدته في نمط حياتك. كلّ ثروتي في بيت للإمام الشّافعيّ:

«غنيّ بلا مالٍ عن النّاس كلّهم
وليس الغنى إلّا عن الشّيء لا به»

- كلّ هذا لا يعنيني.. تلك الشقّة التي تسكنها تكفينا لنكون سعيدين معًا.. أنا أحبّها.

- ولكن حتّى تلك الشقّة ليست لي، أنا أقيم فيها مؤقّتًا فقط.

- ولمن هي إذن؟

- إنّها لعبد الحقّ.. ذلك الصديق الذي حدّثتك عنه. تركها بعدما وصلته تهديدات بالقتل. فذهب ليعيش لمدّة في قسنطينة، حيث ما زال أهله يقيمون، وقد يعود إليها عندما تتحسّن الأوضاع.

- وكلّ ما في البيت له؟

- طبعًا.

- وتلك المكتبة أيضًا؟

- أيضًا؟

- وكتاب هنري ميشو الذي استعرته منك.. هل هو له؟

- هو أيضًا له..

تفاجئه أسئلتي التي تبدو له غريبة، بينما أصاب أنا بصاعقة الذّهول، وأدخل في حالة صمت لا يجد لها تفسيرًا.

سألني مازحًا:

- ما الذي يزعجكِ أكثر، أن يكون ذلك البيت له؟ أم أن يكون ذلك الكتاب له؟

أجبته بابتسامة غائبة:

- لا شيء يزعجني من كلّ هذا.. ولكنّك فاجأتني..

- وأنت أيضًا فاجأتِني. هذه أوّل مرّة تطلب فيها امرأة يدي. قبلك طلب العسكر يدي اليسرى وأخذوها في أحداث 88 مع آلة التصوير. أمّا اليمنى فما كدت أتحوّل إلى الصّحافة المكتوبة حتّى أصبح الإسلاميّون يطالبون بها! تصوّري: أنا رجل مزعج، اتفق الفريقان على قطع يديه. وعليك أن تقرّري بسرعة إن كنت تريدينني حقًّا. قد يأتي زمن لن يتمكّن فيه أحد في هذا البلد من طلب يد صحافيّ للزواج!

أضحك لهذه «النكتة» ولهذه الرّوح السّاخرة التي يخفي بها دائمًا حزنه، ولكنّه لا يشاركني الضّحك.

أسأله:

- أنت قلّما تضحك.. لماذا؟

- علّمتني الحياة أن أبتسم عشر مرّات قبل أن أضحك.. وأن أعيد صياغة كلماتي عشر مرّات قبل أن أنطق بها، ولهذا اخترت في الماضي مهنة التّصوير. الصّورة لحظة صمت طويل.. إنّها كالرّسم، تجربة في الصّمت.

- وماذا علّمتك الحياة أيضًا؟

- علّمتني الصّبر. أنا رجل من برج الصّبر. وهذا آخر ما أريد أن أعلّمك إيّاه.

يضع يده في جيبه، ويُخرج حاملةَ مفاتيح جلديّة يضعها على الطّاولة، ويواصل:

- بيننا وبين المتعة مفتاح لا أكثر. ولكنّني أرفض أن يتحكّم هذا المفتاح فينا، وإلّا فسيكون في هذا إهانة للحبّ. أنا لا أقلّ عنك اللّحظة رغبة ولا اشتهاءً، بل إنّني أحوج منك إلى الحبّ، من حاجتك أنت إلى هذا الحبّ، وهذه المتعة ذاتها. ولكن عندما تبلغ ذلك القدر المخيف من اللّذّة، كلّ متعة لا تزيدنا إلّا جوعًا. وعلينا الآن أن نجرّب لذّة الامتناع، لنتصالح مع جسدينا، لنعرف كيف نعيش داخلهما عندما لا نكون معًا.. ولنكتشف جماليّة الوفاء عن حرمان.

أقاطعه:

- لا أفهم، لماذا أغريتني بالخيانة، إذا كنت ستطالبني بالوفاء.. عن جوع!

يردّ ساخرًا:

- أنت تسيئين فهمي مرّة أخرى. أنا لم أطالبك بشيء. أعددتك للإخلاص، دون أن أطالبك بأن تكوني مخلصةً لي..

- تمنّيت أن تقول غير هذا. كان يسعدني أن تطلب منّي ذلك.

- ولكنّ الإخلاص لا يُطلب؛ فهو ليس أكثر من تحايل دائم على شهوة الخيانة، وقمع لها، أي إنّه خيانة من نوع آخر. ولذا أجد في تسمية الخيانة بالمغامرة قلبًا للحقيقة. إنّ المغامرة الحقيقيّة هي الوفاء.. لأنّها الأصعب حتمًا.

- لماذا الأشياء معك معقّدة دائمًا إلى هذا الحدّ؟ أريد منك كلمات بسيطة، كتلك التي يقولها العشّاق وهم على وشك غياب، كلمات جميلة في بساطتها، موجزة، مربكة، ممتعة، موجعة. كلمات تذهلنا، تخترقنا ولا تغادرنا، لكنّك لا تقول شيئًا من كل هذا.

- لا أريد لنا حبًّا يقتات بالكلمات، حتّى لا يقتله عند البعد صمتنا. تريدين كلمات قرأتها في الكتب، وشاهدتها في الأفلام، ولكن أجمل ممّا قرأته وما شاهدته قصّتنا.

توقّف لحظة، ثمّ أضاف:

- عندما قرأت كتابك منذ ثلاث سنوات، تساءلت كيف يمكن لقصّتي أن تبدأ حيث انتهت قصّة خالد، في السّنة والأحداث نفسها؟ تراني فقدت ذراعي فقط لأمنح الحياة ترف مطابقتها لرواية، أم لأمنح الأدب زهو مواصلة قصّة في الحياة؟ أدركت الجواب عندما التقينا. لقد تواطأ الأدب والحياة، ليهديا إلينا قصّة الحبّ التي هي من الجمال بحيث لم يحلم بها قارئ وكاتبة قبل اليوم. أنت نفسك كروائيّة تجاوزتك قصّتنا لأنّها أغرب من أن تجرئي على تصوّرها في كتاب.

أجيب:

- أعترف بأنّني ما كنت تصوّرت أمرًا كهذا، برغم كوني حلمت دائمًا بقارئ يأتي ليقاصصني بكتاباتي. جميل كلّ ما يمكن أن يحدث لنا بسبب كتاب. يمكن أن نُكرَّم، يمكن أن نُسجن، يمكن أن نُغتال، يمكن أن نُحَبّ، يمكن أن نُكْرَه.. يمكن أن نُقدَّس، يمكن أن نُنفى. فلا يمكن أن نخرج بحكم البراءة من كتاب. البراءة في هذه الحالات،

ليست سوى شبهة أن لا نكون في الواقع كتّابًا. العجيب في قصتنا أن الحياة هي التي قرأتني وعاقبتني بتحويل ما كتبته إلى حياة، ربّما لأنّني كنت كاتبة بنزعات إجراميّة، تجلس كلّ مساء إلى مكتبها، ودون شعور بالذّنب، تقتل رجالاً لا وقت لها لحبّهم، وآخرين خطأً أحبّتهم، تصنع لهم أضرحة فاخرة في كتاب، وتذهب للنّوم.

أصمت. ثمَّ أواصل بنبرة غائبة:

كيف كان لي أن أعرف أنّنا في كلّ ما نكتبه نكتب قدرنا؟ لشدّة ما تأتي الحياة متنكّرة في بساطة كتاب، في أيّ يوم، أمام أيّ نصّ، قد يكتشف أحدنا أنّ صفحة من كتاباته قد وقعت في قبضة الحياة.. وأصبحت هي حياته.

يتوقّف فجأة عن التدخين ويسألني متهكّمًا لفرط حزنه:

- هل لي أن أعرف إن كنت تنوين قتلي؟

أردّ مازحة:

- طبعًا لا. أنت بالذّات سأستميت في الإبقاء عليك حيًّا.

وأواصل كما لتأكيد قولي:

- ثمّ إنّ خالد لا يموت في تلك الرّاوية.

يقاطعني:

- أدري.. يموت زياد. ولكن لا أرى حولي أحدًا. أصدقائي جميعهم قُتلوا.. لقد حان دوري، أليس كذلك؟ أيّ رقم سيكون رقمي في قائمة الاغتيالات حسب رأيك؟

لا أدري إن كان يحدّثني حقًّا عن لعبة الكتابة، أم أنّ هاجسه الحقيقيّ كان الحياة، أو على الأصحّ الموت الفعليّ فيها مغتالاً ككلّ رفاقه.

وقبل أن أجيبه يضيف:

- حياة.. أجّلي موتي قليلاً. ولكن أحبّيني وكأنّني سأموت. لقد وقعت على اكتشاف عشقيّ مخيف. لا يمكنك أن تحبّي أيّ شخص

حقًّا، حتّى يسكنك شعور عميق بأنّ الموت سيباغتك، ويسرقه منك. كلّ الذين تلتقين بهم كلّ يوم، ستغفرين لهم أشياء كثيرة، لو تذكّرت أنّهم لن يكونوا هنا يومًا، حتّى للقيام بتلك الأشياء الصغيرة التي تزعجك الآن وتغضبك. ستحتفين بهم أكثر، لو فكّرت كلّ مرّة، أنّ تلك الجلسة قد لا تتكرّر، وأنّك تودّعينهم مع كلّ لقاء. لو فكّر النّاس جميعًا هكذا لأحبّ بعضهم بعضًا بطريقة أجمل.

أسأله:

- وهل تفكّر فيّ بهذه الطريقة نفسها؟

يردّ ضاحكًا من ذعري:

- معك.. أوجدت فلسفة أجمل. أنا أعمل لدنياي كأنّني سأراك غدًا. وأعمل لآخرتي وكأنّنا سنموت معًا! ولذا أنا أستعدّ كلّ يوم للقائك هنا.. أو هناك، بالتألّق والشّوق نفسيهما.

أتمتم:

- أخاف إحساسك هذا. أشعر وأنا أ أستمع إليك، بأنّ حبّنا استغفال للحياة، وأنّه لم يبق لنا من الوقت سوى قبلتين وضمّة.

- بل لنا متّسع من العمر. وسأنتظرك في الحياة.. وفي الكتب. إنّ لحظة حبّ تبرّر عمراً كاملاً من الانتظار.. هل تعين هذا؟

- أحاول ذلك.. ولكن كلّ شيء ضدّنا.

- الحبّ ككلّ القضايا الكبرى في الحياة، يجب أن تؤمني به بعمق، بصدق، بإصرار، وعندها فقط تحدث المعجزة. انظري مثلًا بوضياف: رجل في الثانية والسبعين من عمره، قضى نصف حياته في مكافحة الاستعمار، والنصف الآخر منفيًّا من وطنه. رجل نُفِيَ حتّى من الذاكرة الوطنيّة، أُلغيَ حتّى من الكتب المدرسيّة، ثمّ جاء به التّاريخ، رئيسًا بعد ثمانية وعشرين عامًا من المنفى. أليس هذا أمرًا مذهلاً.. ورائعًا؟ صدّقيني إنّها قضيّة وقت فقط..

- ولكنّني أخاف الوقت.. إنّه عدوّ العشّاق.

- بل هو عدوّ الثّورات، الكبيرة منها.. وتلك الصّغيرة المرتجلة. جميعها يقتلها الوقت، وسننتظر موت الأوهام الثّوريّة.

***

طبعًا.. الوقت عدوّ العشّاق.

ها هوذا يفرّقنا. خطوات.. ويتوارى خيال رجل يعود إلى عتمته الأولى، مرتديًا سواده.

فأعود برفقة البحر مشيًا على الأقدام. أمشي وتمشي الأسئلة معي، وكأنّني أنتعل علامات الاستفهام.

نيتشه كان يقول «إنّ أعظم الأفكار، هي تلك التي تأتينا ونحن نمشي» فأمشي.

ولكن كلّ فكرة يأتيك بها البحر، تذهب بها الموجة القادمة.

كنت أعتقد أنّ الرّواية هي فنّ التحايل، تمامًا كما أنّ هذا الرّجل الذي لم يكن مهيّأً لدور الشّاعر، ولا لدور الرّوائيّ، تمكّن من إدهاشي، والتحايل على كلّ حواسّي إلى حدّ جعلي أمّيّة أمام الرّجولة.

كيف دون أن يدري، كتب هذه القصّة على قياسي، في هذا الكتاب الذي غيّرنا فيه أكثر من مرّة، أماكننا وأدوارنا، كيف أصبح ذلك الصّديق الغائب فجأة، هو البطل الرّئيسيّ.

فقد بدا واضحًا الآن أنه الرّجل الذي جلس إلى جواري عند مشاهدتي لذلك الفيلم، وأنّني ما فتئت أعيش بمحاذاته منذ ذلك اليوم. أشتمّ عطره.. أطالع كتبه.. أستمع إلى موسيقاه، أجلس على أريكته.. أتحدّث على هاتفه.. وأقع في حبّ بيته!

لم أفهم، كيف بغباء مثاليّ وقعت في فخّ كلّ الإشارات المزوّرة التي وضعها الحبّ في طريقي.

وإذا بي أثناء وهمي باكتشاف رجل، كنت أكتشف آخر.

لا أدري في أيّ محطّة، أخطأت قطار الحبّ «الأوّل»، فأخذت قاطرة أوصلتني إلى حبّ آخر.

كسائح شارد يأخذ الميترو لأوّل مرّة، كمغامر يكتشف قارّة دون قصد، في لحظة شرود عاطفيّ، أخطأت وجهتي. وقبلي أخطأ كولومبوس، فاكتشف أميركا، ومات وهو يعتقد أنّه اكتشف الهند.

يا للرّوائيين، كما البحّارة، هم يموتون دائمًا في لحظة جهل!

قطعًا.. لم تصل.

أنت المسافر في كلّ قطار صوب الأسئلة، من قال إنّك وصلت؟ من قال إنّك تدري أين هي ذاهبة بك الأجوبة؟ فـ«الأجوبة عمياء.. وحدها الأسئلة ترى».

الوقت سفر..

مراكب محمّلة بالأوهام عادت، وأخرى بحمولة الحلم ذاهبة.

ضحك البحر لمّا رآني أبحر على زورق من ورق، وأرفع الكلمات أشرعة في وجه المنطق. عساني أعرف.. كيف كلّ هذا قد حصل.

الوقت مطر..

غيمة تغادر الهاتف، وتأتي كي تقيم في حقيبتي. وخلف نافذة الخريف، مطر خفيف.. يطرق قلبي على مهل.

الوقت قدر..

يغلق البحر قميصه. يتفقّد ليلاً أزرار الذّكرى. يغلقها أيضًا بإحكام، حتّى لا يتسرّب الملح إلى الكلمات.

ثّم يرتدي صوته الأجمل، يدير أرقام هاتف.. يسأل:

وتجيب امرأة:

- ألو نعم!

الوقت ألم..

لماذا نحن نقول دائمًا «نعم» عندما نردّ على الهاتف.. حتّى عندما يكون الوقت «لا»؟

الوقت «لا».

في بهو الحزن الفاخر، تعلّمي الاحتفاء ليلاً بالألم.. كضيف مفاجئ.

هو ألم فقط. فلا تستعدّي له كما لو كان دمعك الأوّل.

متأخّر هذا البكاء، لحزن جاء سابقًا لأوانه، كوداع.

فالوقت وداع..

يقول الحبّ: ألو.. «نعم»

وتجيب الحياة: ألو.. «لا». والملح يتسرّب عبر خطّ الهاتف، يجتاحنا. بين استبداد الذاكرة، وحياء الوعود، تتابع الأشياء رحلتها.. دوننا.

***

أغادر سيدي فرج فجرًا، قبل أن يستيقظ البحر، ويستبقيني بدمعة.

له كلّ ذلك الموج، ولي الملح، وطائرة تنتظر.

عندما جئت إلى هنا منذ أسبوعين، كان بودلير يرافقني بتلك المقولة الجميلة، التي كانت تستبقه إلى كلّ سفر «الشّهوة تناديني.. والحبّ يتوّجني».

الآن، أترك عرش الحبّ خلفي. فالشرعيّة تناديني.. وقسنطينة تنتظرني، والحياة التي استغفلتها وخرجت على قانونها، تعيدني إلى بيت الطّاعة، متوّجةً ببريق الذكريات.

أعود إلى قسنطينة، متحاشيةً النّظر إلى هذه المدينة.

كنت أتمنّى لو أراها بعينيْ بورخيس عندما يرى بوينوس آيرِس بعينين فاقدتي البصر. عساني أحبّها دون ذاكرة بصريّة.

أحيانًا يجب أن نفقد بصرنا، لنتعرّف مدنًا لم نعد لفرط رؤيتها نراها.

هنا شوارع نخاف من عيون عابريها، مطاعم لا نجرؤ على ارتيادها، بيوت لا يمكن أن ندخلها معًا.

هنا.. مدينة لا تعترف بالحبّ، إلّا في أغاني «الفرقاني». لا تغادر بيتها إلّا لتذهب إلى المسجد، أو إلى مقهًى. لا تفتح نافذة إلّا لتطلّ على مئذنة.

وأنا جئتها بأعراض عشقيّة، وكلمات إسخيليوس في مواجهة أثينا: «يا سيّدتي.. تخلّي قليلاً عن الآلهة. وأعطيني شيئًا من شقائك العظيم..».

وهل أكثر شقاءً من عاشق في قسنطينة؟

زوجي قابلني بلطف مثير للشبهات، أو ربّما أنا الّتي كنت أبالغ في تضخيم أخطائه، بل أتربّص بها، ليمكنني في ما بعد، المبالغة بعدم الشعور بالذنب تجاهه.

بدا لي سعيدًا بعودتي، أو ربّما كان سعيدًا، لأسباب أخرى. فمذ جاء بوضياف، عاد شيء من الأمان إلى قلوب النّاس، وعادت الحياة الطبيعيّة إلى المدينة، ومعها تلك الحمّى التي تسبق الصّيف دائمًا، وتذهب بالعائلات أفواجًا إلى مروج عين الباي، وجبل الوحش.

وبدأ النّاس يجرؤون أخيرًا على القيام بمشاريع قريبة أو بعيدة الأمد، مراهنين على خروج البلاد من النّفق.

هذه الطمأنينة المباغتة، جعلتني أتعلّم الاستكانة إلى الوقت والمكان، واثقةً بكلام ذلك الرّجل.

تراني تعلّمت منه التفاؤل.. أم تعلّمت التريّث؟ حتّى إنّني كثيرًا ما قاومت تلك الرّغبة التي تستيقظ داخلي، وتغريني بالتحرّي لمعرفة من يكون عبد الحقّ.

ما كان يربكني هو كوني حيث كنت، أواصل العيش بمحاذاته ما دمت حتّى هنا، أتقاسم معه المدينة نفسها.

أحيانًا.. كانت تذهب بي الأحلام، فأتصّور مكانًا قد يجمعنا مصادفةً، قد لا يتعرّف إليّ، برغم أنّه قرأني، بل كتبني طوال هذه القصّة، ما دام هو الذي أهدى تلك الرّواية لصديقه وأوصله دون أن يدري.. إليّ.

وحده كتاب هنري ميشو قد يدلّه عليّ، لو أنا أخذته معي. أمّا أنا فسأستدلّ عليه بصمته، أو بتلك الكلمات القليلة التي كانت ميزته، والتي كعطره، سرّبها لصديقه.

سأسأله:

- هل عرفتني؟

وسيجيب:

- طبعًا.

أو قد يجيب:

- حتمًا.

... الكلمتين الوحيدتين اللتين قالهما يوم جلس إلى جواري في قاعة السينما.

عندها سأعترف له:

- اشتقتك.. أتدري روعة أن نشتاق إلى شخصٍ لم نلتقِ به؟

كنت أحلم، أتصوّر لنا أكثر من بداية. وأتصوّر لي أكثر من طريقة للعثور عليه، ثمّ أعدل عن أفكاري، وأنا أتذكّر أنّني أكرّر معه مغامرتي مع صديقه بكلّ حذافيرها.

هذه المرّة أيضًا، أنا أمام رجل لا أعرف اسمه. فعبد الحقّ ليس اسمًا عائليًّا، ولا يكفي للعثور على صحافيّ، لا أدري في أيّ جريدة..

ولا بأيّ لغة يكتب، ولا بأيّ اسم يوقّع مقالاته، في زمن أصبح فيه لكلّ صحافيّ اسمان.

في الواقع، كان يسعدني أن يكون هذا الرّجل، لا أحد.

رجل لا اسم له بالتّحديد. لا أوصاف، لا صفات مميّزة، ولا أوراق ثبوتيّة.

فقد تعلّمت من تجربتي السّابقة، أنّ في ما نجهله جماليّةً تفوق فرحتنا بمعرفة الحقيقة.

ولذا، قرّرت أن أترك موعدي مع عبد الحقّ للحياة، تتدبّره كما تشاء، حتّى لا أفقد عنصر المفاجأة.. وحتّى لا أستعجل الخاتمة.

فعندما نعثر على الشّيء الذي بحثنا دائمًا عنه، تكون بداية النهاية.

أمّا السّبب الأهمّ لعدولي عن البحث عنه، فهو كوني كنت أجد في انشغالي الدّائم، واللاّشعوريّ به، شيئًا من الخيانة المستترة، لذلك الرّجل الذي قضى موعدنا الأخير، في إقناعي بالإخلاص، وكأنّه كان يستبق الأحداث، أو كأنّه كان يعرف عنّي في كتابٍ، ما يكفي ليحذر نزعتي لحبّ صديقين في الوقت نفسه.

ألهذا أعطاني من شراسة الحبّ وتقلّباته، كما لو كان أكثر من رجل. وقال وهو يودّعني على الهاتف ذلك الاعتراف الذي آلمني: «لا أملك إلّا الحبّ.. لأردّ عنك خطره».

ما كدت أذكره، بذلك القدر من التفاصيل، حتّى عاودتني حالة من الاشتهاء له، حاولت أن أهرب منها إلى الكتابة. ولكن..

لليد ذاكرة لا تنفكّ تطاردك بالسّؤال عن جسد الفقدان. وأنا ما زلت لا أفهم، كيف أنّ جسده الذي لم يكن الأجمل.. أصبح الأشهى إلى حدّ إرباك سكينتي، ومنعي لأيام من الكتابة.

***

مرّ شهران..

كنت خلالهما أكتفي بوجبات الأحلام، ورشفات حبر سريعة، وأترك للآخرين ولائم الضّجر.. وقهوة النميمة.

فمنذ الأزل، كانت عقدة النّار، كيف التوحّد مع الماء. وأنا لم أتقن يومًا، فنّ هدر الوقت والجلوس إلى النّساء. كنت سيّدة الحزن، وكنّ خادماتٍ لدى الفرح.

أذكر الآن، تلك المقولة الجميلة «إنّ عظمة النّار في كونها تحرق.. وتحترق». وأفهم لماذا، كنت منذ الأزل، لا أجالس غير الرّجال.

فمع النّساء، لم أكن أحرق سوى أعصابي..!

وبرغم ذلك، قبلت يومها، حضور دعوة لدى إحدى القريبات، احتفالاً بنجاح ابنتها في امتحانٍ ما.

كنّا في نهاية حزيران، وكانت النّساء من حولي يتبادلن أحاديث حول قهوةٍ.. وأصنافٍ من الحلوى. وكنت أهرب من ثرثرتهنّ، وأسترق النّظر أحيانًا إلى جهاز التلفزيون، الذي كان مفتوحًا.. لمزيد من الضجيج.

رحت أتابع، بين حين وآخر، خطاب بوضياف الذي كان التلفزيون ينقله مباشرة، من دار الثّقافة في عنابة. ولكن، لم يكن يصلني منه الكثير، فاكتفيت بتأمّله، لأوّل مرّة، دون أن أدري أنّني أتأمّل ذلك الرّجل، في حضوره الأخير.

حتّى دون صوت، كان بوضياف يخترقك بعينين حزينتين، لهما ذلك الحزن الغامض، الذي يجبرك على أن تثق بما يقوله.

عينان تعرفان تدرّب الوطن على الغدر منذ الأزل. عينان تغفران وتنسيان، مذ داهمهما حزن المنافي، وإحساس عميق بخيانة الرّفاق، فلم يعد يغادرهما حزنهما ولا عادتا تقويان على الضّحك.

وكان بوضياف في وقفته الأخيرة تلك موليًا ظهره إلى ستار القدر.. أو «ستار الغدر».

يبدو واثقًا، وساذجًا، وشجاعًا، وبريئًا.

فكيف لا يحصل له.. كلّ الذي حصل؟

لا أدري عن أيّ شيء كان يتحدّث لحظتها. أذكر أنّ آخر كلمة قالها كانت «الإسلام..».

وقبل أن ينهي جملته، كان أحدهم، من المسؤولين عن أمنه، يخرج إلى المنصّة من وراء السّتار الموجود على بعد خطوة من ظهره، ويلقي قنبلة تمويهيّة.. جعل دويّها الحضور ينبطحون جميعهم أرضًا.

ثمّ راح يفرغ سلاحه في جسد بوضياف، هكذا مباشرة أمام أعين المشاهدين، ويغادر المنصّة من السّتار نفسه.

كنّا في التاسع والعشرين من حزيران.

كانت السّاعة تشير إلى الحادية عشرة وسبع وعشرين دقيقة.

وكانت الجزائر.. تتفرّج مباشرة على اغتيال أحلامها.

كان الجميع ينتظرون سيّارة الإسعاف التي لم تأتِ.

وكان علم الجزائر المنصوب على المنبر، قد أصبح مصادفةً غطاءً لرجل ينام أرضًا، جاء ليرفع رؤوسنا.. فجعلنا أحلامه تنحني في بركة دم.

ذلك كان قدر بوضياف مع حزيران الوطن.

منذ أربعين سنة، في الشّهر نفسه، اقتاده رفاقه إلى سجون الصّحراء.

ثمّ جاء به الوطن، كي يحكمه 166 يومًا. وها هو يكافئه ذات حزيران.. بكفن!

وابل من الرّصاص، مقابل خمسة أشهر من الحكم.

لم يمهلوه سبعة أيّام فقط، كلّ ما كان يلزمه كي يصل به العمر حتّى 5 يوليو، عيد الاستقلال الذي كان يريد أن يهدي فيه إلى الجزائر، خطابه المنتظر.

فجأة، توقّف بنا القدر، كما تتوقّف عجلات سيّارة في الوحل، وهي في طريقها إلى مشوار جميل.

فقد كان كل شيء جاهزًا كي لا يُخلِف بوضياف هذه المرّة موعده مع الموت، بما في ذلك سيارة الإسعاف التي أضاعت طريقها إلى المستشفى وهي تنقله.. فكان آخر من يصل من المصابين.

يوم موت بومدين، قال بوضياف «لقد كنت دائمًا على خلاف مع بومدين في كثير من القضايا. ولكن عندما شاهدت جنازته، شعرت بأنّني ظلمته. فلا يمكن لرجل يشيّعه شعبه بهذا القدر من الفجيعة.. أن يكون قد أخطأ في حقّ الوطن».

أولئك الذين كانوا يطلقون الزغاريد من الشّرفات عند سماع الخبر، ويعلنون دون خجل أمام التلفزيون شماتتهم بموته، ويتسابقون إلى المساجد، متصدّقين بولائم «الكسكسي» احتفالاً بدمه المسفوك.

والأربعون حراميًا، الذين كانوا يسعدون سرًا.. أمام جثمانه، ويفركون أيديهم فرحًا بغنائم، يمكنهم مواصلة التناوب على السطو عليها لسنوات أخرى، أولئك الذين ظنّوا أنّ جثمانه قد يمرّ سهوًا في غفلة من الوطن، أنّ موته قد يكون حادثًا لا حدثًا في تاريخ الجزائر.

تراهم توقّعوا له.. جنازةً كتلك؟

انهيار صاعق للأشياء.

وطن يُغمى عليه، يدخل حالة من الهستيريا، يبكي رجاله كالأطفال في الشّوارع، يهتفون «إنّا هنا». تخرج نساؤه ملتحفات

بالأعلام الوطنيّة، حاملات مع موتاهنّ صورة رجل، لم يحكم كي تغطّي صوره الشوارع.. بل كي تغطّي صورة الجزائر صورَ القتلى الذين يملأون صفحات الجرائد.

رجلٌ لم يمشِ يومًا باطمئنان على تراب الوطن، تحمله القلوب، أمواجًا بشريّة نحو التراب.

رجل يمضي.. ويتركنا من جديد ليُتْمنا. نردّد خلفه.. امْضِ «إنّا هنا» فيواصل التاريخ بعدنا:

«نم.. ولا تهتمّ أبو ناصر.. إنّهم هنا!».

لم أغادر يومها البيت كي أشارك في تشييعه. كان حزني أكبر من أن أتقاسمه مع أحد.

ولكن في مكان ما من أعماقي، كنت سعيدة من أجله.

هذا الوطن الذي لم يُهْدِ إليه حياةً على قياس أحلامه، أهدى إليه جنازةً على قياس حياته.

جنازة لرجل عبر الحكم مشيًا على الأقدام.. 166 يومًا لا غير. ولكنها جنازة ليست في متناول أولئك الذين حكموا أوطانًا ربع قرن بجيش من المخبرين، متسلّطين على شعوب طحنها الذلّ الأزليّ.

هؤلاء الواثقون من ولاء الدبّابات لهم، عليهم أن يجرّبوا الموت مرّة ليختبروا رصيدهم في جنازة.. فيذهلوا!

***

أسبوعًا بعد آخر، موتًا بعد آخر، كنت أعي أنّني أعيش عمرًا قيد الإعداد، تصنعه تارةً أحداث كبرى، وتارةً أحداث هامشيّة أخرى.

في كلّ لحظة، لأيّ سبب، يمكن لقَدَري أن يأخذ مجرًى آخر.

فأنا امرأة تعيش بين رجالٍ ثلاثة، حياتهم معلّقة برصاصة القدر، ويتصرّف بأعمارهم وأقدارهم أولئك الذين يهندسون الموت والرّعب كلّ يوم في هذا الوطن.. ولا أدري متى سيسقط أحدهم قتيلاً بتهمة، أو يسقط الآخر بنقيضها.

ولذا أصبحت مسكونة دائمًا بهاجس الصّدمة، مهووسة بهذا الموت المباغت الذي أراه يحوم حول كلّ من يحيطون بي.

بين أخي الأصوليّ الذي تطارده السّلطة، وزوجي العسكريّ الذي يتربّص به الأصوليّون، وذلك الصّحافي الذي أحبّ، والذي يصفّي الاثنان حساباتهما وخلافاتهما بدمه، كيف يمكنني أن أعيش خارج دائرة الذّعر؟

منذ سقط بوضياف قتيلاً مباشرةً على شاشة التلفزيون أمام ملايين النّاس، كان واضحًا أنّ موسم الصّيد قد فُتح، وأصبح السّؤال بعد كلّ موت: من سيكون دوره الآن؟

كنت أحاول أن أستعين على الخوف بالكتابة، وغالبًا بالحبّ، أستعيد كلّ ما قاله لي ذلك الرّجل، وهو يُهيّئني لزمن كهذا.

ولكنّه هو نفسه لم يعد هنا ليؤكّد لي ذلك. منذ اغتيال محمّد بوضياف، وأنا أحاول الاتّصال به دون جدوى.

كان مجرّد طلبه هاتفيًّا من قسنطينة، أمرًا فيه كثير من المجازفة، وهو ما جعلني أحاول الاتّصال به كلّما وجدتني عند إحدى القريبات، نظرًا إلى كون هاتفي مراقبًا.. بحكم أنّه هاتف عسكري، وهاتف أمّي كذلك، بنيّة التجسُّس على أخبار ناصر وتنقّلاته، وهاتف ذلك الرجل أيضًا موضوع تحت التنّصُّتِ.. لكونه صحافيًّا وعضوًا في المجلس الاستشاريّ، وهو الأمر الذي زاد من وحدتي، وشعوري بأنّني أعيش قدرًا مضادًا للحبّ، ليس الجانب البوليسيّ سوى أحد أوجهه المخفيّة والمخيفة.

ذات صباح استيقظت، وبي رغبة للتحرُّش بالذاكرة. كنت قد تعبت من جثّة الوقت بيننا، بعد أربعة أشهر من الترقُّب. ولم أجد لي سوى مكان واحد قد يوصلني إليه، أو إلى عبد الحق.

وهكذا أخذت أكثر قراراتي جنونًا. لبست أكثر ثيابي احتشامًا، وغادرت البيت دون زينة.. ودون السائق، ولا شيء في حقيبة يدي سوى كتاب هنري ميشو «أعمدة الزاوية»، الذي أخذته معي كي أحتمي به من نظرات الفضول وأستعين به على انتظارٍ قد يطول، وربّما أيضًا لأجعل ذلك الرجل يتعرّف إليّ إذا ما حضر إلى المقهى، ورآني أطالع كتابه الشخصيّ، وهو ما سيوفّر عليّ ارتباك مبادرته بالكلام.

مشيت خطواتٍ على قدمي. كدت أتوقّف لأشتري جريدة، بعدما أصبحت قراءة الجرائد إحدى عاداتي السيّئة، مثلي مثل كل الجزائريّين، الذين يهجمون كل صباح على الجرائد عن ضجر أو عن ذعر، وكأنَّ شيئًا ما حدث أو سيحدث.

ولكن هذه المرّة عدلت عن الفكرة، تفاديًا لما قد يلحقني من شبهات أخرى.. إن أنا رحت أطالعها في مقهًى وظنّ البعض أنّني صحافيّة.

سعدت وأنا أوفّق على بعد شارع من بيتي، بسائق أجرة، فطلبت منه بكثير من التودّد إيصالي إلى مقهى «الموعد». شعرت بأن عليّ أن أثبت براءتي لكلّ من يصادفني.. بدءًا من السائق. فقد كنت أعي تمامًا أنني أقوم بعمل جنونيّ آخر.

في الواقع كنت أملك احتياطيًّا كافيًا من الجنون يبدو أمامه رصيدي من العقل هزيلاً، ورصيدي من الصبر معدومًا. وكنت سعيدة، أن تكون ثروتي لا تتعدّى رواياتٍ أكتبها لنفسي لا تدرّ عليّ أيَّ دخل.. ولكن يتدخل أبطالها في حياتي.. حدّ احتمال إيصالي إلى حتفي!

في ذلك الطابق العلويّ للمقهى، جلست أمام أمكنة الحبّ الشاغرة، أترقّب رجلاً.. تعوّدت أن أنتظره بصمتي. أعبر إلى الوقت من غيابه. أتأمّل طاولة في الزاوية اليمنى، مستعيدة جماليّة ألغام الرغبة، لحظة لقاء أوّل.

أكنت أنتظره حقًّا؟.. من الأرجح أنّني كنت أنتظر صديقه بحجّة أنّه الرجل الذي سيزوّدني بأخباره.. أو سيوصلني إلى عبد الحق.

حتمًا.. كنت هناك من أجل عبد الحقّ. ولذا وضعت كتاب هنري ميشو على الطاولة.. عسى يلحظه إن هو حضر.

كان في الطابق السفليّ صخب يخفي حزن الناس، ويأتي حتّى طاولتي ليدخل الرعب إلى قبلي. كيف لا عقل يحرسني من طيش رغبات صباح بارد، ولماذا بي افتتان برجال مجبولين بالعصيان.. وبأقدار يتعذّر الإمساك بها؟

رحت أحاول تشخيص حالة حبٍّ، تسبقها دائمًا أعراض كتابة، وتليها دائمًا فجيعةٌ ما.

ما الذي جاء بي هنا؟ وأيّ إحساس قادني هذا الصباح في هيئة لا تصلح للقاء، وأجلسني في مناطق منزوعة الرغبة، مقابلة لطاولة منزوعة الشهوات؟

إنها حتمًا حاسّتي الكتابيّة السادسة، تلك التي لا تخطئ.. والتي تعدني اليوم بمفاجأةٍ ما.

كانت الأصوات الرجاليّة التي تصلني بأعداد أكثر كلّما تقدّم الوقت، تزيد رعبي، ولا يقيني منها سوى وجود امرأة ورجل يتحدّثان في زاوية قريبة منّي. ولكنّهما نفسيهما لم يكونا على قدر من الطمأنينة، فقد كانا مرتبكين.. وعصبيّين.

ذلك أنّ الرعب أصبح فجأةً عدوى جماعيّة قابلة للانتقال من شخص إلى آخر، ومشهدًا عاديًّا قابلاً للتضخُّم يومًا بعد آخر. وأنت

تصغر أمامه، حتى تصبح في حجم حشرة لا تدري في جوف أيّ فريق ستنتهي، وفي أيّ وجبة ستؤكل، وبأيّ تهمة سيكون قتلك. إنّه المنطق العبثيّ والعشوائيّ للموت، في زمن الحروب غير المعلنة، تلك العبثيّة الموجعة التي اختصرها خليل حاوي في ذلك البيت الجميل:

«كل ما أعرفه أنّي أموت
مضغة تافهة في جوف حوت»

لم يكن في المقهى ما يمكن أن يثير فضولي.

فرحت أتامّل بين الحين والآخر، شابًّا في مقتبل العمر بهيئة بسيطة، يجلس على بُعد طاولةٍ منّي، يطالع جريدة.

بدا لي أصغر من أن يكون عبد الحق. وبرغم ذلك رحت أسترق النظر إليه عن ضجر، رافعةً أحيانًا كتاب هنري ميشو تمويهًا، أو إشعارًا لغريب قد يحضر. ثم فجأةً، هممتُ بمغادرة المكان عن يأس، أو بالأحرى عن خوف، وأفكار بوليسيّة تباغتني، خاصّةً وأنا أتنبّه لوجودي في مقهًى يرتاده الصحافيّون.

ماذا لو كان هذا الشابّ الجالس على بعد خطوة منّي يخفي مسدّسًا، ويختفي خلف جريدة تربّصًا بأحدٍ ما؟ فمعظم الاغتيالات ارتكبها شبّان في العشرين يرتادون المقاهي، أو يقفون متّكئين على جدار، وهم يطالعون جريدةً.. في انتظار ضحيّتهم.

كنت أجمع أشيائي مذعورة، وأترك ثمن قهوتي على الطاولة قبل مغادرة المكان، عندما رأيته يفتح الجريدة على صفحة داخليّة ويغرق في قراءة شيءٍ ما.

وإذا بي ألمح في الصفحة الأولى من تلك الجريدة التي كان يرفعها، صورة كبيرة، أعرف تمامًا ملامح صاحبها، وفوقها كلمتان بالفرنسيّة مكتوبتان بخطّ أسود كبير..

كلمتان جعلتاني أتسمّر في مكاني ذهولاً.

كنت أتوقع من الموت كلّ شيء.

تقريبًا كلّ شيء، من نوع تلك المفاجآت الدنيئة، التي وحده يتقنها.

ولكن هذا الصباح، كانت الجريدة التي لم أشترها، تنقل لي الموت الوحيد الذي لم أتوقّعه.

فالبارحة فتح ذلك الحوت فكّيه، وابتلع لوجبته المسائيّة من جملة من ابتلع – عبد الحق!

أيّ قنّاص ساديّ هو القدر؟ يتّخذ له زاوية منسيّة في حياتنا، ثمّ يأخذ في إطلاق النار، كيفما اتّفق على من أحببنا، دون شعور بالألم.

قطعًا، لم أتوقّع أن تكون لي مع عبد الحقّ، مفاجأتان، الأولى موته، والثانية صورته. وكأنّه كان لا بدّ من أن يموت، ليصبح أخيرًا رجلاً حقيقيًّا، باسم كامل، ووجهٍ، وملامح، وقصّة حياة.. وقصّة موت.

بالنسبة إليّ، كانت القصّة تبدأ من صورته. فأنا لم أنسَ هذه الملامح التي قضيت وقتًا طويلاً ذات يوم في تأمّلها، بإعجاب سرّيّ في هذا المكان نفسه.

أجئت إذن إلى هنا، لأنّ الحياة كانت تهيّئني هذا الصباح لمفاجآتٍ قدريّة ظالمة.. في هذا المكان الذي رأيته فيه لأوّل مرّة؟

أجئت أشهد غيابه، وأتأمّل طاولته الشاغرة دونه، لأكمل بحضوري دورة الفراق.. في قصّة لم يكن فيها سوى لقاء.. وكثير من صمت الغياب.

أثناء تفكيري، جاء أحدهم وطلب من ذلك الشابّ الحضور معه.. لأنّهم يحتاجون إليه في المطبعة.

كان المسكين صحافيًّا إذن.. أو موظّفًا في جريدة. كدت أحتضنه وأجهش بالبكاء، لو كنّا بمفردنا. ولكنّني لم أجد في صوتي شجاعة سوى لطلب تلك الجريدة منه.. فناولني إيّاها.. ومضى.

لم تكن قدماي قادرتين على حملي. فعدت وجلست مكاني.

هذه المرّة.. لم أكن أجالس وهمًا.. بل ألمًا.

مهملاً كان الحزن في ركن من هذا المقهى.. حيث طاولة مغلقة على سرّها كبيانو تنتظر رجلاً تعوّد أن يأتيها ليكتب، وهي الآن صامتة دونه. وحدها تشاركني الحداد عليه، وتسأل.. لماذا اختارها هي دون غيرها؟

أفتح الجريدة على صورته، فتؤلمني الكلمتان على بساطتهما «ADIEU ABDELHAK».

أيكفي أن تضيف كلمة «وداعًا» إلى أيّ اسم.. ليثير فيك كل هذا الألم؟

إنّه عبد الحقّ إذن..

الرجل الذي كان يجلس بقميص وبنطلون أبيض على هذه الطاولة نفسها.. في ذلك اليوم الذي..

أذكر.. كان لا يتوقّف عن الكتابة والتدخين. وطوال جلوسه وحيدًا لنصف ساعة تقريبًا، لم يبادلني سوى الصّمت، ولحظات من الشّرود.

ثمّ جاء صديقه، في زيّ أسود. سلّم عليّ من بعيد، وكأنّه يعرفني.

تحدّثا طويلاً. كنت أتساءل طوال الوقت، أيّهما ذلك الرّجل الذي..

ثمّ فجأةً، نهض اللّون الأسود. ناولني صحنًا من السكّر، كنت سأطلبه من النّادل.

أذكر، فاجأني عطره. أعادني إلى ذلك العطر الذي..

فرحت أختبره بكلمات اعتذار، وإذا به يجيبني بتلك الكلمات الصغيرة التي..

ولحظتها.. أفلتت حواسيّ منّي، وأخذته مأخذ وهمي به.

لم أكن أدري أنّ الحبّ كان يسخر منّي، مسرّبًا كلمة السرّ نفسها، لأكثر من رجل.

الآن أعي أنّني يومها أخلفت، بفرق كلمةٍ ولون، قطار الحبّ الذي كنت سآخذه.

فلحقت لي لحظةٍ من فوضى الحواسّ، بذلك اللّون الأسود، وأخطأت وجهتي.

هو قال: «أجمل حبّ، هو الذي نعثر عليه أثناء بحثنا عن شيء آخر».

وكيف لي أن أعرف الآن، إذا كان ما عشته معه، هو أجمل حقًّا ممّا كان مفترضًا أن أعيشه، لو أنّني لحقت باللّون الآخر.

ولكن، أكان ثمّة حقًّا.. لون آخر؟

لقد أصابني الحبّ يومها بعمى الألوان، وأربك فيّ أيضًا، حاسّة النّظر.

وأذكر أنّني سألت اللّون الأسود، في أوّل لقاء لنا:

ــ قبلك لم أرَ رجلاً يلبس الأسود في هذه المدينة، حتّى لو كان ذلك حدادًا.

فأجاب:

ــ وأيّ لون توقّعتِ أن أرتدي؟

قلت:

ــ لا أدري.. ولكنّ النّاس هنا، يرتدون ثيابًا لا لون لها.

ثمّ واصلت بعد شيء من التّفكير:

- صديقك أيضًا يبدو غريبًا عن هذه المدينة..

ردّ ضاحكًا:

- لماذا.. ؟ ألأنّه يرتدي الأبيض باستفزازيّة الفرح.. في مدينة تلبس التقوى بياضًا؟

ثمّ واصل ساخرًا:

- صديقي.. فرحه إشاعة. إنّه باذخ الحزن لا أكثر، والأبيض عنده، لون مطابق للأسود تمامًا.

لقد كنت في النّهاية، أمام رجلين يرتديان، بطريقة مختلفة، اللّون نفسه.

ويبدو واضحًا الآن، أنّه لم يحدث للحبّ أن سخر إلى هذا الحدّ، من امرأة كانت واثقة من نفسها إلى ذلك الحدّ..

قطعًا..

الحبّ ليس سوى حالة ارتياب.

فكيف لك أن تكون على يقين من إحساس مبنيّ أصلاً على فوضى الحواسّ، وعلى حالة متبادَلة من سوء الفهم، يتوقّع فيها كلّ واحد أنّه يعرف عن الآخر ما يكفي ليحبّه.

في الواقع، هو لا يعرف عنه أكثر ممّا أراد له الحبّ أن يعرف، ولا يرى منه أكثر ممّا حدث له أن أحبّ، في حبّ سابق.

ولذا نكتشف في نهاية كلّ حبّ، أنّنا في البدء.. كنّا نحبّ شخصًا آخر!

من بين كلّ الميتات، جاء اغتيال عبد الحقّ، الأكثر صدمةً لي. هل أكثر ألمًا من أن تدخل حياة أحد، وهو على وشك أن يغادر الحياة؟

هذا الرّجل الذي لا أعرفه، وأعرف كلّ شيء عنه، ماذا يمكن للجرائد أن تضيف إلى معرفتي به سوى تفاصيل موته، التي لا أريد أن أعرفها، والتي نشرتها كلّ الصحافة الوطنيّة في صفحاتها الأولى، بصورةٍ كبيرةٍ له، وتحتها الكلمات نفسها، بلغة أو بأخرى «وداعًا.. عبد الحقّ».

تعوّد الصّحافيّون هنا إنزال صور موتاهم، بالأحجام نفسها، ورثاء أنفسهم مسبّقًا مع سقوط كلّ صحافيّ جديد.

وعبد الحقّ نفسه لم يخالف القاعدة. ولذا لم يجدوا في الجريدة التي كان يكتب فيها، أجمل من أن ينشروا في الصّفحة الأولى بجوار صورته الكبيرة، تلك القصيدة نفسها التي كتبها غداة اغتيال صديقه الصّحافيّ والشّاعر الطاهر جعوط، وكأنّه يرثي نفسه بها.

كلّ التفاصيل التي تميّز موت عبد الحقّ عن موت صديقه، تبدو مجرّد تفاصيل.

ولم يعد مهمًّا أن يكون الطاهر جعوط، قد اغتيل داخل سيّارته حاملاً أوراق مقاله الأخير، إلى الجريدة، عندما باغته قاتلوه من الخلف وأطلقوا رصاصتين على رأسه، بينما اختُطف عبد الحقّ من أمام مسكن والدته في سيدي المبروك، وكان قد حضر سرًّا، ليودّعها قبل سفرها إلى «العمرة» أوّل من أمس، وعثروا على جثّته البارحة، مقتولاً برصاصة في الصّدر.. وأخرى في جبينه.

أي إنّه شاهد قاتليه وهم يطلقون النّار عليه، دون أن يتمكّن من الدّفاع عن نفسه، لأنّه قُتل وهو مغلول اليدين: رُبطت يده اليمنى بحزام بنطلونه، واليد الثانية بسلك حديديّ، متّصل بالحزام أيضًا، ووُجد منكبًّا على وجهه على حافة الطريق.

ربّما يكون استعاد لحظتها، تلك الكلمات الأخيرة التي لفظها تشي غيفارا وهو يرى جلّاده قد صوّب رصاصه نحوه، غير مصدّق أن يكون ذلك الرّمز قد أصبح في متناول مسدّسه، وهو ما جعل غيفارا

يصيح به «أطلق النّار أيّها الجبان.. إنّك تقتل إنسانًا!»، وهي المقولة التي وضعها عبد الحقّ منذ شهرين عنوانًا لزاويته اليوميّة، عند رثائه صديقه الصحافيّ سعيد مقبل الذي لم يتردّد قاتله في إطلاق النّار عليه وجهًا لوجه وهو يتناول غداءه..

في النّهاية، قضى عبد الحقّ الأشهر الأخيرة، في ابتكار ستّ وثلاثين طريقة، لرثاء نفسه، وهي عدد أصدقائه ورفاقه في مهنة المتاعب والمصائب.. والموت، الذين سبقوه إلى تلك النّهاية. ولذا لم يعد ممكنًا للموت أن يباغته على الأقلّ في هذا المجال. فمهما كانت الطريقة التي سيأتيه بها، فقد استبقه ووصفها. ومهما كانت الجهة التي سيأتي منها القتلة فقد استبقهم.. وشتمهم.. وتحدّاهم بما يكفي ليعجّل موته، حاملاً الرّقم (37) في قائمة الاغتيالات التي لا أحد يعلم أين تنتهي.

عدت إلى البيت محمّلة بأكثر من جريدة باللّغتين.

ها هوذا عبد الحقّ إذن..! أصبح بإمكاني الآن أن أطالع الجرائد.. وأعرف من هو.

«هذا السّارق الذي يتسلّل في اللّيل بمحاذاة الجدران عائدًا إلى بيته، إنّه هو.

هذا الرجل الذي أمنيته أن لا يموت مذبوحاً. إنّه هو.

هذه الجثّة التي يخيطون عليها رأساً مقطوعاً. إنّه هو.

هذا الذي لا يعرف ما يفعل بيديه.. سوى كتاباته الصّغيرة.

هو الذي يتمسّك بالأمل، ضدّ كلّ شيء؛ ألا تنبت الورود فوق أكوام القاذورات؟

هو الذي كلّ هذا.. وليس سوى صحافيّ».

كنت أحاول أن أكتشف حياته الأخرى باندهاش متأخّر، كمن أحبّت رجلاً بالمراسلة، فعرفت كلّ شيء عنه، ولم تمنحها الحياة

فرصة التعرّف إليه عن قرب. وها هي تطالع الآن الجريدة كآلاف القرّاء المجهولين الذين يكتشفون هذا الصّباح موت رجل لم يلتقوا به. أمّا هو فلن يعرفها أبدًا.

تلك المرأة التي كان لها في حياته دائمًا، ذلك الحضور السّريّ النكرة، كيف له أن يدري ماذا فعل بها موته؟ هي التي عاشت في بيته، ونامت في سريره مع صديقه، وتحدّثت مع رجل غيره على هاتفه، وطالعت دون علمه، كتابًا كان يحمل هواجسه، واستعملت عطرًا كان له، وتقاسمت معه في عتمة قاعة سينما، اشتعالاً مباغتًا للرّغبة، ولحظة بكاء، وتبادلت معه على بعد طاولة في مقهًى، ذبذبات حديث لا يقال إلّا صمتًا!

كلّ هذا، دون أن يتوقّع وجودها في عالمه الحميميّ، على الطّرف الآخر من حياته.

أنحتاج إلى موتنا كي نحبّ.. ونعرف أنّ ثمّة من أ حبّونا؟!

في ذلك المساء، حاولت أن لا أطيل النّظر إلى صورته، كي لا أكتشف على شفتيه، آثار آخر امرأة قبّلها، فأحزن لها، أو تلك التي كان يمكن أن يقبّلها لو لم يمت، فأحزن له.

تحاشيت عينيه اللّتين تنظران الآن إلى مكان وحده يراه، وشاربيه اللّذين كأحلامه، يرفضان أن يتواضعا حتّى بعد موته.

وبرغم ذلك، وجدتني، بحركةٍ تلقائيّة، أقتطع تلك الصّورة، وأخفيها بين أوراقي.

في البدء، أردت أن أقتطع تلك القصيدة، وأحتفظ بها في الدّفتر الأسود نفسه، الذي يعرف الكثير عن ذلك الرّجل، عندما فاجأني إحساس قديم ومربك. فقد أعادتني تلك الحركة إلى طفولتي البعيدة، إلى ذلك اليوم الذي اقتطعت فيه صورة أبي من الجريدة، يوم تصدّرت

منذ ثلاثين سنة الصّفحات الأولى للجرائد، بهذا الحجم نفسه، ولكن في حرب كان الغرباء فيها هم القتلة، وكان للموت فيها تسمية أجمل من الجريمة.

أجل «كلّ حرب تغيّر لبعض الوقت تعريف الموت، وبهذا تفصل بشرخ سرّيّ بين الأجيال».

هي ذي تلك الصورة، في اصفرارها، معلّقة أمامي مذ عثرت عليها، منذ بضعة أشهر، كما توقّفت عندها نظرة أبي إلى الأبد، يفصلني عنها.. زجاج الوقت.

ويفصلها عن الوقت، تسمية جديدة للموت.

وفي جوارها صورة عبد النّاصر ذاتها، تلك التي رافقت وجودها في بيتنا دائمًا، صورة أبي، ولكن بحجم أكبر دائمًا، وكأنّها تلخّص في انكسار عنفوانها موتًا أكبر من كلّ الميتات.. الموت قهرًا.

لقد كانتا حتّى الآن، تختصران في حضورهما الصّامت، صور كلّ الشّهداء، وكلّ القضايا، التي آمنت بها منذ طفولتي الأولى، دون أن أسأل نفسي لماذا.

تمامًا، كتلك المعتقدات التي نتربّى عليها، ولا نجرؤ على التشكيك فيها.

ولا يعنيني أن لم تعد الناصريّة إلّا في خانة المشاعر، أو في أسماء جيل حمل، لمصادفةٍ تاريخيّةٍ، اسم آخر محارب عربيّ.. بروح شاعر.

هل أجمل من أن يكون أبي قد أعطى لابنه الوحيد اسم «ناصر»، قبل أن يُستشهد، وأن يكون اسم الابن البكر لمحمد بوضياف، أيضًا «ناصر».. وأن يكون في مكتبة هذا الرّجل كتب عن عبد النّاصر، وأن يترك لنا كلّ الذين يرحلون في فجيعة وطنيّة.. شيئًا من وهم القوميّة؟

كانت تراودني كلّ هذه الأفكار، بينما كانت يدي تفكّ إطار صورة. وتضع خلفها بطريقة مستترة، صورةً أخرى، بعد أن وجدت أنّها الطريقة الفضلى للاحتفاظ بها حاضرةً وغائبةً في الوقت نفسه، كما كان صاحبها، وتفاديًا أيضًا لما قد يثيره وجودها في مكتبي من أسئلة.

كنت أستعين بأبي، لأخفي خلفه رجلاً أحببته. فقد كنت أدري أنّه هو وحده سيتفهّم هذا. فطالما جاءني الرّجال متنكّرين فيه.

كنت أخبّئ موتًا.. بآخر، وأغطّي وطنًا بآخر، وأخفي تهمة حبٍّ خلف حبٍّ آخر.

وبإمكاني الآن أن أقول، وأنا أرى صورة أبي على مقربة منّي، إنّ رجلاً قد يخفي رجلاً ثانيًا.. وربّما أيضًا رجلاً ثالثًا.. وإنّي وحدي أعرف ذلك!

في اليوم التالي، استيقظت باكرًا على غير عادتي. والأرجح أنّني لم أنم.

كنت أبحث عن طريقة أعيش بها ذلك اليوم، بما يناسبه من جماليّة الألم.

حاولت أن أكتب، فلم أستطع.

كان ذلك الرّجل الذي اختفى منذ شهرين، قد فرش لي حقولاً من الألغام في كلّ الطّرق المؤدّية بي إلى الكتابة، ونجح في إقناعي بأنّ البياض هو الحدّ الأقصى لأيّ مساحة روائيّة، وأنّه الإنجاز الوحيد في أيّ كتاب، وأنّ كلّ رواية لا بدّ من أن تنتهي باحتمالات البياض.

فماذا أفعل إذن؟ وكيف أواجه كلّ هذا «الخراب الجميل» دون قلم؟

وأذكر أنّه قال، يوم موت صديقه:

«في زمن النهايات المباغتة، والموت الاستعجاليّ والحروب البشعة الصغيرة التي لا اسم لها، والتي قد تموت فيها دون أن تكون معنيًّا بمعاركها، الجنس هو كلّ ما نملك لننسى أنفسنا».

سألته يومها:

- والكتابة؟

ضحك وأجاب:

- الكتابة؟ إنّها وهمنا الكبير بأنّ الآخرين لن ينسونا!

فماذا أفعل اليوم بحزني؟

هل أمارس الحبّ إذن؟ ومع من؟ وكيف لي أن آتي المتعة بذريعة موت رجل تمنّيت أن أكون له يومًا.. ولم أكن؟

تلك الرّجولة التي جلستْ باستفزاز بمحاذاة أنوثتي، تلك التي أردتها ولو مرّة واحـدة.. استكثرتها عليّ الحياة، وقدّمتها وليمةً للديدان.

وذلك الجسد الذي اشتهت شفتاي أن تغطّياه قُبَلاً، بعد حين سيغطّيه التّراب، ولم يعد بإمكاني أن أشعله ولو وهمًا.. لقد دخل عالم الصّقيع.

و... «القبر بارد يا أمّي.. أرسلي لي قميصًا من الصّوف».

كنت أفضّل لو أنّ لقائي مع هذا الرّجل، كان في يوم آخر، على انفراد، بعيدًا عن البكاء والدّعاء والصّلوات. لو كان فيه شيء من الحميميّة، والشّاعريّة، برغم ما بيني وبينه الآن، من مسافة ترابيّة.

ولكن.. لا بدّ أن أكون هناك، كي أواصل، كامرأة نكرة، حضوري السرّيّ، في آخر مشهد من قصّة حبّ جئت أشيّع فيها عن بعدٍ رجلاً أعرفه ولا يعرفني، وأبحث عن آخر يعرفني.. وما زلت لا أعرفه.

ولذا وصلت تلك المقبرة، بتوقيت يكون معه الآخرون قد انتهوا من مراسم الدّفن، دون أن يكونوا قد غادروا المقبرة تمامًا، عساني أعثر بينهم على ذلك الرّجل.

قطعًا.. جنازته لم تكن سبب حضوري.

فأنا سأشاهدها في نشرة الأخبار المسائيّة، مفصّلة، مطوّلة، ومؤثّرة دائمًا.. كما جرت العادة.

فثمّة من لم يعنهم يومًا اغتيال الآخرين إلّا بقدر ما يمكنهم في مناسبةٍ كهذه، التذكير بوحشيّة الطرف الآخر.. وساديّته.

وبين لعبة الطرفين، كانت الأقلام تسقط رأسًا بعد آخر، ضحيّة الموت الإشهاري.

ألأنّني توهّمت دائمًا أنّ الحالة الإبداعيّة تجعل الموت مختلفًا، ذهبت إلى ذلك المأتم كما نذهب إلى موعد عاطفيّ؟

وكما كليوبترا – التي وضعت كلّ زينتها، وتعطّرت، وارتدت استعدادًا لموتها، ذلك الثّوب الذي رآها فيه أنطونيو لأوّل مرّة، كي يتعرّف إليها هناك.. حيث سيلتقيان بين ملايين البشر – مثلها، تجمّلتُ، وضعت عطر ذلك الرّجل نفسه، الذي بدأَتْ به هذه القصّة، وارتديت ذلك الفستان الأسود نفسه ذا الأزرار الذّهبيّة الكبيرة، التي تمتدّ على طوله من الأمام، والذي تعوّدتُ أن أترك زرّه الأخير مفتوحًا، وأضع معه زنّارًا أسودَ يشدّ الخصر ويرسم استدارات الأنوثة، وهو ما كان يمنحني هيئة «ممثّلة إيطاليّة» حسب وصف ذلك الرّجل الذي كان يحبّ هذا الفستان بالذّات.. ويقول كلّما رآني به: «الأسود يليق بك».

فأجيبه بنبرة غائبة:

- جميل قولك هذا.. إنّه يصلح عنوانًا لرواية قادمة!

قطعًا، لم أكن أرتدي الأسود حدادًا. كنت باذخة الحزن لا أكثر، باذخة الإغراء، مفرطة التحدّي.

لم أذهب إليه متنكّرةً في عباءة العفّة: حماقة أن نواجه الموت في مثل هذا الثّوب.

فقد اخترت هيئتي، بنيّة إغراء رجلين، رأيتهما معًا أوّل مرّة في ذلك المقهى، وأنا أرتدي هذا الفستان نفسه.

أحدهما لو حضر ليشيّع الثاني، للَمَحني حتمًا حيثما كان، ولَتعرّف إليّ في هذا الفستان، فأراه أخيرًا.

أمّا الثاني..

فلا يهمّني أن أراه، بقدر ما يهمّني أن يراني. وكأنثى لا أريد أن أبدو أمامه أقلّ تألّقًا ممّا يجب أن أكون في موعد أوّل.

يسعدني حقًّا أن ألفت نظره، وأشغله عن موته بمفاجأة حضوري.

أتوقّع أن يلمحني. فوحدي أحمل في يدي دفترًا، في مكان تأتيه النّساء عادة محمّلات بالأرغفة، والتّمر للصدقة.

وحدي أيضًا فكّرت في أن أحضر له علبة سجائر لليلته الأولى. بعد ذلك، سيكون عليه أن يتوقّف عن التدخين، لا لأنّ التدخين يضرّ بالصحّة، بل لأنّه لن يكون بإمكاني أن أزوّده بالسجائر دائمًا.

عندما توقّفت في طريقي لأشتري هذه العلبة منذ قليل، نظر إليّ البائع شزرًا، حتّى توقّعت أن يطردني من محلّه.

امرأة تجرؤ على شراء سجائر في قسنطينة، لا بدّ أنّها على قدر من سوء الأخلاق.. أو على قدر من الجنون.

وبرغم كوني لم أدخّن سيجارةً في حياتي، وجدت من الحماقة أن أتبرّأ من تلك التّهمة، وأشرح له أنّ علبة السّجائر ليست لي.. بل لرجل سيُدفن بعد قليل.. وسيحتاج إليها إذا أراد أن يكتب شيئًا هذا المساء. فأنا أتوقّع أن لا يستطيع اليوم بالذّات.. أن يمتنع عن الكتابة.

في الواقع، أحببت دائمًا الكتّاب الذين تكمن عظمتهم، في كونهم يقولون لنا الأشياء الأكثر ألمًا وجدّيّة.. باستخفافٍ يذهلنا.

تمنّيت دائمًا أن أشبههم، أولئك الرّائعين، الذين يأخذون كلّ شيء مأخذ عكسه، فيتصرّفون هم وأبطالهم بطريقةٍ تصدم منطقنا في التعامل مع الموت والحبّ.. والخيانة.. والنجاح.. والفشل..

والفجائع.. والمكاسب.. والخسارة. ولذا أحببت زوربا، الذي راح يرقص، عندما كان عليه أن يبكي.

وأحببت ذلك البطل في رواية «الغريب» لألبير كامو، الذي حكم عليه القاضي بالإعدام، لأنّه لم يستطع أن يبرّر عدم بكائه، عند دفن أمّه. بل إنّه يوم مأتمها، ذهب ليشاهد فيلمًا.. ويمارس الحبّ مع صديقة جديدة.

وربّما كنت، منذ البدء، أبحث عن مناسبة كهذه، تمنحني فيها الحياة فرصة الذّهاب بجنوني عكس المنطق، وتهدي إليّ إمكانيّة فريدة لأنْ أجرّب في الحياة بعض المشاهد التي تمنّيت بجنون الكتابة أن أعيشها.. لمتعة كتابتها بعد ذلك.

لسبب أجهله، ليس الحزن هو الذي كان يسكنني يومها، بل شعور عارم بالتحدّي، لم تكن زينتي وأناقتي سوى بعض مظاهره الخارجيّة.

لا أظنّ أنّني ذهبت كذلك لأتحدّى الموت. الموت قدر من الله نتساوى أمامه جميعًا. ولا أظنّ أيضًا.. أنّني كنت امرأة بطلة؛ فقط.. كنت أتحدّى القتلة، شاهرةً التّهمتين اللّتين جَمَعْتُهُما: تهمة الأنوثة وتهمة الكتابة، تلك التي كانت تحدّيًا صامتًا في يدي، ودفترًا مغلقًا على قصّة، الكتابة فيها هي البطل الرّئيسيّ.

في الواقع، في مواجهة الموت، الأنوثة كما الكتابة، ليست عزاءً على الإطلاق. لأنّهما تذكير دائم به. ولكن في مواجهة الجريمة.. ماذا يملك الكاتب عدا كلماته.. وتلك الحياة التي مذ بدأ الكتابة.. لم تعد في جميع الحالات حياته؟

تمنّيت أن أقول كلّ هذا صمتًا، لذلك الرّجل لو أنّه جاء، أو ربّما، تمنّيت أن يأتي.. كي نواصل كتابة هذه القصّة هنا..

هو الـذي أراد في آخر موعدٍ لنا.. أن نتساوى بالعشّاق المفلسين، ورفض أن نلتقيَ في شقّة عبد الحقّ. بإمكاننا الآن أن نلتقي

في جنازته، ونتساوى حقًّا.. بعشّاق هذه المدينة الذين ضاقت بهم الحياة يومًا بعد آخر، فأصبحوا يلتقون في المقابر، متنكّرين في زيّ الحزن، جالسين على أيّ قبر يصادفونه، ليتبادلوا ما شاؤوا من حديث الوجد. فوحده الحبّ يملك هذه القدرة الخارقة، على جعل كلّ شيء جميلاً، حتّى لقاء عاشقين في مقبرة!

وبرغم هـذا.. فحتّى موعد عاطفيّ على هذا القدر من الألم، لم يكن ينتظرني هناك، حيث وقفت بعيدًا بين القبور، على مسافة وسطيّة، بين الألم، وما يلزم من الجأش للتدقيق في وجوه عشرات الرّجال، الذين وحدهم دون النّساء، يملكون حقّ مرافقة الموتى، والذين رحت أبحث بينهم عن رجل لا يشبه أحدًا.. ولا يشبه شيئًا، ولا يمكن أن يخلف موعدًا كهذا.

ثمّ انسحب الجميع، بعدما أودعوا حملهم جوف التّراب ورحلوا، لأجد نفسي في موقف عجيب، شبيه بمشهد سينمائيّ صامت لفيلم بالأسود والأبيض. وأنا في كلّ تألّقي الأسود، أقف وحيدةً، وسط ذلك الديكور الرّخاميّ الشّاسع البياض، وذلك الدّفتر الأسود في يدي.

عسى ذلك الرّجل، إن جاء.. أن يستدلّ به عليّ.

ولكنّه لم يأت.

وكلّما تقدّم بي الانتظار، تحوّل إحساسي بالتحدّي، إلى إحساس عارم بالحزن والخيبة. فأنا كنت أريد أن أتحدّى به.. ومن أجله. أتراه تغيّب ليتحدّاني بغيابه؟ وكيف له أن يخلف موعدًا كهذا، وعبد الحقّ أقرب صديق إليه؟ تراه مسافرًا، ولم يعد بعد؟ أم تراه ما زال في هذه المدينة مسافرًا عن نفسه داخل الوطن.. وقد يعود ليزور هذا القبر على انفراد؟

أم.. تراه الآن يمارس الحبّ مع امرأة أخرى، ليشيّع فيها عبد الحقّ على طريقته؟

لا أدري كيف، قبرًا بعد آخر، كانت الأسئلة تتقدّم بي، نحو الرّجل الآخر، حتّى تلك الخطوة الأخيرة، التي أوصلتني إليه.

كان جثّة أحلام.. تنام تحت كومة من التراب الذي تغطّيه باقات الورود.

الأغرب أنّني لم أبكِ.

فقد كنت لحظتها أواصل الكتابة، وأبحث عن الكلمات المناسبة لأصف هذا الموعد العجيب. أستعيد في ذهني بعض المقاطع والخواطر من كتاب هنري ميشو تلك التي وضع هذا الرّجل تحتها خطًّا.. أو كتب بجوارها تعليقاته.

وأستعيد تلك القصيدة التي كتبها في رثاء الطّاهر جعوط، والتي نُشرت البارحة من جديد، فأخرجتها ورحت أكتشف وقعها عليّ هنا. أكنت أقرأها لنفسي أم له، بصوت خافت يسمعه لأوّل مرّة، منذ ذلك اليوم الذي جلست فيه بجواره في قاعة سينما، ولم نتبادل سوى كلمتين؟!

ها هو.. ما زال الصّامت الأكبر، حتّى في دوره الأخير، وما زلت وحدي أواصل الحديث إليه.

«مذهول به التراب

خرج ذلك الصّباح

كي يشتري ورقًا وجريدة

لن يدري أحد ماذا كان سيكتب

لحظة ذهب به الحبر إلى مثواه الأخير

كان في حوزته رؤوس أقلام
وفي رأسه رصاصة
ولذا.. لم يضعوا وردًا على قبره
وضعوا ما اشترى من أقلام
ولذا لم يكتبوا شيئًا على قبره
تركوا له كثيرًا من بياض الرّخام
ولذا.. لن تتعرّفوا إليه
هناك، حيث كلّ القبور
لا شاهدة لها سوى قلم
وحيث كلَّ مساء
تستيقظ أيدٍ لتواصل الكتابة»

أعتقد أنّ صوتي مات مع آخر بيت، وأنّني عندما أغلقت الدّفتر على تلك القصيدة، بدا لي كأنّني أصبحت جزءًا من مشهد سينمائي.

ألهذا لم أبكِ، وأنا أضع ذلك الدفتر على كومة التّراب وأمضي؟ بل لم أحاول بعد ذلك أن ألتفت خلفي لأشاهد آخر مرّة ذلك المنظر الذي لن يتكرّر بعد ذلك أبدًا، والذي بإمكاني بعد الآن أن أصف في روايات قادمة، وقعه على نفسي، لأنّه حدث بالفعل.

منذ سنتين، وأنا أريد أن أختبر مرّةً واحدةً، هذا الشّعور الذي ينتابك عندما تضع مخطوطًا على قبر وتمضي، غير متحسّر على شيء.

وها أنا قد فعلت، دون أن أخطّط للأمر تمامًا، ودون أن أتوقّعه أصلاً. فهذا الدّفتر أحضرته كي أعطيه للرّجل الآخر، ولكن وقد غاب، لم أقاوم فكرةً جنونيّة راودتني.

أمام المواقف غير المتوقّعة التي تضعنا فيها الحياة، أحبّ أن يتّبع المرء مزاجه السرّيّ، ويستسلم لأوّل فكرة تخطر بذهنه، دون مفاضلتها أو مقارنتها بأخرى. فالفكرة الأولى دائمًا على حقّ، مهما كانت شاذّةً وغريبةً، لأنّها وحدها تشبهنا.

وكانت تلك الفكرة، تشبه كاتبةً عرفتها.

تشبهها إلى درجة جعلتني أعتقد أنّني أثأر لها من زمن بعيد، كانت تتسلّى فيه بخلق أبطال من ورق، وقتلهم في كتب، مطابقة لمنطق الحياة في الحبّ والقتل دون سبب.

حتّى راحت الحياة بدورها، تلعب معها، لعبة تحويل كلّ ما تكتبه إلى حقيقة.

أكانت تتحرّش بالحياة؟ وإذا بالحياة تعيد إصدار كتابها، في طبعة واقعيّة، وإذا بها القارئة الوحيدة لنسخة مزوّرة، تكفّل القدر بنقلها طبق الأصل عن روايتها، بعدما أدخل عليها بعض التغييرات الطّفيفة في الأسماء، أو في تسلسل الأحداث، كما في كلّ السّرقات الأدبيّة!

أغرب ما يمكن أن يحدث لكاتب، أن يكتشف أنّه مع كلّ صفحة يكتبها، يكتب عمره الآتي، وأنّه برغم ذلك لا يستطيع رفع دعوى على الحياة لأنها طابقت خياله، وقلّدت قصّته تقليدًا فاضحًا.. فعادة يحدث العكس!

ذات يوم، كتبت تلك الكاتبة رواية، بنيّة استباق الألم، فقتلت أحبّ النّاس إليها.

طبعًا، لم تكن تتوقّع أنّها تكتب قدرها. ومثل بطلها ستعود إلى الجزائر على عجل، على متن طائرة للحزن، بتوقيت حظر التجوّل، محمّلة بمخطوط تلك الرّواية نفسها. وأمام ذلك الجمركيّ العصبيّ نفسه، الذي سينبش في حقيبتها بالإصرار نفسه، لن تجد شيئًا تصرّح به سوى مخطوطها، وتلك الذّاكرة التي جاءت لتدفنها.. وهي تدفن أباها.

أمام قبره لم تبكِ.

كانت مشغولةً بالتساؤل: لماذا مات الآن؟ لماذا مات اليوم؟ لماذا بعد بوضياف بثلاثة أشهر؟

لماذا قبل صدور الكتاب بأسبوعين.. وقد انتظره عدّة سنوات، كلّ تلك السّنوات التي كان يزوّدها فيها بالمعلومات عن مدينة لم تزرها، اسمها قسنطينة، وبذاكرة أتعبه حملها بمفرده؟

أرحَلَ كي يترك مكانًا أكبر لذلك الكتاب، وكأنّ الحياة لا يمكن أن تسعَهُما معًا؟

أو كأنّه، وهو الشاعر، رحل كي يصبح ذلك النصّ بموتِه أجمل؟

أم فقط، لأنّهم في زمن الميتات الملفّقة، والسيّارات المفخّخة، فخّخوا أحلامه، وأطلقوا الرّصاص على ذاكرته أمامه، فدخل عمر الذّهول، لا عن شيخوخة، ولكن لأنّ الوطن كان يدخل سنّ اليأس، وهو لم يكن له من عمر يومًا، سوى عمر الوطن.

حتمًا.. كان عليه وهو رجل التاريخ أن لا يخطئ في اختيار تاريخ موته.

وهي تذكر صباح أوّل نوفمبر..

وذلك النّشيد الوطنيّ الذي كان يدوّي في كلّ المستشفى العسكريّ، وهم يخرجون جثمانه. حتّى بدا لها كأنّهم يعزفونه من أجله.. أو كأنّه يستوقف حامليه ليسمعه للمرّة الأخيرة:

قسمًا بالنازلات الماحقات   والدّماء الزاكيات الطاهرات
والبنود اللاّمعات الخافقات   في الجبال الشامخات الشاهقات
نحن ثرنا فحياة أو ممات   وعقدنا العزم أن تحيا الجزائر
فاشهدوا.. فاشهدوا.. فاشهدوا

كانت سيّارات الإسعاف العسكريّة تغطّي لحظتَها على النشيد الوطنيّ، وتشقّ الطّريق بصفّارتها، لتلقي على الأسرّة المتحرّكة جنودًا جزائريّين سقطوا بسلاح جزائريّ. بعضهم جرحى، وبعضهم جاؤوا مشوّهي الجثث، لينتظروا أهلَهم في برّاد.

ولذا نسيَت يومها أن تبكي أباها، وراحت تبكي النّظرات الفارغة لجنود لن يدركوا يومًا لماذا ماتوا.

عندما زارت قبره في اليوم التالي، حاولت أن تكون جميلة. تزيّنت كعادتها كي تتميّز بمظهرها عن جميع النّساء من حوله، وكي تمنحه – كعادته – زهو المفاخرة بها في مجلسه الأخير.

كانت ترفض، وهي أحبّ مخلوق إليه، أن تتساوى بمن جئن ليبكينه يومًا.. ويذهبن.

ثمّة حزن يصبح معه البكاء مبتذلاً، حتّى لكأنّه إهانة لمن نبكيه.

فلِمَ البكاء، ما دام الذين يذهبون يأخذون دائمًا مساحة منّا، دون أن يدركوا، هناك حيث هم، أنّنا موتًا بعد آخر، نصبح أَوْلى منهم بالرّثاء، وأنّ رحيلهم كسر ساعتنا الجداريّة، وأعاد عقارب ساعة الوطن.. عصورًا إلى الوراء؟

الأغرب يومها، أنّها تركت الجميع متحلّقين حول قبره، وذهبت أمام دهشتهم، تبحث عن قبرٍ آخر.

في تلك الباحة الشرفيّة للموت، حيث ينام كبار شهداء الجزائر، تحت باقات الورود الرّسميّة، التي وضعت توًّا على قبورهم بمناسبة أوّل نوفمبر، توقّفت أمام قبر بوضياف.

غير أنّ قبرًا صغيرًا، أثار فضولها بتواضعه، ووجوده على يمينه، ببساطةِ من يعتذر عن المساحة التي يشغلها هناك.

هوذا إذن.. سليمان عميرات، الرّجل الذي لم تسمع باسمه قبل ذلك اليوم، الذي أفردت له الجرائد صفحاتها، لتنعاه في موته الغريب، الموجع.

لم تتوقّع أن يكونوا أهدوا إليه قبرًا صغيرًا في جوار بوضياف، وأنّه منذ ذلك اليوم الذي سقط فيه ميتًا بسكتة قلبيّة، عند أقدام جثمانه، لم يفترقا.

انتهى به المشوار هنا.

من عامة السّابع عشر إلى عامه السّبعين، وهو متورّط مع الوطن، منخرط في حبّ الجزائر، حتّى الموت. عرفته سجون فرنسا، وسجون الجزائر «الثوريّة»، حيث بقي سنوات متّهمًا بجرم المطالبة بالديمقراطية..

أمّا في آخر مقابلة تلفزيونيّة له، وكان قد أدرك خطر وقوع سلاح الديمقراطيّة في أيدي من لا يؤمنون بها إلّا مطيّة، فقد صرّح: «لو خيّرت بين الجزائر والديمقراطيّة.. لاخترت الجزائر».

وها هوذا اختار.. الموت قهرًا عند أقدام الوطن.

الوطن؟ كيف سمّيناه وطنًا.. هذا الذي في كلّ قبر له جريمة.. وفي كلّ خبر لنا فيه فجيعة؟

وطن؟ أيّ وطن هذا الذي كنّا نحلم أن نموت من أجله.. وإذا بنا نموت على يده.

أوطن هو.. هذا الذي كلّما انحنينا لنبوس ترابه، باغتنا بسكّين، وذبحنا كالنعاج بين أقدامه؟! وها نحن جثّةً بعد أخرى نفرش أرضه بسجّاد من رجال، كانت لهم قامة أحلامنا.. وعنفوان غرورنا!

بين قبرين، لا تميّز أحدهما عن الآخر سوى بعض الوجاهة الرخاميّة، رأيت تلك المرأة تجهش بالبكاء، فتتغيّر هيئتها وتصبح امرأة ككلّ النّساء المنتحبات هنا.

لم أستطع أن أفعل شيئًا من أجلها. فقد أصبحت في لحظةٍ امرأةً لا أعرفها، حوّلتها الفجيعة إلى امرأة أمّيّة، بطقوس حزن بدائيّة، وبنحيب مفاجئ مزّق الصّمت حولها، وكأنّها كانت تريد أن تقلّد ذلك الرّجل في موته، وتختبر حالة يمكن فيها، من البكاء، الموت قهرًا أمام قبر.

أهكذا ماتت الخنساء وهي تبكي أخاها؟ ولمَ هي تبكي هكذا على كلّ قبر تصادفه خطاها، أفي كل قبر لها صخر؟

لم يكن بإمكاني أن أسألها لماذا الآن؟ لماذا هنا؟ لماذا هما؟

هذه المرأة الغريبة الأطوار، لا تملك أجوبة عن أسئلة بديهيّة، وإلّا لما تركت النّاس يبكون أباها.. وراحت لتبكي غيره.

شيء فيها، أصبح فجأةً يخيفني، ويصيبني بالذّعر، فتركتها يومها عند قبر بوضياف تنتحب، وغادرت المكان على عجل.

هذه الذكريات التي فاجأتني، فقط لأنّني وضعت ذلك الدّفتر على قبر ومضيت، لم تغيّر مزاجي، أو على الأقلّ، لم تغيّره حدّ استدراجي إلى البكاء.

في الواقع، لم أكن أشعر بشيء. لا شيء على الإطلاق.

فجأةً، كما في انقطاع كهربائيّ، إثر ضغط عالٍ، توقّفَتْ داخلي الأحاسيس، وأصبحت الأشياء حولي تحدث لامرأة أخرى غيري.

أمّا أنا، فكنت أشعر بخفّةٍ، وشيءٍ شبيه بالسّعادة، التي لم أجد لها من تفسير، إلّا عندما تذكّرت أنّ سببها ذلك الدّفتر الذي تركته خلفي، غيرَ معنيّةٍ بمصيره.. ولا بتلك المكاسب الأدبيّة التي كان يمكن أن أجنيها من وراء نشره.. بعدما قضيت عامًا كاملاً في كتابته.

الحقيقة، هي كوني خفت إن أنا احتفظت به، أن يحلّ بي ما حلّ بتلك الكاتبة، التي لم تغفر لنفسها أبدًا تردّدها في وضع مخطوط روايتها على قبر أبيها.. والعودة إلى منفاها.

هي التي حملته إليه يوم موته، لتقول له كمن يعتذر عن غياب: إنّها خلال السّنوات الطويلة التي لم تحضر لزيارته، ولم تره فيها، كانت مشغولةً عنه بالكتابة إليه.. ومن أجله.

طبعًا.. كانت تكذب. هي كانت تكتب من أجلها، وإلّا لكانت يومها، تركت ذلك المخطوط على قبره.. ومضت.

ولأنّها لم تجرؤ على ذلك، لم تستطع بعدها أن تكتب شيئًا. أعوام من الصّمت، لتعاقب نفسها على جريمة تفضيلها آلاف القرّاء، على قارئ واحد، لن يقرأها، ووحده يعنيها.

ربّما بسبب جبنها في ذلك اليوم، تغيّرت نظرتي إلى الكتابة، وإلى وجاهتها، وإلى زهو شهرة تنزل عليك مصادفة بسبب كتاب، والتي ليست إلّا تذكيرًا بخيانة لقارئ واحد، نسرق منه بذريعة أو بأخرى مخطوطًا كُتب له، كي نصنع منه آلاف النّسخ المزوّرة، لقرّاء لا يعنيهم أمرنا.

قطعًا.. في كلّ نجاحٍ لكتابٍ خيانةٌ لشخص.

***

هي الحياة إذن..

قطعًا.. «لا يحدث للإنسان ما يستحقه.. بل ما يشبهه».

فلمَ الألـم..؟ ما دامت تلك النهايات تشبهنا.. حتى لكأنما الموت يجعلنا أجمل؟

رحم تقذفنا إلى رحم. ونحن الذين تساوينا في المجيء، لن نسأل لمَ يكون الميلاد واحدًا.. ويتعدّد الموت إلى هذا الحد؟

مع غارات الحزن الليليّة، اغتالني عطر رجل مات توًّا، تاركًا لي رائحة الوقت.. ومدينة جبليّة يحلو لها أن تخيفك بجسور الاستفهام.. وأودية شاهقة الفجيعة.

في كمائن المواعيد التي نصبتها لي الحياة، راح القدر عروةً..
عروةً، يفكّ بذلك البطء المتعمّد أزرار الوهم.

ذاك الذي حصل.. أكان حبًّا بصيغة الافتراض؟

كان يعرف عنها ما يكفي ليحبّها..

كانت تعرف عنه ما يكفي لتحبّه..

قطعًا.. لم يكن أحدهما يعرف الآخر بما فيه الكفاية!

برغم حزني.. غادرت المقبرة شبهَ سعيدة.

إذا كان كلّ فرح يحمل قدرًا من الحزن، فلا عجب أن يحمل الحزن
أيضًا شيئًا من فرح نستحي أن نسمّيه، ولكن يعرفه المبدعون تمامًا.

أجل، كانت تسعدني فكرة التخلّص من ذلك الدّفتر، فقد أتعبني البقاء
عامًا على قيد الكتابة، بحجّة أنّها وسيلتي الوحيدة للبقاء على قيد الحياة.

حتمًا.. ليس هذا صحيحًا. ليس فقط لأنّ الكتابة هي الوصفة
المثلى لإنفاق حياتك خارج الحياة، ولكنّها في هذا البلد بالذّات، هي
التّهمة الأولى التي قد تفقد بسببها حياتك.

ولذا، قرّرت بعد هذا الدّفتر، أن أقوم بمحاولة اكتشاف فضائل
الجهل، ونعمة أن تكون أمّيًّا، في مواجهة الحبّ، وفي مواجهة الموت..
وفي مواجهة العالم.

لا أدري إذا كان انحداري نحو الجهل، سيكون سهلاً. ولكن
لطالما صدّقت مقولة جبرا إبراهيم جبرا «الكاتب.. هو الذي يستطيع
الصعود والنزول على سلّم الحياة بسهولة تامّة».

ربّما، لأنّني قضيت حياتي على درجات ذلك السلّم، صاعدةً
نازلةً، دون أن أعطي انطباعًا للآخرين بأنّني لاهثة.

في الواقع، وحدها الكلمات كانت تلهث داخلي.. ولهذا أنا كاتبة.

عدت إلى البيت، امرأة منزوعة الشّهوات، لم يبق لها من تلك القصّة سوى عطر اختزنه جسدها، وما زالت تتعطّر به لتتحرّش بالذّاكرة.

الرّائحة.. هي آخر ما يتركه لنا الّذين يرحلون..

وأوّل ما يطالبُنا به العائدون.

وكلّ ما يمكن أن نهدي إليهم، لنقول لهم إنّنا انتظرناهم.

ولذا، لم يخطئ ذلك العاشق الرّائع، الذي يُدعى نابليون، عندما بعث يزفّ خبر نصره إلى زوجته طالبًا منها أن تحتفظ له برائحتها، قائلاً:

«جوزفين.. لا تستحمّي.. إنّي قادم بعد ثلاثة أيام!».

منذ نابليون، لم يوجد قائد عسكريّ يتقن الحديث إلى النّساء. وينهزم أمام الأنوثة.. بالعظمة نفسها التي يَهزم بها الأعداء.

ولذا.. سآخذ حمّامًا.. وأنام هذا المساء!

وربّما جلست إلى أمّي، بعدما أهملتها كلّ هذه الفترة، وأهملت أيضًا ناصر، الذي لا تنفكّ أمّي تطالبني بالكتابة إليه. ولكنّني لا أفعل، لانشغالي بذلك الدّفتر.. وبتلك الحياة الوهميّة.

ما كدت أتخلّص من عبودية الكتابة، حتى عاودني الشوق إلى ناصر. شوق مخيف في مباغتته وفي تأنيبه.

كيف تخلّيت عنه كل هذا الوقت، دون أن أفكر في ما قد ينتظره هناك من مقالب أخرى للحياة؟

كيف استطعت أن أعيش كل هذا الوقت دونه ودون نبرته المتذمّرة.. وتعليقاته الساخرة.. وحنانه المكابر الذي لا يمكن لكلّ كلمات العشق الرجاليّة أن تعوّضه لديّ.

قرّرت أن أكتب له رسالة طويلة.. جميلة.. موجعة.. مربكة.. كنص عشقيّ. أردت أن أجرّب عليه نزعاتي الإجرامية.. أن أسعده..

أن أبكيه.. عساني أستعيده برسالة، حتى إنّني قلت له إنّني أفكر في الطّلاق، إن كان هذا الأمر يرضيه..

كنت أريد أن أحتفي بعودتي إلى الحياة، وأعطي إشعارًا لمن حولي بذلك. أن أتقاسم معهم حياتهم العاديّة، بمشاغلها وتفاهاتها اليوميّة، بأحاديثها وضجرها.. بأفراحها وحزنها ومخاطرها، أن أعود أخيرًا امرأة طبيعيّة بعائلة وبيت.

زوجي استفاد من اهتمامي المفاجئ به، لينقذ علاقة اجتاحها فتور لم يجد له سببًا، فراح يحاول استعادتي بالتفاتات صغيرة.

أمّي كعادتها، لم تفهم شيئًا ممّا حلّ بي، واكتفت باجتياح كلّ برنامجي.

البارحة مثلًا.. قضت النّهار وهي تُملي عليّ رسالةً إلى ناصر. وهذا الصّباح، ما كادت تستيقظ حتّى طلبتني لتذكّرني بإرسالها.

كدت أسلّمها إلى زوجي، ليتكفّل بها. ولكنّي انتبهت أنّني يجب أن أخفي عنه العنوان الذي يقيم فيه ناصر.

وهكذا لم يكن أمامي، إلّا أن أرتدي ثيابي، وأذهب لأشتري من محلّ القرطاسيّة ظرفًا وطوابع بريديّة.

كنت أغادر البيت لأوّل مرّة منذ أسبوعين، عندما أشعلتني الرياح الخريفيّة التي لم أحسب لها حسابًا، وفاجأني الحزن القادم، كما المطر هنا، سابقًا بموسم.

واجهات تعرض الشتاء المقبل في دفء معطف، ومكتبات تعرض الكتب.. والدفاتر.. والأقلام.

«قطعًا».. كانت الحياة تستعدّ لإنهاء دورة الفصول، والبدء من جديد.

تذكّرت وأنا أرى الأطفال يركضون بحقائبهم متوجّهين إلى المدارس، أنّ آخر مرّة ذهبت فيها إلى هذا المحل، كانت منذ سنةٍ تمامًا، لأشتري الأشياء نفسها.

كما اليوم، كان الطّقس خريفيًّا يغري بشيء ما. ولكنّني اليوم، لا أحاول أن أسأل نفسي، بماذا هو يغري بالتحديد.

فمنذ أسبوعين، وأنا امرأة أمّيّة تتحاشى الأسئلة، خشية أن تباغتها أعراض كتابة.

كنّا في بداية الموسم الدّراسيّ. أذكر..

«بدءًا» كانت سماءٌ تجدّد هيئتها بين فصلين، وكاتبة تجدّد حبرها بين كتابين.

وكما اليوم، البائع نفسه كان منهمكًا في ترتيب ما وصله من لوازم مدرسيّة فاردًا دفاتره وأقلامه أمامي.

كما منذ سنة، ها هو يتوقّف قليلاً.. يتّجه نحوي.. يضع حمولته من الدّفاتر الجديدة، على تلك الطّاولة التي تفصلنا.. ويسألني مستعجلاً ماذا أريد.

كنت سأطلب منه ظروفًا وطوابع بريديّة، عندما...

19 ديسمبر 1997